LANGUE LINGUISTIQUE COMMUNICATION

Collection dirigée par Bernard Quemada

LINGUISTIQUE FRANÇAISE

initiation à la problématique structurale (1)

par

Jean-Louis CHISS
E.N. de Paris-Batignolles

Jacques FILLIOLET
Université de Paris X

Dominique MAINGUENEAU
Université d'Amiens

CLASSIQUES HACHETTE
79, boulevard Saint-Germain, Paris 6ᵉ

DANS LA MÊME COLLECTION

J. COURTÉS, *Introduction à la sémiotique narrative et discursive.*

R. ESCARPIT, *Théorie générale de l'information et de la communication.*

C. FUCHS et P. LE GOFFIC, *Initiation aux problèmes des linguistiques contemporaines.*

D. MAINGUENEAU, *Initiation aux méthodes de l'analyse du discours - Problèmes et perspectives.*

R. MOREAU, *Introduction à la théorie des langages.*

Ch. MULLER, *Initiation aux méthodes de la statistique linguistique.*

ISBN 2-01-003388-4

TABLE DES MATIÈRES

Avertissement 5
Introduction 7

PREMIÈRE PARTIE : Initiation à la problématique de la linguistique structurale

1 La linguistique : Aperçu historique 9
— La « Grammaire traditionnelle » 10
— Comparatisme et linguistique historique 13
Textes 16
Lectures 18

2 Saussure et le « Cours de Linguistique Générale » 19
— Les grandes orientations du « Cours » 20
— Les concepts fondamentaux du « Cours » 24
Texte 34

3 Écoles et domaines de la linguistique 35
— Branches de la linguistique 35
— Disciplines connexes 38
— Écoles linguistiques 41

4 Les concepts fondamentaux de la linguistique structurale 48
— Le processus de la communication 48
— Les unités linguistiques 52
— L'analyse distributionnelle 56
Lectures 60

DEUXIÈME PARTIE : Phonétique et phonologie

1 Éléments de phonétique articulatoire 63
— Conditions de l'émission 63
— Anatomie sommaire du larynx 64
— Physiologie du larynx 67
— Anatomie des cavités sus-glottiques 68

2 Éléments de phonétique acoustique 71
— Notions de physique 71
— Acoustique et production vocale 73
— Acoustique et perception 75

3 L'Alphabet Phonétique International 77

4 Les classements   80
— Classements articulatoires   80
— Classements acoustiques   87

5 La perspective phonologique   94
— Le phonème   94
— Variantes, neutralisation et traits distinctifs   96
— Les systèmes phonologiques du français   98

6 Les faits prosodiques   100
— Phénomènes accentuels et rythmiques du français   102
— Phénomènes intonatifs du français   104
Lectures   107

TROISIÈME PARTIE : Problèmes du lexique

1 Le mot   110
— La syntaxe du mot   111
— Le mot : Langue, Société et Histoire   115
Lectures   117

2 Lexicologie structurale   118
— Le signe linguistique   118
— L'évolution sémantique   123
— Les relations sémantiques   125
— Valeur et champ sémantique   127
— L'analyse distributionnelle   129
— L'analyse sémique   132
Lectures   138

3 Lexicographie et pratique du dictionnaire   139
— Le dictionnaire de langue   140
— L'article de dictionnaire   146
Lectures   150

Exercices   151

Index   158

AVERTISSEMENT

La volonté des premiers structuralistes de ne prendre en compte que l'architecture immanente du système, l'insistance sur le caractère arbitraire des signes verbaux ont vite donné l'impression que le structuralisme visait à dégager un ensemble de rapports hiérarchisés indépendants de toute influence « externe » (créativité du locuteur, situation d'énonciation, variation sociale, etc.). Or il est devenu impossible aujourd'hui de maintenir un tel partage entre le système et son ancrage psycho- et sociolinguistique.

La démarche structuraliste n'en a pas pour autant perdu toute pertinence, surtout en ce qui concerne la pédagogie de la linguistique. A notre avis, ce sont précisément les nécessités pédagogiques qui imposent de s'initier à la linguistique en se référant au structuralisme, dont la méthode est prouvée efficace par les résultats acquis. Ce faisant, nous entendons présenter ce manuel non pas tant comme une introduction à un structuralisme indûment fétichisé que comme une *problématique*, certes remise en cause sous bien des aspects, et à juste titre, mais qui n'en constitue pas moins la première étape d'une initiation conséquente.

Il n'existe pas de linguistique « en soi », on ne peut introduire à *la* linguistique, comme à un univers clos, dégagé de toute contradiction : bien au contraire, toute initiation (et surtout la plus élémentaire) implique nécessairement le choix d'un point de vue organisateur. Il nous a donc paru possible de dégager une voie originale en nous fondant sur la réalité de la pédagogie de la linguistique dans la plupart des universités et des centres de formation des maîtres en France. Cet ouvrage ne vise pas uniquement à « donner des bases », mais plutôt un « angle d'attaque », un *point de vue* cohérent ouvrant des perspectives pour un approfondissement ultérieur; loin de se suffire à lui-même, il ne constitue donc que la première étape d'un apprentissage à envisager dans le cadre d'un cursus méthodique.

Ces préoccupations expliquent la démarche adoptée ici. La volonté de centrer l'intérêt sur la linguistique française sans ignorer l'essentiel des problèmes de la linguistique générale répond, nous semble-t-il, à une nécessité : il se trouve que la grande majorité de ceux qui ont recours à la linguistique sont confrontés à des problèmes afférant surtout à la linguistique du français et à son enseignement; en outre, pour ne pas être purement dogmatique, l'initiation doit se fonder sur une réflexion que seul le maniement de la langue maternelle peut asseoir de façon réellement convaincante.

Le plan suivi dans ce manuel ne prétend pas à l'originalité et correspond à la démarche effectivement suivie par la plupart des enseignants;

il s'agit aussi de répondre à l'attente des étudiants qui veulent se repérer dans un domaine extrêmement touffu. Après une rapide mise en contraste des points de vue respectifs de la grammaire scolaire traditionnelle et de la linguistique, vient un aperçu historique qui aborde les problèmes spécifiques de la grammaire française. L'initiation aux concepts de la linguistique générale se fait à travers le *Cours de linguistique générale* de Saussure, selon une démarche habituelle en France ; puis suit un « parcours de reconnaissance » des multiples écoles et domaines de la linguistique, et enfin une mise en place des principaux concepts des écoles structuralistes.

La deuxième partie est consacrée à la phonétique et à la phonologie du français, domaine où les perspectives structuralistes se sont révélées les plus fécondes, ce qui n'interdit pas de faire appel à des acquis plus récents, spécialement en acoustique. Quant au dernier volet, il traite non seulement de lexicologie structurale, mais aussi de lexicographie, pratique que le caractère trop familier du dictionnaire amène souvent l'enseignant à délaisser. Quelques pages d'exercices clôturent ce premier tome : ils sont destinés essentiellement à donner des modèles permettant d'exercer la réflexion, et non à fournir une longue liste de manipulations.

Le deuxième volume sera également divisé en trois parties : syntaxe structurale, problèmes de communication, poétique. Si la présence d'un développement consacré à la syntaxe se justifie aisément, on pourrait trouver discutable l'insertion dans un « manuel de linguistique structurale » des deux autres parties. Pourtant, la nécessité, reconnue de plus en plus fortement aujourd'hui, de ne pas séparer l'étude des énoncés d'une réflexion sur les situations de communication nous a conduits à présenter quelques éléments de sociolinguistique. Quant à la place faite à la poétique, elle peut se justifier de deux façons : constatons d'abord que l'enseignement de ce qu'on appelle souvent la « stylistique » va la plupart du temps de pair avec celui de la linguistique ; en outre, l'étude de textes « poétiques » constitue une irremplaçable approche de la notion de fonctionnement globalisant. C'est là une occasion pour l'étudiant d'exploiter simultanément ses divers acquis linguistiques.

Un mot encore sur la présentation des chapitres : les paragraphes en petits caractères constituent des « ouvertures », offrent un élargissement des perspectives développées dans le cours proprement dit. Dans la mesure où nous présentons le structuralisme comme une problématique, nous ne saurions en effet passer sous silence les remises en cause qu'il suscite, sans pour cela briser la cohérence, pédagogiquement nécessaire, de la conception d'ensemble de l'ouvrage.

Les « lectures » placées à la fin des chapitres sont choisies pour leur caractère accessible (facilité de compréhension, facilité de se les procurer). Ce sont des moyens d'éclairer, d'approfondir des éléments qui ne peuvent être qu'esquissés dans le cours du chapitre.

INTRODUCTION

La linguistique est une science dont l'objet est le langage humain ; on doit distinguer la *linguistique générale* qui étudie les propriétés universelles spécifiques du langage, indépendamment de telle ou telle langue particulière, et la *linguistique française*, anglaise, etc. (ou « linguistique du français »...) qui vise à décrire le fonctionnement d'une langue déterminée, le français, l'anglais... Ces deux linguistiques ne peuvent exister l'une sans l'autre et ne sont que deux aspects d'une même activité.

Tous les enfants scolarisés « font de la grammaire » pendant des années et ont de ce fait une idée, plus ou moins confuse, de ses méthodes et de sa finalité ; à cette idée confuse, il convient de substituer une explicitation. Si aujourd'hui se généralise le terme de « linguistique », ce n'est précisément pas pour rebaptiser la traditionnelle grammaire d'un nom pompeux, mais pour signifier par là qu'il s'est produit des changements radicaux de problématique dans l'étude du langage. La linguistique n'est pas une grammaire devenue « plus rigoureuse », mais adopte une perspective différente.

La **linguistique** s'oppose à la démarche de la **grammaire traditionnelle** à quatre niveaux différents :
- En un sens courant, la « grammaire » est considérée comme un ensemble de règles, de préceptes que doivent apprendre et suivre les locuteurs (= ceux qui parlent une langue) pour parler et écrire « correctement », suivant le « bon usage ». La linguistique, bien au contraire, ne privilégie pas le « beau langage » aux dépens du reste de la réalité linguistique, ne mêle pas des préoccupations normatives (traitant du permis et du défendu) avec sa tâche première, qui est de décrire et expliquer le fonctionnement effectif des langues. La linguistique a cependant pour finalité de construire des « grammaires », si l'on entend par là des modèles rigoureux et explicites des langues.
- La linguistique se distingue de ce qu'on appelle la *philologie,* science auxiliaire de l'histoire, de la littérature... qui étudie les textes écrits laissés par des civilisations passées pour en éclairer le sens et, par là, le milieu intellectuel et social qui les a produits. On peut parler de *déformation philologique* quand l'étude de la langue se fait dans le cadre exclusif de textes écrits consacrés (littéraires, religieux...), quand les préoccupations

destinées à éclairer les textes interfèrent avec l'étude du fonctionnement linguistique et en viennent à le masquer.

- La linguistique n'est pas subordonnée à une philosophie, une logique ou encore une psychologie; cela ne signifie pas qu'elle puisse se passer d'une réflexion théorique, s'abstraire de prises de position philosophiques, implicitement ou non, ni qu'elle puisse ignorer le psychisme, mais seulement que la construction de son appareillage conceptuel, de ses objets théoriques, de leurs propriétés, ne doit en aucune façon se réaliser à l'aide d'une grille qui serait élaborée en dehors d'une étude systématique du langage.

- Pour la linguistique, il n'y a pas de langues plus nobles que d'autres qui soient appelées à servir de modèle à ces dernières; autrement dit, il ne peut être question de décrire une langue en fonction de propriétés qui en caractérisent une autre, jugée plus prestigieuse.

En revanche, ce qu'on dénomme aujourd'hui « grammaire traditionnelle », et dont nos manuels scolaires sont souvent le produit, se fonde sur quatre présupposés :

- Le langage y est soumis à une norme, aux lois souvent capricieuses du « bon usage », dont l'avatar ultime est le *purisme,* qui bloque totalement une étude objective de la langue.

- Le choix d'une perspective philologique y est facilement décelable dans la prééminence accordée aux textes littéraires, et en particulier aux écrivains jugés « classiques » (cf. les exemples de grammaire). Songeons qu'à l'école, la pratique grammaticale de l'enfant, jusqu'à une date récente, s'ordonnait essentiellement autour du commentaire de la dictée d'auteur classique (Mme de Sévigné, V. Hugo, A. Daudet...), où se mêlaient analyses grammaticales et remarques stylistiques.

- Le découpage des unités qu'elle propose est souvent issu d'un héritage philosophique incontrôlé, très diffus, et d'une psychologie vague et élémentaire qui présupposent des catégories de pensée universelles (grammaire dite *notionnelle).*

- Enfin, dans l'observation grammaticale se glissent des considérations importées, sans critique préalable, de la grammaire latine : ceci s'explique évidemment par les origines historiques de la grammaire traditionnelle, mais aussi par le statut prestigieux, et même la prééminence du latin dans l'enseignement français jusqu'à une date récente.

Rien de plus difficile, en réalité, que de considérer la langue d'une manière « objective ». Dans un tel domaine, il n'y a pas d'évidence spontanée, même si les locuteurs ont le plus souvent l'impression que parler est une activité allant de soi. Le langage a toujours été un objet privilégié pour la spéculation, et la linguistique, comme toute science humaine, doit se frayer un chemin à travers un terrain massivement occupé par l'idéologie.

PREMIÈRE PARTIE
Initiation à la problématique de la linguistique structurale

---

1. LA LINGUISTIQUE : APERÇU HISTORIQUE

La linguistique moderne n'est donc pas sortie toute armée du cerveau de quelques savants, mais s'est élaborée, et s'élabore aujourd'hui plus que jamais, grâce à une réflexion critique sur des notions, des conceptions qu'elle a héritées d'une longue histoire (plus de deux millénaires dans notre aire gréco-latine). Il est naïf de croire que le regard qu'on jette sur le langage puisse être innocent, coupé de tout passé : en réalité, ce regard est toujours *situé*. Comment saisir par exemple les fondements de notre grammaire traditionnelle, si l'on fait abstraction des cadres de pensée gréco-latins?

Toute esquisse historique, même sommaire, doit combattre l'impression que l'étude du langage se développe dans un monde d'idées pures et selon la ligne d'un progrès continu; en fait cette étude est indissociable des sociétés dans lesquelles elle s'élabore, étant toujours liée, plus ou moins explicitement, à une philosophie, à un certain type de relation aux textes (littéraires, religieux...). Autrement dit, l'accès à la langue se réalise à travers un ensemble de pratiques sociales qui délimitent le champ à l'intérieur duquel il peut s'exercer : ainsi, on ne soulignera jamais trop l'importance des *institutions scolaires* dans ce domaine. Le terme de « grammaire » est lui-même ambigu, puisqu'une grammaire est simultanément analyse, plus ou moins rigoureuse, d'une langue, et manuel au service d'une pédagogie déterminée. Dans toute société, l'enseignement de la langue est un « secteur-clé » que certains groupes peuvent chercher à s'approprier, idéologiquement et politiquement ; la langue n'est jamais neutre, mais constitue un lieu de contradictions où se cristallisent de multiples conflits.

LA « GRAMMAIRE TRADITIONNELLE »

- La grammaire antique

● *Les philosophes.* C'est dans la Grèce classique du Ve siècle avant J.-C. que naît la réflexion grammaticale, à l'ombre de la spéculation philosophique. Platon (429-347), dans une perspective logique, distingue les catégories du *nom* et du *verbe,* constituants fondamentaux de la proposition, du jugement. Son nom est surtout associé à un débat linguistique d'une importance considérable : y a-t-il une relation naturelle entre la signification d'un mot et sa forme, ou cette relation est-elle fondée seulement sur une convention arbitraire (question débattue dans le *Cratyle*)? Ce problème débouche sur une *étymologie,* une quête de l'origine des mots. Aristote (384-322) ajoute à la division entre *nom* et *verbe* la catégorie de la *conjonction,* c'est-à-dire la catégorie des mots qui ne désignent pas un objet, mais contribuent seulement à édifier la proposition. Il définit également le *verbe,* par opposition au *nom,* comme possédant l'idée de temps.

● *Grammairiens stoïciens et alexandrins.* Les stoïciens sont les philosophes antiques qui se sont le plus préoccupés de langage. Ils se sont illustrés, comme « anomalistes », dans un conflit d'écoles, capital à cette époque, celui qui opposa *analogistes* et *anomalistes* : la langue obéit-elle à une régularité *(analogie)* ou contredit-elle l'ordre de la nature *(anomalie)*? Chez eux, la grammaire n'est pas isolée en tant que telle : les réflexions proprement linguistiques sont éparses dans une théorie qui vise avant tout à enseigner à bien raisonner. Ils distinguent *nom propre* et *nom commun, verbe, conjonction, article, voix passive et active...* Il faut attendre les grammairiens d'Alexandrie (IIIe et IIe av. J.-C.) pour voir apparaître des grammaires proprement dites. Dans le but de conserver, restituer, expliquer les œuvres des auteurs grecs classiques, ces Alexandrins ont donc composé des manuels ; leur perspective philologique ne vise pas à décrire la langue de leurs contemporains mais à défendre de la corruption une langue littéraire ancienne et prestigieuse. Denys de Thrace (170-90) est ainsi l'auteur de la première grammaire occidentale systématique, où sont repérées et décrites des catégories qui vont venir jusqu'à nous : *préposition, pronom, participe, adverbe, article, conjonction, nom, verbe.*

● *La grammaire latine.* Les Latins ont transmis les travaux des Grecs, d'autant plus aisément que la structure du latin était assez proche de celle du grec. Dans la mesure où la grammaire grecque privilégie la *morphologie* (c'est-à-dire le mot, considéré avec ses diverses désinences), il fallait que la langue latine dispose également de déclinaisons pour que le passage de l'une à l'autre puisse s'opérer facilement. Le grammairien le plus remarquable est Varron (Ier siècle av. J.-C.), auteur d'un *De lingua latina.* Donat (vers 400) et Priscien (vers 500) sont auteurs de manuels d'enseignement du latin classique (celui de Cicéron) qui feront autorité jusqu'au XVIIe siècle en Europe.

- La grammaire médiévale

Le fait qui domine cette époque est la prépondérance absolue du latin sur la vie culturelle. Les grammairiens médiévaux ont affiné la grammaire latine : Alexandre de Villedieu, par exemple (vers 1200), en a fait un résumé versifié à des fins pédagogiques qui connaîtra un immense succès. L'essentiel de l'apport médiéval réside dans le développement, au XIIIe siècle, d'une théorie philosophique de la signification qui débouche sur une *grammaire spéculative* (spéculative, parce que la langue y est le miroir, *speculum* en latin, de la réalité). Ces philosophes, dits *modistes,* s'intéressent aux *modes* de signification, aux principes universels selon lesquels le signe linguistique est lié au monde et à l'esprit de l'homme. Pour eux, la grammaire est la même dans toutes les langues, qui ne diffèrent pas dans leur « substance » mais dans leurs « accidents ».

- La grammaire humaniste

La Renaissance est le lieu d'un double mouvement en apparence contradictoire, puisqu'on remet à l'honneur le grec et le latin classiques et qu'en même temps on se met à étudier les langues vernaculaires propres à chaque pays. En fait, ces deux tendances convergent souvent : étudier le français, c'est supposer qu'il présente une organisation grammaticale digne de ce nom, et, pour le prouver, on cherche à montrer sa conformité avec le latin ou le grec (cf. H. Estienne : *Traité de la conformité du langage français avec le grec,* 1569). Un intense mouvement philologique de restitution des textes antiques se développe, favorisé par l'apparition de l'imprimerie. En 1539, le français devient officiellement la langue de l'administration. Vers 1530 apparaissent les premières grammaires françaises (par exemple : John Palsgrave, *Éclaircissement de la langue française,* 1530 — Meigret, *Traité de la grammaire française,*

1550...). La description grammaticale de cette époque se caractérise par l'intérêt porté à la variété, à la multiplicité des formes, aux usages de la langue. C'est là un empirisme qui s'exerce aux dépens d'une recherche des principes généraux. Le développement des voyages, des échanges commerciaux, des explorations et de l'évangélisation amène l'Europe à connaître des idiomes très divers, dont les *dictionnaires polyglottes* constituent des répertoires, essentiellement dévolus à favoriser la communication.

- La grammaire classique

A partir du XVIIᵉ siècle se codifie progressivement la notion de « bel » ou de « bon usage », en particulier avec le renforcement du centralisme monarchique et le développement concomitant d'une vie de Cour. Un gentilhomme, Vaugelas, avait publié en 1647 des *Remarques sur la langue française* érigeant en norme du bon langage l'usage de la Cour et de quelques cercles privilégiés. Un tel point de vue, qui est un peu l'antithèse de la tendance rationaliste (Port-Royal), amène à accorder davantage d'importance à des points de détails, aux caprices de l'usage qu'aux grandes régularités de la langue; la notion de « faute de français » est ici cruciale : bien parler, c'est connaître un ensemble de conventions, un code, celui d'une élite sociale. Ce *bon usage* va progressivement se couper de l'usage effectif, prenant pour référence les textes de quelques écrivains sélectionnés pour leur « classicisme ». Ce point de vue normatif va avoir une importance décisive sur l'enseignement du français, et jusqu'à nos jours. La fondation de l'Académie française par Richelieu, en 1635, constitue un événement important : cette institution va fixer le bon usage, en particulier grâce à son *Dictionnaire* (1ʳᵉ édit. 1694).

Dans le domaine proprement grammatical, l'ouvrage qui marque cette époque est la *Grammaire* de *Port-Royal* (1660) dont les auteurs sont A. Arnauld et Lancelot. L'étude des formes grammaticales y est subordonnée à une théorie des relations logiques qui fondent la langue. Le langage est une représentation de la pensée par des signes, et en analysant une langue, ou plusieurs, on remonte de l'usage aux principes rationnels universels auxquels doit obéir toute langue si elle veut exister, c'est-à-dire représenter fidèlement la pensée. Dans cette grammaire dite *mentaliste,* le fondement des règles grammaticales, ce sont les principes clairs qui expliquent comment ces règles permettent d'exprimer la pensée.

Cette perspective va dominer jusqu'à la fin du XVIIIᵉ siècle. La proposition logique, le jugement sont au centre de la réflexion : la proposition analyse la pensée en combinant des idées représentées par les mots. L'histoire des langues ainsi que leur diversité sont secondaires face à l'universalité et la stabilité de la raison cartésienne. Une telle conception se retrouve en particulier dans *L'Encyclopédie* où le grammairien

Beauzée affirme par exemple que « toutes les langues assujettiront indispensablement leur marche aux lois de l'analyse logique de la pensée ; et ces lois sont invariablement les mêmes partout et dans tous les temps ». Cela explique l'intérêt porté à cette époque à l'origine des langues et le mythe d'une langue originelle dans laquelle le langage aurait coïncidé parfaitement avec la pensée.

COMPARATISME ET LINGUISTIQUE HISTORIQUE

Au début du XIXe siècle se produit une mutation dans la réflexion grammaticale (bien qu'elle n'ait pratiquement pas eu d'influence sur l'enseignement grammatical). Si, à l'époque classique, le langage analysait la pensée, au XIXe siècle, il devient un organisme grammatical soumis à l'Histoire. Le fait capital est constitué par la restitution de *l'indoeuropéen*, restitution corrélative d'une méthodologie, le *comparatisme*.

- Le Comparatisme

En 1786, l'Anglais W. Jones émet l'hypothèse que le sanskrit (vieille langue sacrée de l'Inde), présentant des ressemblances frappantes avec le latin, le grec, le celtique, le persan, etc., avait la même origine. De multiples recherches furent réalisées dans ce sens, et si l'Allemand F. Schlegel diffusa ces idées dans son livre *Sur la langue et la sagesse des Indiens* (1808), ce furent les travaux de F. Bopp et R. Rask qui allaient fonder la méthode comparatiste.

F. Bopp (1791-1867) publia en 1816 un mémoire sur *Le système des conjugaisons du sanskrit comparé à celui du grec, du latin, du persan et du germanique,* dans lequel il démontra rigoureusement la communauté d'origine de ces langues, les faisant dériver d'une hypothétique langue mère, *l'indo-européen.* Un an plus tôt, le Danois R. Rask (1787-1832), dans son *Investigation sur l'origine du vieux Norrois ou Islandais,* avait établi, mais sans se servir du sanskrit, les affinités entre islandais, langues scandinaves, grec, latin, arménien, slave, langues germaniques... Avec ces deux auteurs, et beaucoup d'autres, la notion vague et préscientifique de « ressemblance » entre langues fait place à une méthodologie de plus en plus rigoureuse et précise.

- Romantisme et modèle biologique

Les productions culturelles de cette époque attestent une prise de conscience aiguë de l'historicité et l'exaltation, corrélative, de l'éveil des nationalismes, des passés nationaux, des « antiquités nationales ». Les littératures populaires suscitent un grand intérêt, dans la mesure où on pense atteindre à travers elles « l'âme profonde » des peuples, où elles manifestent le vouloir d'une nation soumise à une destinée historique, porteuse d'une mission. Dans cette perspective se développe un intense travail philologique sur les contes, légendes, épopées...

Une influence en quelque sorte opposée, mais tout aussi capitale, s'exerce sur l'étude du langage, celle des sciences de la nature, alors en pleine mutation, avec Cuvier, Darwin... Dès 1808, F. Schlegel écrivait : « La grammaire comparée nous fournira des solutions absolument nouvelles sur la *généalogie* des langues, de la même manière que *l'anatomie comparée a répandu un grand jour sur les parties supérieures de l'histoire naturelle.* » Le contexte scientifique de cette époque favorisait cette analogie : la langue est considérée comme un organisme en évolution constante, qui naît, se corrompt et meurt, en suivant des lois comparables à celles des êtres vivants. L'indo-européen est dès lors conçu comme une *langue mère*, dont dérivent des *langues filles*, puis des « langues petites-filles », etc.

Deux noms symbolisent ces grandes tendances du XIXᵉ siècle : W. von Humboldt (1767-1835) et A. Schleicher (1821-1867). Le premier considère la langue comme une forme dynamique qui façonne la pensée, exprimant et organisant indissolublement l'âme des peuples et leur vision du monde. Si Humboldt place au centre le dynamisme, la liberté de l'esprit, son pouvoir créateur dans l'exercice du langage, Schleicher, à l'inverse, considère la langue comme un organisme biologique : elle n'est pas tant un fait social qu'un être de la nature, soumis à la nécessité d'une évolution, aux *lois* phonétiques. En 1865, il publiera un ouvrage au titre significatif : *La théorie darwinienne et la science du langage.*

- La fin du XIXᵉ siècle

Entre 1850 et 1875, la phonétique (étude de la production et de la substance physique des sons du langage) subit de profondes transformations et tend à devenir une véritable science expérimentale, avec des savants comme Helmholtz, Rousselot... Ces progrès rejaillissent sur la grammaire comparée et permettent de caractériser plus rigoureusement les lois phonétiques. Simultanément, l'intérêt pour les langues romanes grandit : si l'étude de l'indo-européen présentait de grandes difficultés, il n'en allait pas de même pour les langues issues du latin, puisque de nombreux documents permettaient d'étudier en détail le passage du latin au français, à l'espagnol, à l'italien, etc. On s'est intéressé parallèlement de plus en plus aux dialectes régionaux. Ce développement de la dialectologie, lié à l'impulsion de l'idéologie romantique, aux progrès de la linguistique romane et de la phonétique, est en grande partie l'œuvre de chercheurs français, tel J. Gilliéron. Celui-ci, fondateur en 1867 d'une *Revue des Patois gallo-romans,* publia entre 1902 et 1910 un *Atlas linguistique de la France* accompagné de centaines de cartes géographiques, qui devait susciter des imitations dans l'Europe entière.

Vers 1875 se forme à Leipzig un groupe de jeunes linguistes (Brugmann, Osthoff, H. Paul...) qui prennent le nom de « néo-grammairiens », et dont les thèses poussent à l'extrême certains aspects de la linguistique historique, tout en offrant de nouvelles perspectives. Ils posent le caractère absolument nécessaire des lois phonétiques et affirment l'aspect essentiellement historiciste de la linguistique (« la seule étude scientifique du langage est la méthode historique »). En revanche, ils réagissent contre l'importance indue accordée à la reconstruction de l'indo-européen primitif au détriment de l'évolution des langues chronologiquement plus proches (« le comparatisme doit détourner son regard de l'archi-langue et le tourner vers le présent »). Au lieu de se réclamer du modèle biologique, ils accordent une grande importance à la psychologie, alors science montante; c'est assigner une limite à l'assimilation de la langue à un organisme naturel.

Dans la deuxième moitié du XIXe, sous l'influence de chercheurs comme G. Paris, se développe l'étude des origines de la langue française et donc de l'Ancien Français. Dans le domaine de la grammaire comparée et de la linguistique générale, il faut citer deux grands noms, ceux de M. Bréal et d'A. Meillet. M. Bréal (1832-1915) a cherché à réconcilier la linguistique générale avec les perspectives de la grammaire comparée; créateur du terme *sémantique* (« science des significations » et des « lois qui président à la transformation des sens »), il réagit contre l'intérêt exclusif porté à l'aspect phonétique de l'évolution des langues. A. Meillet (1866-1936) est surtout connu pour ses études dans le domaine indo-européen et pour l'influence qu'a exercée sur lui la sociologie, alors naissante, de Durkheim: il insiste sur le caractère éminemment *social* de la langue.

C'est grâce à une réflexion critique sur les acquis et les impasses de cette linguistique du XIXe siècle que F. de Saussure va édifier *la linguistique structurale*.

15

TEXTES

- L'Encyclopédie

La subordination de la grammaire aux lois de la pensée, qu'analyse la logique, est clairement affirmée dans l'article « grammaire » de « L'Encyclopédie ». Parler, c'est analyser la pensée : cette analyse laisse cependant passer un résidu, à savoir l' « usage », variable, qui est à la source de la diversité des langues.

La parole est une sorte de tableau dont la pensée est l'original ; elle doit en être une fidèle imitation, autant que cette fidélité peut se trouver dans la représentation sensible d'une chose purement spirituelle. La logique par le secours de l'abstraction vient à bout d'analyser en quelque sorte la pensée, toute indivisible qu'elle est, en considérant séparément les idées différentes qui en font l'objet, et la relation que l'esprit aperçoit entre elles. C'est cette analyse qui est l'objet immédiat de la parole, et c'est pour cela que l'art d'analyser la pensée est le premier fondement de l'art de parler, ou en d'autres termes, qu'une saine logique est le fondement de la grammaire (...). Toutes les langues assujettiront indispensablement leur marche aux lois de l'analyse logique de la pensée ; et ces lois sont invariablement les mêmes partout et dans tous les temps, parce que la nature et la manière de procéder de l'esprit humain sont essentiellement immuables (...). La grammaire admet (donc) deux sortes de principes, les uns sont d'une vérité immuable et d'un usage universel ; ils tiennent à la nature de la pensée même ; ils en suivent l'analyse ; ils n'en sont que le résultat. Les autres n'ont qu'une vérité hypothétique et dépendante de conventions libres et muables, et ne sont d'usage que chez les peuples qui les ont adoptés librement, sans perdre le droit de les changer ou de les abandonner, quand il plaira à l'usage de les modifier ou de les proscrire. Les premiers constituent la « grammaire générale », les autres sont l'objet des diverses « grammaires particulières ».

(BEAUZÉE, *Encyclopédie*, Tome 7, p. 841-B, 842-A, *passim*, 1757.)

- Vaugelas et le « bon usage »

Ces deux extraits de Vaugelas explicitent sa conception du « bon usage » : définition purement sociologique, souci exclusivement normatif, privilège accordé aux œuvres d'écrivains soigneusement choisis...

(L'usage) « C'est la façon de parler de la plus saine partie de la Cour, conformément à la façon d'écrire de la plus saine partie des auteurs du temps (...) ; il est vrai que d'ajouter à la lecture la fréquentation de la Cour et des gens savants en la langue est encore tout autre chose, puisque tout le secret pour acquérir la perfection de bien écrire ne consiste qu'à joindre ces trois moyens ensemble. » (Préface des *Remarques*, I.)

« Mon dessein dans cette œuvre est de condamner tout ce qui n'est pas du bon ou du bel usage (...). Pour moi, j'ai cru jusqu'ici que dans la vie civile et dans le commerce ordinaire du monde, il n'était pas permis aux honnêtes gens de parler autrement que dans le bon usage, ni aux bons écrivains d'écrire autrement aussi que dans le bon usage — je dis en quelque style qu'ils écrivent, sans même en excepter le bas (...). Ainsi ce bon usage se trouvera de grande étendue, puisqu'il comprend tout le langage des honnêtes gens et tous les styles des bons écrivains, et que le mauvais usage est renfermé dans le burlesque, dans le comique en sa propre signification, comme nous avons dit, et le satirique, qui sont trois genres où si peu de gens s'occupent qu'il n'y a nulle proportion entre l'étendue de l'un et de l'autre. »

(Ibidem, VII.)

- Bopp et la Grammaire comparée

Dans la préface de sa « Grammaire comparée », Bopp résume la démarche comparatiste.

« Je me propose de donner dans cet ouvrage une description de l'organisme des différentes langues qui sont nommées sur le titre, de comparer entre eux les faits de même nature, d'étudier les lois physiques et mécaniques qui régissent ces idiomes et de rechercher l'origine des formes qui expriment les rapports grammaticaux (...). La découverte du sanskrit fut dans l'ordre des études grammaticales comme la découverte d'un nouveau monde (...). Les rapports de la langue ancienne de l'Inde avec ses sœurs de l'Europe sont en partie si évidents qu'on ne peut manquer de les apercevoir à première vue ; mais, d'autre part, il y en a de si secrets, de si profondément engagés dans l'organisme grammatical que, pour les découvrir, il faut considérer chacun des idiomes comparés au sanskrit et le sanskrit lui-même sous des faces nouvelles, et qu'il faut employer toute la rigueur d'une méthode scientifique pour reconnaître et montrer que tant de grammaires diverses n'en formaient qu'une seule dans le principe. »

(Grammaire comparée, trad. M. Bréal, Préface, passim.)

- Le modèle biologique

A. Schleicher montre bien le poids du modèle biologique sur la linguistique (nommée ici « glottique ») ; on notera l'occultation de la dimension sociale du langage.

« La science linguistique n'a rien d'une discipline historique et relève de l'histoire naturelle. Elle n'a pas pour objet la vie spirituelle des peuples, l'histoire (au sens large), mais le langage et rien d'autre ; elle ne se penche pas sur l'activité de l'esprit dans sa liberté (l'histoire), mais sur le langage tel qu'il est donné par la nature, soumis à des lois invariables de formation et dont la constitution est aussi étrangère à la détermination volontaire de l'individu que le chant du rossignol l'est aux intentions du chanteur ; autrement dit, la glottique a pour objet un organisme naturel (...), le Glotticien est un naturaliste ; il est avec les langues à peu près dans le même rapport que le botaniste avec les plantes (...). Il va de soi que l'organisme linguistique exige, de par sa nature même, d'être saisi comme un organisme vivant, c'est-à-dire comme ayant parcouru un certain processus, ou comme en cours de processus. »

(La langue allemande, 1860, pp. 120-127 passim.)

- **Humboldt : le langage comme « forme dynamique »**

On opposera le texte de Schleicher à cet extrait de Humboldt.

« Le procédé abstraitement philosophique [de la grammaire classique] ne peut aboutir qu'à une théorie creuse et vide. C'est que la langue provient par nécessité interne de l'être même de l'homme, elle ne tolère ni contingence ni arbitraire ; un peuple parle comme il pense, sa pensée est l'exacte mesure de sa parole et, pour lui, pensée aussi bien que parole se fondent par essence dans l'ensemble unifié que forment ses dispositions corporelles et spirituelles dont elles procèdent, tout en ne cessant de se reverser en elles ; mais ce n'est pas l'esprit humain ou la pensée humaine, entendus selon leur notion abstraite et générale, qui constituent le fondement où s'alimentent les langues ; c'est toujours, dans toute sa plénitude, sa perfection et sa vitalité, l'individualité du peuple ; encore celle-ci ne saurait-elle être atteinte en elle-même, mais seulement et très précisément dans son produit, la langue. »

(*Fondement d'une typologie universelle des langues,* 1826. trad. P. Caussat, in Jacob, pp. 90-91.)

LECTURES

G. Mounin : *Histoire de la linguistique,* P.U.F., 2ᵉ édit. 1970.

Petit ouvrage très clair et bien documenté. La présentation « compartimentée » introduit un morcellement dont on voit mal les articulations.

J. Lyons : *Linguistique générale,* Larousse, 1970.

Dans le cadre d'un manuel de linguistique générale copieux, les pages 5 à 32 offrent une vision globale de l'histoire de la linguistique ; la grammaire classique y est cependant passée sous silence.

B. Malmberg : *Les nouvelles tendances de la linguistique,* P.U.F., 1966.

Ce livre est un panorama historique de la linguistique du xxᵉ siècle. Les pages 13-55 constituent une présentation claire et bien documentée de la linguistique du xixᵉ siècle.

M. Foucault : *Les mots et les choses,* Gallimard, 1966.

Écrit par un philosophe-historien des sciences humaines, cet ouvrage très brillant décrit la constitution de la grammaire générale puis de la grammaire comparée en les articulant sur la biologie et l'économie politique. Ce livre fondamental n'est cependant pas d'un accès aisé.

A. Jacob : *Genèse de la pensée linguistique,* Armand Colin, 1973.

Recueil de textes précieux, surtout pour la linguistique historique (60 pages) ; les extraits choisis vont du xviiiᵉ siècle à nos jours ; le commentaire, assez succinct, suppose des connaissances extérieures à l'ouvrage.

2. SAUSSURE ET LE « COURS DE LINGUISTIQUE GÉNÉRALE »

Ferdinand de Saussure (1857-1913) a attaché son nom à la naissance de la science linguistique. Mais l'essentiel de son travail ne nous est pas parvenu sous la forme d'une œuvre rédigée par son auteur : avec le *Cours de linguistique générale,* nous avons affaire à un texte élaboré par deux disciples de Saussure, Ch. Bally et A. Sechehaye, à partir de notes prises durant les trois cours de linguistique générale professés par Saussure de 1906 à 1911 à Genève. Ce cours était lui-même le résultat d'une réflexion ininterrompue menée d'abord à l'École des Hautes Études à Paris, puis dès 1891 à l'université de Genève. Le *Cours* fut édité pour la première fois en 1916. Bally et Sechehaye ont souligné, dans leur Préface à la première édition, les difficultés du travail de « reconstitution » et de « synthèse » auquel ils s'étaient livrés, en utilisant tous les matériaux dont ils disposaient, y compris les notes personnelles de Saussure.

Dans ces conditions, on ne peut guère s'étonner des interprétations nombreuses et divergentes qu'a suscitées le *Cours* : la genèse et la forme de l'ouvrage ne peuvent qu'alimenter la réflexion des linguistes, préoccupés de découvrir la « véritable » pensée de Saussure. Le débat reste ouvert sur les problèmes épineux de l'organisation du *Cours,* de ses apparentes contradictions internes (par exemple, quelle est, au juste, la conception saussurienne de l'écriture?), de ses lacunes (en particulier l'absence d'une « linguistique de la parole » promise aux auditeurs du troisième cours). C'est dire que la réflexion critique sur le *Cours,* loin de constituer un simple travail d'exégèse, est l'un des moyens privilégiés d'une approche des problèmes linguistiques en général. On insistera d'autant plus sur ce point qu'il faut d'emblée se prémunir contre les dangers d'une certaine « vulgate saussurienne » réductrice : parce qu'un très vaste courant de la linguistique moderne — celui que nous nommons ici « linguistique structurale » — s'est autorisé, des décennies durant, de l'enseignement de Saussure, la richesse du *Cours* s'est souvent appauvrie en un catalogue de notions abstraites de leur contexte, en un réseau d'oppositions qui est plus celui du *structuralisme* (Cf. « Écoles et

Domaines », chap. 3 ci-dessous) que de Saussure lui-même. Pourquoi alors intégrer un exposé sur le *Cours de linguistique générale* dans un manuel destiné à l'initiation des étudiants à la linguistique structurale? Pour signaler la nécessité, attestée aujourd'hui par de nombreux travaux, d'un « retour à Saussure », aux textes de Saussure, et pour revendiquer une interprétation du *Cours* qui retient comme lignes directrices les concepts de **système,** de **valeur** et d'**arbitraire du signe,** de façon à dégager le caractère à la fois systématique et historique de la démarche saussurienne.

Il s'agit bien d'une interprétation parmi d'autres : John Lyons, par exemple, commence son exposé des concepts fondamentaux de la linguistique moderne par « primauté de la langue parlée » et ne place qu'au second plan la notion de *valeur*, sans consacrer un développement particulier au problème de l'arbitraire du signe (*Linguistique générale*, Larousse, 1970, pp. 32 et sq.).

Bibliographie. On trouvera tous les commentaires et explications afférents à F. de Saussure, son enseignement, la genèse, l'organisation, le sens et l'influence du *Cours,* dans l'édition critique préparée par T. de Mauro (trad. de l'italien par L.J. Calvet) du *Cours de linguistique générale* (Payot. 1974). Il est aussi utile de consulter l'ouvrage de R. Godel : *Les sources manuscrites du Cours de linguistique générale* (Droz, 2ᵉ édition, 1969).

LES GRANDES ORIENTATIONS DU « COURS »

Une image d'Épinal du savant génial tend à accréditer l'idée que les découvertes scientifiques naîtraient *ex nihilo*. En réalité, c'est en repérant la place de Saussure dans l'histoire de la « linguistique » (en particulier celle de la deuxième moitié du xixᵉ siècle) qu'on mettra en évidence le caractère original de ses orientations.

Avant de montrer ce qui, dans le *Cours,* constitue une rupture par rapport aux études sur le langage au xixᵉ siècle, il convient justement de souligner le profond enracinement de Saussure dans « l'atmosphère linguistique » de son temps.

Le Saussure théoricien de la linguistique moderne, c'est le Saussure du *Cours ;* mais il existe un autre Saussure : le spécialiste des langues indo-européennes, particulièrement du sanskrit, de la langue et de la littérature allemandes, l'auteur d'un important ouvrage de linguistique historique (le *Mémoire sur les voyelles,* 1878), le professeur de grammaire comparée à la Sorbonne, et, depuis quelques années, le poéticien des Anagrammes, études longtemps ignorées sur la poésie grecque et latine, dont l'importance a fait dire à R. Jakobson qu'il s'agissait de la « seconde révolution saussurienne » (cf. nº 16 de la revue *Recherches,* CERFI, sept. 1974, au titre révélateur : *Les deux Saussure*).

Ainsi, le travail d'élaboration qui conduit au *Cours* se fait à travers une énorme diversité de centres d'intérêt, au milieu d'un grand bouillonnement d'idées et de recherches. S'il n'est pas question ici de détailler les influences nombreuses et diffuses, directes ou lointaines, qui se sont exercées sur Saussure, on doit, au moins, évoquer trois linguistes dont les travaux préfigurent certaines orientations du *Cours*. Dans l'œuvre de **D. Whitney** (1827-1894), célèbre sanskritiste américain, auteur de *Language and the Study of Language* (Londres, 1867) et de *Life and Growth of Language* (Londres, 1875), apparaissent les notions de *lois*, de *système*, de *structure*, qui font de lui le créateur d'une linguistique statique, *descriptive*, étape dans l'avancée saussurienne vers la linguistique *synchronique* (cf. *infra*). Comme le linguiste genevois, il réfute les thèses organicistes et insiste, au contraire, sur l'aspect *social* des faits linguistiques, avec sa théorie de la langue comme institution. Comme Saussure plus tard, Whitney a constamment affirmé la nécessité d'un point de vue *théorique* sur la langue, rejoignant en cela **Baudouin de Courtenay** (1845-1929) qui, lui aussi, comprend l'importance d'une théorie générale de la langue. Surtout, ce linguiste polonais, spécialiste de phonologie, entreprend d'étudier les phénomènes phoniques en rapport avec leur fonction significative, éléments fort importants pour la définition des unités linguistiques et la conception saussurienne de la langue comme « *système de différences* » (cf. *infra*). Chez le philosophe et logicien américain **Ch. S. Peirce** (1839-1914) enfin, il y a l'amorce d'une science générale des signes, dont on pourrait signaler les affinités avec le projet saussurien de *sémiologie* (cf. *infra*).

Toutes ces données, c'est en suivant les axes tracés par Saussure lui-même que nous allons les retrouver.

- La linguistique est une science descriptive

Il s'agit d'abord de distinguer la nouvelle discipline de la grammaire traditionnelle caractérisée par Saussure comme *normative*, grammaire qui vise essentiellement à produire des règles pour faire le partage entre formes « correctes » et formes « incorrectes ». En refusant la pure observation, en se fondant sur la logique des catégories de pensée, cette grammaire s'interdit d'être une discipline scientifique. Or c'est justement à la scientificité que la linguistique prétend en adoptant un point de vue strictement descriptif qui exclut les jugements de valeur : là où le grammairien légifère, le linguiste décrit et cherche à comprendre; là où les puristes invoquent l'autorité, la tradition, l'étymologie, les linguistes en restent à l'observation des faits, au fonctionnement *hic et nunc* du système de la langue.

Il faudrait réfléchir non seulement à la place éminente qu'a occupée la grammaire normative dans l'enseignement français depuis le XVIIe siècle, mais aussi au rôle joué par une institution comme l'Académie française, symbole et dépositaire de la langue officielle. La grammaire est longtemps apparue comme une sorte de *code du bon usage* en matière de langage ; elle s'est faite le garant de l'exclusion de nombreux autres usages, en se fondant sur une « certaine idée » de la langue, le « génie de la langue française » (cf. n° 16 de la revue *Langue française* : « La norme », Larousse. 1972).

- La linguistique affirme la primauté de l'oral sur l'écrit

Entendue dans toutes ses implications, cette formule ne va pas sans problèmes, mais il faut, pour Saussure, après avoir situé l'écart entre grammaire traditionnelle et linguistique, démarquer cette dernière d'une autre discipline : la *philologie,* dans sa version « historique » comme dans sa version « comparative ». Saussure, qui a pratiqué la philologie toute sa vie, lui reconnaît une scientificité mais dans le domaine de la fixation, de l'interprétation, du commentaire des *textes,* domaine où les recherches spécifiques sur les langues n'occupent qu'une place secondaire : les langues ne constituent pas *l'objet* de l'étude, qui débouche sur l'histoire littéraire, celle des mœurs et des institutions, tous éléments qui concernent la langue, mais que Saussure range (dans le chapitre V du *Cours*) sous la rubrique : « éléments externes de la langue », déclarant dans la dernière phrase du *Cours* que « *la linguistique a pour unique et véritable objet la langue envisagée en elle-même et pour elle-même* ».

Puisqu'elle s'attache, par principe, à l'étude des textes, la philologie « oublie la langue vivante », la langue parlée au sein de la communauté linguistique, et concourt à la dépréciation de l'oral, déjà entretenue par la grammaire normative, qui fait de l'imitation des *bons écrivains* la règle du bien écrire comme du bien parler. C'est pourquoi la linguistique structurale a posé le principe de la primauté de la langue parlée, à l'aide de deux arguments majeurs : la parole est plus ancienne et plus répandue que l'écriture (il y a des sociétés sans écriture ; l'enfant apprend à parler avant que d'écrire), et les systèmes d'écriture connus sont manifestement fondés sur les unités de la langue parlée (les systèmes alphabétiques reposent sur les sons, les systèmes syllabiques sur les syllabes, les systèmes idéographiques sur les mots). Cette priorité accordée à la langue parlée confère à l'écriture un rôle *second* et *représentatif,* même si elle conserve, pour de nombreuses raisons liées à l'apprentissage de la langue à l'école et à l'influence de la littérature en particulier, tout son prestige.

La position de Saussure sur le problème de l'écriture a donné matière à discussion : tantôt il affirme que « l'essentiel de la langue est étranger au caractère phonique du signe linguistique », tantôt il dénonce, dans le chapitre VI du *Cours,* la « tyrannie de la lettre » et déclare que « le lien naturel, le seul véritable est celui du son ». Pour un débat très approfondi de ces questions, on consultera J. DERRIDA, *De la Grammatologie,* pp. 42 à 108 (Éd. de Minuit, 1970), et pour une documentation sur les problèmes généraux de l'écriture : M. COHEN, *La grande invention de l'écriture et son évolution* (Klincksieck, 1958).

On peut, en tous cas, s'arrêter à l'idée que la *langue,* au sens saussurien du terme (cf. *infra*), et l'écriture constituent deux systèmes de signes distincts, passibles de deux sciences distinctes.

- La linguistique fait partie de la science générale des systèmes de signes ou sémiologie

C'est parce que Saussure, après Whitney, définit la langue comme une institution sociale qu'il envisage la possibilité d'une science qui étudierait « la vie des signes au sein de la vie sociale ». Cette science, dont la linguistique ne serait qu'une partie et qui, elle-même, se situerait dans la « psychologie sociale », il la nomme *sémiologie* (p. 32 et sq. du *Cours*).

Alors que le *langage* est une faculté naturelle, la *langue* est un produit collectif des communautés linguistiques, un système de signes qui permet l'expression et la transmission de chaque expérience humaine possible. En cela, note Saussure, la langue est le plus important des systèmes de signes; et il est vrai qu'elle intervient, à titre de composant ou de relais, dans tous les systèmes de signes. Cette prééminence de la langue semble si grande que la linguistique « peut devenir le patron général de toute sémiologie, bien que la langue ne soit qu'un système particulier » (p. 101 du *Cours*).

Après la percée saussurienne, il a fallu longtemps attendre des réactivations du projet sémiologique, avec les *Éléments de sémiologie* de R. BARTHES (Gonthier, 1964), les livres de L. J. PRIETO, parmi lesquels nous citerons *Messages et signaux* (P.U.F., 1966) et un article très important d'E. BENVÉNISTE : « Sémiologie de la langue », repris dans *Problèmes de Linguistique générale II* (Gallimard, 1974). Pour un panorama de ces travaux, consulter G. MOUNIN, *Introduction à la sémiologie* (Éd. de Minuit, 1970) et différents numéros spéciaux de la revue *Communications* (Seuil).

- La linguistique : ses tâches

Saussure, en critiquant le caractère *réducteur* des points de vue sur le langage qui lui sont antérieurs, assigne à la linguistique la *matière* la plus vaste possible : toutes les manifestations du langage humain, sans exclusion des langues mortes (il faut tenir compte des textes écrits) ni des formes d'expression qui échappent au « beau langage ». Mais en faisant de la langue l'*objet* de la recherche, il situe l'originalité de sa démarche : à travers la masse des faits linguistiques (la matière), reconstruire le système formel d'une langue déterminée (l'objet).

Concrètement, la linguistique devra faire la *description* et l'*histoire* de toutes les langues (cf. *infra*, synchronie/diachronie). Elle devra dégager des *lois générales* à partir de la diversité des langues (les langues sont des systèmes de signes régis par le principe de l'arbitraire).

Nous allons voir quels concepts Saussure a forgés pour aider la linguistique à réaliser ces tâches.

LES CONCEPTS FONDAMENTAUX DU « COURS »

A travers la complexité de ses développements, le *Cours* a offert aux linguistes un grand nombre de concepts productifs : nous emprunterons, pour les exposer, un ordre essentiellement heuristique.

- Synchronie/diachronie

A qui se contente de feuilleter la table des matières du *Cours*, ne peuvent échapper les titres des deuxième et troisième parties : *linguistique synchronique* et *linguistique diachronique*.

Mais de quoi s'agit-il avec ces termes forgés sur le grec? Le mot *synchronie* désigne un *état* de langue considéré dans son fonctionnement à un moment donné du temps, le mot *diachronie* une phase d'*évolution* de la langue. Cette opposition a, pour Saussure, un caractère *méthodologique;* elle n'existe pas dans les faits : « à chaque instant, le langage implique à la fois un système établi et une évolution » (*Cours*, p. 24). C'est une différence de points de vue : soit j'adopte un point de vue synchronique sur la langue, c'est-à-dire que je m'applique à décrire des rapports entre éléments *simultanés,* soit j'adopte un point de vue diachronique, c'est-à-dire que j'essaye de considérer des éléments dans leur *successivité,* j'essaye d'expliquer les changements survenus dans la langue.

Saussure d'abord, la linguistique structurale ensuite, ont accordé la *primauté au point de vue synchronique,* contribuant ainsi à rompre avec une tradition inaugurée par la grammaire comparée, qui ne concevait la comparaison entre les langues que comme un moyen de reconstituer le passé. Cette perspective historiciste de la linguistique présentait un autre danger, celui de l'émiettement, de la fragmentation : en ne retraçant que l'évolution d'un mot ou d'une catégorie grammaticale par exemple, on néglige l'aspect *systématique* de la langue et le vœu de scientificité se réduit souvent à un empirisme tâtonnant. En ce sens, on ne peut pas assimiler la linguistique diachronique de Saussure à l'ancienne linguistique historique, puisque l'histoire d'une langue est toujours l'histoire d'un *système linguistique*; autrement dit, on doit considérer la diachronie comme une succession de synchronies.

Sur le fond, cette primauté de la description synchronique se justifie en ce que, pour les locuteurs d'une langue et donc pour le linguiste, l'aspect actuel de la langue est la seule vraie réalité : les francophones peuvent apprendre et appliquer les « règles » du français en ignorant tout de l'histoire de cette langue. (Pourquoi se préoccuperaient-ils par exemple de chercher dans le latin l'origine de leurs conjugaisons?) Qui plus est, à une certaine étape de la recherche, pour comprendre le fonctionnement d'un état de langue donné, il faut nécessairement faire abstraction de la diachronie qui peut induire sur de fausses pistes. (Ce n'est pas seulement en comparant le système des démonstratifs du français contemporain à celui de l'Ancien Français qu'on pourra expliquer son fonctionnement actuel.) Pour illustrer cette autonomie d'une synchronie (d'un état de langue donnée) par rapport aux synchronies antérieures, Saussure emploie la métaphore devenue célèbre du *jeu d'échecs* : de la même façon que je n'ai pas besoin, pour comprendre la partie d'échecs qui se joue devant moi, de savoir quels « coups » ont été joués précédemment, il ne me sert à rien, pour saisir les mécanismes d'un système linguistique tels qu'ils fonctionnent dans la conscience des sujets parlants ici et maintenant, de connaître les phases d'évolution (la diachronie) de la langue en question. Si même je m'intéresse à l'évolution de la langue, à son passé, ce n'est jamais qu'à partir de son état actuel, de son présent, ce qui confirme la prééminence de la synchronie.

Ainsi, Saussure marque nettement la *dualité* des points de vue que l'on peut porter sur la langue; d'autre part, même s'il ne méconnaît pas la nécessité de se rappeler leur interdépendance, il lui paraît naturel de privilégier la visée synchronique dans la mesure où toute étude diachronique s'inscrit obligatoirement non seulement dans un temps mais aussi dans un espace géographique et social initialement définis par cette visée synchronique.

En outre, il est impossible de faire une étude diachronique sans considérer le fonctionnement global du système, car les changements de certains éléments de la langue (changements phonétiques, changements de sens des mots...) mènent à une configuration différente du système.

Pour R. JAKOBSON (pp. 36 et 37 des *Essais de linguistique générale,* éd. de Minuit, 1963, trad. par N. Ruwet — passage dont on recommande la lecture), le « complet clivage » entre linguistique synchronique et linguistique diachronique est « dépassé » (il ne se trouve, en tous cas, pas chez Saussure) : « un changement est donc, à ses débuts, un fait synchronique et, pour peu qu'on s'interdise de simplifier à l'excès, l'analyse synchronique doit englober les changements linguistiques; inversement, les changements linguistiques ne peuvent se comprendre qu'à la lumière de l'analyse synchronique ».

Il s'agit de comprendre qu'en linguistique, il ne peut y avoir de point de vue « panchronique », c'est-à-dire finalement de *lois,* au sens où l'on entend ce mot en physique par exemple : rapports entre phénomènes qui se vérifient toujours et partout. C'est parce que le facteur temps joue un rôle décisif pour les phénomènes linguistiques qu'il y a nécessairement, en linguistique comme dans toutes les *sciences humaines,* et ce par opposition aux *sciences de la nature,* une dualité de points de vue : la clairvoyance théorique de Saussure est grande, lorsqu'il critique la conception « naturaliste » de la langue, celle qui l'assimile à un *organisme*. Ainsi, on peut dire que si, en un sens, la « révolution saussurienne » constitue bien une rupture avec la tradition historique par l'accent mis sur la description synchronique, en un sens plus décisif, le *Cours* définit la langue comme un objet fondamentalement inscrit dans une société et donc nécessairement soumis à l'Histoire (nous reviendrons sur ce point en abordant le problème de l'arbitraire du signe).

Comme le souligne avec justesse O. DUCROT, « on a tendance aujourd'hui, en se fondant surtout sur l'autorité de Saussure, et sur son opposition du diachronique et du systématique, à tenir pour nécessaire l'antagonisme du **système** et de l'**histoire** ». (*Le structuralisme en linguistique*, in *Qu'est-ce que le structuralisme?* Seuil, 1968, p. 29.) Ce faisant, on prête à Saussure une position a-historique qui n'est pas la sienne, comme si affirmer la primauté du système, c'était nier la radicale historicité des langues. La diffusion du concept de synchronie, en linguistique et dans d'autres champs du savoir contemporain investis par le structuralisme, explique peut-être, en partie, cette méconnaissance de la pensée saussurienne sur la question.

Ainsi, en privilégiant, encore plus que Saussure, la description synchronique, la linguistique structurale a échoué à proposer une véritable *théorie du changement* (il s'agit ici du changement dans le temps : la question se pose en termes similaires pour la variation sociale. Cf. langue/parole). Saussure avait pourtant fourni des éléments pour traiter ce problème dans le chapitre II de la première partie du *Cours* : il développe les raisons essentielles pour lesquelles tout changement général et subit de la langue est exclu ; il insiste surtout sur le caractère accidentel, « aveugle », des changements partiels qui affectent la langue, et, plus largement, rompt avec un certain « téléologisme » de la linguistique du XIXe siècle (encore vivace aujourd'hui), qui assignait un sens à l'évolution des langues, en général celui de la dégénérescence (des langues mères parfaites aux rejetons corrompus).

La dualité entre le système établi d'une part, et l'évolution d'autre part, constitue donc la première étape — et la première difficulté — vers la définition de « l'objet à la fois intégral et concret de la linguistique » (cf. *Langue Française* n° 10 : « Histoire de la Langue »).

- Langue/parole

La définition de la *langue* comme *objet* de la linguistique nous introduit au cœur de la problématique saussurienne ; ce terme de « langue », nous l'avons souvent employé, sans avoir encore explicité son sens particulier dans le *Cours*.

Pour la constitution de toute science, il s'agit de délimiter un objet de connaissance : dans la masse confuse et hétéroclite des « faits de langage », il faut circonscrire un terrain spécifique à la science linguistique, ne serait-ce que pour la démarquer d'autres disciplines qui s'intéressent aux phénomènes de langage (psychologie, sociologie, philologie, etc.). Pour Saussure, la solution aux difficultés, c'est de se placer sur le terrain de la langue. Mais comment la définir ? D'abord séparer **langue** et **langage,** ensuite et surtout opposer **langue** et **parole.**

La première étape, nous l'avons, en grande partie, franchie : le langage ne peut être l'objet d'une discipline unique, tant il comprend de faits de toute nature. La langue devra introduire un « principe de classification » (*Cours,* p. 25); elle sera un tout homogène. Le *langage* est une faculté, alors que la *langue* est définie par Saussure comme un produit social, une convention adoptée par les membres d'une communauté linguistique.

Saussure tient à nuancer la thèse qui prétend que le langage est une faculté naturelle : ce qui est naturel à l'homme, ce n'est pas le langage parlé (la question de l'appareil vocal est secondaire), c'est « la faculté de constituer une langue, c'est-à-dire un système de signes distincts correspondant à des idées distinctes « (*Cours,* p. 26). Cette faculté, il la nomme *faculté linguistique par excellence;* on la désigne aussi du nom de *fonction symbolique.*

On comprend par là que c'est l'existence de la langue qui conditionne la possibilité du langage parlé, la faculté de proférer des paroles.

Si donc la langue occupe une place spécifique dans l'ensemble des faits de langage, comment la situer? En partant de l'acte individuel de *parole* (un individu communique avec un autre individu - cf. *infra,* p. 49), et en montrant que ce mécanisme est incompréhensible si je ne postule pas que les individus en présence possèdent en commun un système d'association et de coordination des sons avec les sens, ce que Saussure nomme la *langue.* En quittant l'acte individuel, et en envisageant ce fonctionnement à l'échelle d'une communauté tout entière, je peux définir la langue comme un *pur objet social,* un ensemble systématique des conventions indispensables à la *communication.* Séparer la langue de la parole revient à séparer le social de l'individuel, l'essentiel du contingent, le virtuel de la réalisation. Le domaine de la parole est celui de la liberté, du choix, de la création, puisque les *combinaisons* de signes linguistiques dépendent de la volonté des locuteurs.

Le problème est de savoir s'il existe, de ce point de vue, une limite tranchée entre le fait de langue et le fait de parole. Où s'arrêtent les combinaisons de la langue? Où commencent celles de la parole? Pour Saussure, bien des expressions toutes faites (*A quoi bon? Prendre la mouche,* etc.), mais aussi certaines phrases construites sur des formes régulières (ex. : *la terre tourne*) appartiennent à la langue, bien qu'il affirme que la phrase, en elle-même, relève de la parole. Cette dernière affirmation est d'une extrême importance pour expliquer une lacune de la linguistique saussurienne et de ses héritiers : **l'absence de syntaxe.** D'autre part, faire de la parole le lieu de la création implique une certaine conception du changement (cf. synchronie/diachronie) : les innovations se produisent dans la parole; certaines passent dans la langue, d'autres, non. En tout cas, c'est la parole qui fait évoluer la langue.

Mais le domaine de la parole, c'est aussi celui des actes de phonation nécessaires pour la réalisation de ces combinaisons : la langue, comme système grammatical et lexical, existe *virtuellement* dans chaque cerveau; la parole *réalise* cette virtualité. Saussure assimile la langue à une symphonie, dont l'existence est indépendante de la manière dont on l'exécute (la parole). Ainsi, la distinction entre la langue comme forme et la parole comme réalisation de suites de sons doués de sens constitue un préalable à la définition de la langue comme système de signes et de valeurs.

Saussure distingue deux « linguistiques » : la linguistique proprement dite, celle qui a pour objet la langue, et une « linguistique de la parole », qu'il cantonne dans un rôle secondaire. On peut dire qu'un des effets de l'opposition saussurienne entre la langue et la parole a été de *neutraliser* tous les aspects individuels du langage, toutes les différences au sein d'une même langue : cette opposition, condition de possibilité de la science linguistique, lui assignait néanmoins certaines limites.

Aujourd'hui, de nouvelles disciplines comme la *psycholinguistique*, la *sociolinguistique* ou l'*analyse du discours* couvrent le terrain laissé vierge par Saussure et la linguistique structurale, et ce, à partir d'une remise en question de la dichotomie langue/parole. Pour la psycholinguistique, une des questions essentielles est précisément la genèse de la parole; quant à la sociolinguistique, elle essaye de mettre au jour, au-delà du système formel de la langue, les pratiques sociales différentes et contradictoires au sein d'une langue donnée; elle s'intéresse aux situations de communication. L'analyse des discours, enfin, cherche à dégager des régularités dans un cadre dépassant celui de la phrase (discours, textes).

On trouvera dans l'introduction du tome III, *La phrase et les transformations*, de la *Grammaire structurale du français* de J. DUBOIS (Larousse, 1969), un exposé succinct mais précis des principaux concepts du structuralisme linguistique et de ses *limites* devant les problèmes de la créativité, de l'histoire, du sujet parlant, de l'énoncé et de la situation.

Certains linguistes, en s'autorisant de Saussure, ont substitué l'opposition **code/message** au couple **langue/parole** : sans détailler les conséquences de cette assimilation, on notera son caractère pour le moins restrictif : c'est que les langues, ne serait-ce qu'à cause de leur infinie *complexité* et du caractère *implicite* de leurs conventions, ne sont pas des codes comme les autres : les difficultés de la traduction le prouvent.

Ainsi, en énonçant cette « première vérité » que la langue est distincte de la parole, Saussure garantit l'autonomie de la linguistique; il nous reste à comprendre quels sont l'organisation et le fonctionnement de ce système de signes et de valeurs qu'il nomme la langue.

- Signe/valeur/système

Avec le *Cours de linguistique générale,* nous n'avons pas affaire à une recherche philosophique sur la « nature du signe », mais à une définition de la langue comme système de signes : il faut pourtant bien commencer, à l'instar de Saussure lui-même (chapitre I de la première partie), par examiner la structure du signe, pour parvenir, à travers le problème de l'arbitraire, à expliciter l'indissociabilité des notions de signe et de système.

Le signe linguistique est une entité double : il unit, non pas une chose et un nom (selon une vue bien naïve), mais un « concept » et une « image acoustique ». Le signe *sœur* comporte deux éléments inséparables, comme le recto et le verso d'une feuille de papier : le concept, l'idée de « sœur » d'une part, et, d'autre part l'empreinte psychique, la représentation des sons qui constituent le signe *sœur.* Pour « marquer l'opposition qui les sépare soit entre eux, soit du total dont ils font partie » (*Cours,* p. 99), Saussure a substitué le terme **signifiant** à « image acoustique », et le terme **signifié** à « concept ». En se débarrassant de deux termes empreints de psychologisme, au profit du couple signifiant/signifié, il a voulu marquer l'autonomie de la langue comme système formel, par rapport aux « substances » (les sons, les idées) qu'elle organise. C'est dans cette optique que l'on doit comprendre le rejet par la linguistique saussurienne de la notion de *référent* (la « chose » que le signe nomme) : signifiant et signifié se définissent l'un par l'autre, cette différence est interne au signe lui-même.

Ainsi posée, l'opposition signifiant/signifié ne peut être réduite à la simple réactivation de l'antique théorie stoïcienne qui, déjà, définissait le signe comme une entité double. Ceux qui ne veulent voir dans le *Cours* qu'un nouveau jalon dans l'histoire de « la métaphysique du signe », font cette manipulation simple qui consiste à isoler la définition du signe de celle du système; c'est refuser le principe de la solidarité des concepts, c'est achopper sur le noyau même de la découverte saussurienne.

Avec le principe de l'arbitraire, nous allons faire un pas décisif pour la compréhension simultanée des notions de signe et de système. Le lien unissant le signifiant au signifié est *arbitraire.* Que faut-il entendre par là? Que le choix de tel signifiant pour servir de support matériel à tel signifié dépend du bon vouloir du sujet parlant? Ce serait évidemment absurde et, en ce sens, on a raison de souligner le caractère « nécessaire » du rapport entre signifiant et signifié (on se reportera à un article célèbre d'E. Benveniste : *Nature du signe linguistique,* republié dans *Problèmes de linguistique générale,* Gallimard, 1966). Le choix du signifiant n'est pas libre, mais imposé à l'individu comme à la communauté linguistique. Contrairement à d'autres « institutions » sociales, la langue n'est pas un contrat, mais toujours un héritage; elle préexiste aux locuteurs. Si pour l'observateur étranger, le lien entre le signifiant et le signifié est une simple contingence, pour celui qui utilise sa langue maternelle, cette relation devient une nécessité.

C'est en un autre sens qu'il faut entendre la notion saussurienne d'arbitraire du signe : il s'agit de montrer qu'il n'y a aucun rapport de motivation entre l'idée de « sœur » et la suite de sons qui lui sert de signifiant. Est-ce dans la nature des choses que tel signifiant soit accolé à tel signifié? Non, à preuve *la diversité des langues* : le signifié « bœuf », dit Saussure, a pour signifiant *b-ö-f* d'un côté de la frontière (en France) et *o-k-s (Ochs)* de l'autre (en Allemagne). Pour la clarté du débat, on parlera donc plus volontiers d'*immotivation* du signe que d'arbitraire.

Un certain nombre d'objections, désormais classiques, sont adressées à cette thèse de l'immotivation du signe : ainsi l'existence des onomatopées ou des exclamations, qui semblent impliquer un lien naturel entre le signifiant et le signifié; Saussure, le premier, réfute cette objection, en soulignant que les onomatopées, au demeurant peu nombreuses, diffèrent d'une langue à l'autre et participent à l'évolution phonétique, morphologique de chaque langue, au même titre que les autres signes.

C'est ce caractère immotivé du signe linguistique qui fait sa spécificité parmi les autres types de signes : une des tâches de la sémiologie consiste d'ailleurs à classer les différents systèmes de signes selon leur aspect plus ou moins arbitraire. Dans ses travaux de sémiotique, Peirce avait déjà entrepris ce travail, en proposant la division des signes en *indices* (contiguïté de fait entre « Sa » et « Sé » : la fumée est l'indice d'un feu), *icônes* (similitude de fait entre « Sa » et « Sé » : la carte géographique est l'icône du pays qu'elle représente) et *symboles* (relation totalement arbitraire, institutionnalisée entre « Sa » et « Sé » : le feu rouge signifie l'interdiction de passer). Le signe linguistique constitue donc un *symbole* au sens de Peirce. Dans cette optique, Jakobson (in *Problèmes du Langage*, Gallimard, 1966) a noté néanmoins la présence, au sein du langage lui-même, d'éléments indicatifs et iconiques qui peuvent apparaître comme des limitations au principe de l'arbitraire du signe.

Saussure avait distingué, lui aussi, l'arbitraire absolu de l'arbitraire relatif : si *vingt* est immotivé, *dix-neuf* « ne l'est pas au même degré, parce qu'il évoque les termes dont il se compose et d'autres qui lui sont associés » (*dix, neuf, vingt-neuf*, etc., *Cours*, p. 181). De même, *vacher* serait relativement motivé (à cause de *vache*), par opposition à *berger*. Cependant, je peux « motiver » un terme en le plaçant dans une série (un *paradigme*, cf. *infra*) : ainsi, dans la série des noms d'agents en -*er, berger* est tout aussi motivé que *vacher*.

En posant ce principe de l'arbitraire du signe, Saussure prend partie dans le grand débat théorique, inauguré par le *Cratyle* de Platon, qui opposait les tenants de l'origine naturelle du langage aux partisans du conventionnalisme. Mais, s'il se situe bien dans la lignée des convention-nalistes (de Whitney en particulier), son entreprise va bien au-delà de ce débat philosophique. Il s'agit de se placer sur un terrain proprement linguistique, en reliant le concept d'arbitraire du signe à ceux de valeur et de système, et de périmer ainsi les querelles idéologiques sur l'origine des langues, encore vivaces à l'aube du xxᵉ siècle.

C'est que l'objectif essentiel de Saussure est de porter un coup fatal à la conception de la langue comme *nomenclature*; le conventionnalisme laissait intacte cette conception naïve selon laquelle la langue ne serait rien d'autre qu'une liste de termes correspondant à autant de « choses ». Une telle conception supposait des idées toutes faites préexistant aux mots, c'est-à-dire l'antériorité de la pensée sur la langue. Or, avant l'apparition de la langue, il n'y a pas d'idées préétablies, la pensée n'est qu'une « masse amorphe et indistincte »; c'est la langue qui donne **forme** à la **substance** du sens, comme elle « découpe » la réalité; chaque langue a une manière différente d'articuler le réel, d'organiser les données de l'expérience. (On sait bien qu'apprendre une langue étrangère ne saurait consister à acquérir une nouvelle liste de termes...)

Saussure insiste longuement sur la définition de la langue comme *forme*. De la même façon que la pensée sans la langue n'est qu'une « nébuleuse », les sons ne constituent pas des unités délimitées d'avance : c'est la langue qui introduit un ordre dans ce chaos; elle articule l'une sur l'autre ces deux masses amorphes, en les découpant d'une manière radicalement arbitraire en éléments distincts. Quand Saussure évoque l'importance primordiale du principe de l'arbitraire, il pense plus à celui du système qu'à celui du signe. On pourrait ainsi distinguer *deux arbitraires,* l'un qui concerne l'absence de motivation dans la relation signi-fiant/signifié, l'autre qui est celui de l'organisation des signes dans le système de la langue : les signes ne sont délimités par rien d'autre que par leurs relations mutuelles, leur agencement est indépendant de toute référence à la substance conceptuelle ou phonique. C'est avec la théorie de la **valeur** linguistique fondée sur ce dernier arbitraire, que l'on pourra maintenant comprendre l'indissociabilité des notions de signe et de système.

Qu'est-ce que la *valeur* d'un signe linguistique? Pour saisir ce concept, il nous faut envisager le problème des **identités** et des **différences** dans la langue : on peut prononcer le mot *Messieurs!* avec toutes les variétés de débit ou d'intonation possibles, c'est toujours le même mot qu'on prononce. De même, ce mot peut se charger de nuances de sens différentes, sans que son identité soit compromise. Si le locuteur a le sentiment de l'identité de ce terme, celle de sa prononciation et de sa signification, c'est à cause des différences qui existent avec d'autres prononciations, d'autres significations possibles. En étendant cette démarche à l'ensemble de la langue, on peut dire que la réalité d'un signe linguistique est inséparable de sa *situation dans le système* : la valeur d'un signe résulte du réseau de ressemblances et de différences qui situe ce signe par rapport à tous les autres signes. C'est ce qu'illustre, une nouvelle fois, la comparaison avec le jeu d'échecs : chacune des pièces, prise isolément, ne représente rien ; elle n'acquiert sa valeur que dans le cadre du système (la règle de fonctionnement du jeu) ; peu importe que je remplace un cavalier par n'importe quel objet, pourvu que je lui conserve le même mode de fonctionnement.

Nous voyons donc bien que l'idée de valeur conditionne la définition de la langue comme forme, et place au premier plan la notion de système : c'est que les valeurs émanent du système ; le système n'est pas la somme des signes. Il faut renverser la perspective qui nous faisait partir du signe en tant qu'entité isolée, pour montrer qu'on ne peut identifier, délimiter les signes qu'après avoir reconnu le caractère systématique de la langue : toute définition du signe doit être immédiatement rapportée à celle du système, puisque le propre du signe, c'est d'être différent d'un autre signe. En ce sens, Saussure définit la langue comme un système de différences.

Le chapitre IV de la deuxième partie du *Cours* est consacré à cette question décisive de la *valeur* linguistique. On s'y reportera, ainsi qu'au texte d'O. Ducrot, placé en annexe.

La conception de la langue comme système de valeurs a été la condition de possibilité du développement de la linguistique structurale.

Soulignons simplement que le structuralisme linguistique est loin d'avoir exploité jusqu'au bout certains acquis de la démarche saussurienne, en particulier cette thèse de la *prééminence de la valeur sur la signification*. Il reste que Saussure a jeté les bases d'une étude structurale de la langue et défini les deux grands axes de son fonctionnement : celui des combinaisons *(axe syntagmatique)*, celui des « associations » *(axe paradigmatique)*.

- Syntagme/paradigme

Si, dans la langue, il n'y a que des différences, tout signe linguistique recevra donc sa valeur de ses relations avec tous les autres : ces relations se manifestent à la fois sur le plan horizontal » des combinaisons et sur le plan « vertical » des associations.

Saussure avait mis en évidence, après l'arbitraire, un second caractère du signe linguistique : la *linéarité* du signifiant. C'est dire que les unités s'ordonnent dans la langue les unes à la suite des autres : on ne peut prononcer deux éléments à la fois. Ces *combinaisons* d'unités successives, Saussure les nomme **syntagmes** ; le syntagme se compose donc de deux ou plusieurs unités consécutives.

Dans le développement consacré à l'opposition *langue/parole*, nous avions évoqué le problème de la délimitation des combinaisons. Saussure appelle *syntagmes* aussi bien un mot composé qu'un groupe de mots et une certaine catégorie de phrases. Pour la linguistique structurale, le terme *syntagme* désigne « un groupe d'éléments linguistiques formant une unité dans une organisation hiérarchisée » (définition du *Dictionnaire de Linguistique,* Larousse, 1973); on parlera, par exemple, de syntagme nominal et de syntagme verbal pour désigner les deux principaux groupes constituants d'une phrase (cf. chap. suiv.).

Outre les rapports syntagmatiques, les termes d'une langue contractent entre eux des « rapports associatifs », c'est-à-dire que s'établissent, dans le cerveau du locuteur, des rapprochements entre les mots : *refermer* est lié à *enfermer* (même radical), *armement* et *changement* possèdent le même suffixe, *éducation* et *apprentissage* sont voisins par le sens, etc. L'usage a consacré le terme de *paradigmatiques* pour qualifier ces rapports, le terme **paradigme** désignant « l'ensemble des unités entretenant entre elles un rapport virtuel de substituabilité » *(op. cit.).*

Chaque unité linguistique se trouve ainsi située sur les deux axes qui ordonnent le mécanisme de la langue : l'objet de la description linguistique sera de découvrir les règles d'assemblage de ces unités.

Nous examinerons au chapitre 4 les procédures que la linguistique structurale a élaborées pour mener à bien cette description. Auparavant, c'est à travers le panorama des écoles et domaines de la linguistique, que nous mesurerons l'influence de la « révolution saussurienne » sur la linguistique européenne.

TEXTE

Voici un texte explicatif qui attire l'attention sur l'originalité de la démarche saussurienne par rapport aux études antérieures sur le langage.

- La primauté du système : apport spécifique de Saussure

« Enfin Saussure vint. »
Trop de traités de linguistique publiés en Europe ces trente dernières années s'ouvrent par des déclarations à peine plus pudiques de forme, et de contenu à peu près équivalent, qui ont largement contribué à rendre difficiles les relations entre les linguistes structuralistes d'une part, les philologues et les grammairiens de l'autre. Nous avons cru découvrir au contraire, dès le XVIIIᵉ et le XIXᵉ siècle, l'idée que chaque langue possède une organisation qui à la fois lui est propre, et mérite par sa régularité d'être tenue pour un ordre. Le rôle de Saussure n'est donc certainement pas d'avoir introduit ce thème, mais de l'avoir retrouvé, et surtout d'avoir pu l'imposer après les succès impressionnants de la grammaire comparée.

Celle-ci s'était consacrée avant tout à établir des correspondances entre les éléments (morphèmes) des langues dont on présumait la parenté. L'arrangement de ces éléments dans chaque langue apparaissait du même coup comme une sorte d'épiphénomène. Au mieux, on y voyait — c'est l'opinion de Bopp — une survivance fragmentaire et contingente d'une organisation primitive peu à peu disloquée.

Pour rétablir l'originalité des systèmes qui se manifestent dans les différents états linguistiques, Saussure devait donc s'en prendre à la notion même d'élément, puisque c'est elle qui fondait les recherches des historiens. Un thème revient sans cesse, à travers le *Cours de linguistique générale* : l'idée que les éléments linguistiques ne sont pas des données, que le linguiste ne trouve pas d'emblée, dans le texte qu'il étudie, l'indication évidente des unités dont ce texte est fait. Toute une recherche est nécessaire pour les reconnaître, qui constitue l'étape la plus difficile et la plus décisive du travail de description. Bien plus, la découverte des composants réels d'un langage ne ferait qu'un, selon Saussure, avec celle de leurs relations mutuelles, et finalement avec la reconnaissance d'une organisation linguistique. On ne peut plus comprendre alors le mépris où les historiens tiennent le système sous prétexte qu'ils ont trouvé dans l'élément un objet intelligible, explicable par référence aux éléments des langues apparentées : en fait, le simple repérage de l'élément suppose qu'on ait admis un schéma d'ensemble de la langue. *Dans l'élément présupposer le système, cela constitue, selon nous, l'apport propre de Saussure au structuralisme linguistique.*

(Extrait de l'étude d'O. Ducrot : « Le structuralisme en linguistique », in *Qu'est-ce que le structuralisme ?* (Seuil, 1968, pp. 35-36), consacrée à l'histoire et à la signification de la notion de structure — ou de système — linguistique.)

3. ÉCOLES ET DOMAINES DE LA LINGUISTIQUE

Pour qui s'initie à la connaissance des « sciences du langage », la multiplicité des classifications, la diversité des orientations peuvent produire un effet déroutant. C'est pourquoi il nous semble indispensable de donner à l'étudiant les moyens de *se repérer* dans un terrain que la relative « jeunesse » de la linguistique rend nécessairement mouvant. Chaque école possède sa manière spécifique de délimiter les différents domaines de la linguistique. Pour notre part, fidèles à l'orientation générale de ce manuel, et conscients de l'arbitraire qu'elle implique, nous esquisserons un classement du point de vue de la linguistique structurale, et plus précisément à partir des grandes données de l'entreprise saussurienne.

QUELLES SONT LES DIVERSES BRANCHES DE LA LINGUISTIQUE?

La définition de la langue comme système de valeurs aboutit à une tripartition du champ de la linguistique qui bénéficie d'un large consensus dans l'optique structuraliste : la phonologie, la « grammaire » (morphosyntaxe) et la lexicologie.

- La phonologie

Parmi les branches de la linguistique, c'est celle qui a connu le plus tôt le plus grand développement et dont le caractère scientifique est le moins contestable. Longtemps, y compris dans la terminologie saussurienne, le partage ne fut pas très clair entre phonétique et phonologie; on peut situer dans les années 1930, avec les travaux du Cercle de Prague, l'avènement de la phonologie comme science à part entière de la linguistique. Alors que la **phonétique** a pour objet l'étude scientifique des sons du langage dans leur émission, leur réception, leurs caractères physiques, la **phonologie** est une science qui étudie les sons, non pas en eux-mêmes, mais du point de vue de leur fonction distinctive dans le système de la langue : cette distinction repose sur la différence entre le son et le phonème, le premier appartenant au domaine de la *substance*, le second à celui de la *forme* (cf. 2e partie). Ce qui revient clairement à dire que la *parole* est la manifestation physique du système, alors que la *langue* est la condition pour que cette parole fonctionne comme moyen de communication.

En fonction de ces critères, on peut d'abord classer l'étude des problèmes posés par l'analyse de la *substance* phonique en :

• *phonétique acoustique,* qui analyse les sons en tant que phénomènes physiques ;

• *phonétique auditive,* qui décrit comment l'oreille humaine réagit aux stimuli acoustiques ;

• *phonétique articulatoire,* qui étudie l'appareil vocal humain lorsqu'il fonctionne pour produire des sons.

Quant à la *phonologie* (que l'on appelle aussi *phonématique* ou *phonétique fonctionnelle*), elle s'intéresse, comme on vient de le dire, à la forme.

Mais, en faisant de ces quatre branches les parties constitutives de la *phonétique* au sens large, entendue comme science de tout l'aspect sonore du langage, on distinguera :

• une *phonétique générale,* qui examine les conditions générales du fonctionnement de la *parole* et de la *langue* ;

• une *phonétique descriptive,* qui privilégie l'aspect synchronique ;

• une *phonétique historique,* qui privilégie l'aspect diachronique.

De ce fait, on parlera par exemple de *phonologie descriptive* si celle-ci analyse la fonction des phonèmes dans un système donné et de *phonologie générale* si l'étude porte sur les lois générales qui président au fonctionnement des systèmes phonologiques de toutes les langues existantes. Inversement, la phonétique descriptive au sens étroit s'intéressera à la substance des sons à l'intérieur d'un système donné.

Pour le Cercle de Prague, la *morphophonologie* est une discipline annexe de la phonologie qui étudie la manière dont les phonèmes sont utilisés dans la morphologie d'une langue (en français, par exemple, alternance de *eu* et *ou* dans *peuvent, pouvons,* etc.). Pour A. Martinet, ces phénomènes n'ont rien à voir avec la phonologie ; le terme morphophonologie est à écarter.

- La grammaire ou morphosyntaxe

Sans épiloguer sur les diverses acceptions du terme « grammaire », on retiendra sous cette rubrique l'ensemble des phénomènes traditionnellement rangés dans les catégories de **morphologie** et de **syntaxe.** Cette distinction entre *morphologie* et *syntaxe* reposait sur deux critères essentiels : la différence entre forme (relevant de la morphologie) et fonction (relevant de la syntaxe), et l'adoption du *mot* comme unité linguistique de base. La morphologie traitait des diverses catégories de mots (noms, verbes, adjectifs, etc.), des différentes formes de la flexion (en français, marques de genre, de nombre, de personne) et des problèmes de la dérivation (préfixation et suffixation). Par opposition, la syntaxe traitait des combinaisons de mots à l'intérieur de la phrase ; elle recouvrait donc les phénomènes d'accord et les fonctions grammaticales.

36

En linguistique structurale, avec la substitution au mot du *morphème* (ou *monème*) comme unité fondamentale d'analyse de la langue (cf. chap. suiv.), la limite tend à s'effacer entre morphologie et syntaxe, et on définit une **morphosyntaxe** comme étude descriptive des règles de combinaison des *morphèmes* (ou *monèmes*) pour former des unités de rang supérieur : mots, syntagmes, phrases. On comprend aisément, puisque la langue est conçue comme une combinatoire, que la syntaxe constitue (avec la phonologie) l'élément essentiel de la description linguistique et qu'elle vide la morphologie traditionnelle de sa substance, la cantonnant dans un rôle marginal : la flexion est intégrée à la syntaxe, la dérivation est étudiée dans le cadre de la lexicologie.

Dès lors que le développement de la linguistique accorde de plus en plus d'importance à la phrase, on privilégie d'autant le domaine de la syntaxe. Les méthodes d'analyse syntaxique introduites par les linguistes américains en particulier (distributionnalisme, analyse en constituants immédiats, grammaire générative transformationnelle) permettent une description originale de la structure syntagmatique de la langue et une reformulation des problèmes de la syntaxe traditionnelle, celui des fonctions grammaticales par exemple.

Nous réservons l'étude de la syntaxe au second volume qui lui sera, en partie, consacré.

- La lexicologie

C'est dans l'enseignement de Saussure qu'est en germe une étude systématique du lexique de la langue : la *lexicologie*. Bien entendu, la délimitation de cet objet de connaissance ne va pas sans difficultés considérables : la première est la définition de l'unité lexicologique car la problématique du mot (cf. chap. 1 de la 3e partie) reste au centre du débat. La lexicologie intègre la *dérivation* et la *composition* (étude de la formation des « mots composés ») ; l'indépendance de la morphologie s'efface et la formation d'un mot complexe (dérivé ou composé) est envisagée, dans la perspective structurale, comme une opération syntagmatique (juxtaposition d'unités selon certaines règles à déterminer).

Les problèmes de dérivation et de composition seront abordés dans cette optique au tome II. Cependant cette « syntaxe » propre au lexique a été conçue dans une optique très différente par certains linguistes : au lieu de décrire la dérivation comme une combinaison de morphèmes, elle explique la production des termes dérivés par des transformations opérées sur des phrases de base. (Voir en particulier l'introduction du *Grand Larousse de la Langue Française* par Louis Guilbert.) Ce point de vue n'est pas partagé par N. Chomsky (1974), le chef de file de la « grammaire générative et transformationnelle » (cf. *infra*, p. 47).

Mais, outre cette « morphologie lexicale », l'objet de la lexicologie est aussi l'étude du sens des mots : menée dans une perspective structurale, cette étude vise à décrire les rapports sémantiques entre les unités (mots ou morphèmes) sur les axes paradigmatique et syntagmatique. A l'aide de certaines méthodes, comme l'analyse distributionnelle ou l'analyse sémique, elle examine la question des *champs sémantiques* et apporte de nouvelles réponses aux problèmes de l'homonymie, de la polysémie, des figures de rhétorique, etc. (cf. chap. 2 de la 3e partie). Menée dans une perspective diachronique et socio-historique, la lexicologie étudie l'évolution du sens des mots, l'apparition de nouvelles unités lexicales (la *néologie*); elle mène aussi des recherches sur les vocabulaires spécialisés, scientifiques et techniques. Enfin, ce n'est pas le moindre intérêt de la lexicologie que de tracer des voies nouvelles à la lexicographie (cf. chap. 3 de la 3e partie).

Nous avons jusqu'ici évité d'employer le terme *sémantique* car il est délicat, et son statut varie suivant les écoles : pour certains qui la considèrent comme une partie de la linguistique, *la sémantique* serait la science qui s'occupe de la signification des mots; elle couvrirait le champ que nous avons dévolu à la lexicologie. Pour d'autres, il faut introduire une distinction entre *une lexicologie*, fondée sur l'unité mot ou morphème, et *une sémantique* qui étudierait les relations de signification dans le cadre de la phrase. Par ailleurs, hors du cadre strict de la linguistique, le terme « sémantique » réfère à tout ce qui concerne le sens, et la *sémantique au sens large* touche à tous les problèmes de l'analyse des discours et de la philosophie du langage. Comme le dit M. Pêcheux (*Les vérités de La Palice*, Maspero, 1975), elle est « le point nodal où se condensent les contradictions qui hantent la linguistique actuelle (ses tendances, écoles, etc.) ».

QUELLES SONT LES DISCIPLINES CONNEXES DE LA LINGUISTIQUE?

La linguistique dont nous venons de passer en revue les matières est d'inspiration essentiellement saussurienne; cette linguistique ne couvre donc pas l'étendue des disciplines qui prennent le langage pour objet. Certaines de ces disciplines sont nées des limitations mêmes du projet saussurien (caractère problématique de la relation *langue/parole*, absence d'une théorie du changement); d'autres représentent des applications du modèle linguistique à des champs d'expérience où intervient le langage.

— D'abord, un premier groupe de disciplines étudient les *variations* d'ordre géographique, social, culturel, des langues ou dans les langues. La **dialectologie** recouvre la géographie linguistique (localisation des langues et des dialectes avec constitution d'atlas linguistiques), mais aussi l'étude des phénomènes de dialectisation (constitution des dialectes), la description linguistique des dialectes ou patois. On peut faire figurer, aux côtés de la dialectologie, les recherches sur les mélanges de langue *(sabir, pidgin, créole)* ou les problèmes du *multilinguisme* (cf. 2e tome). Avec l'**ethnolinguistique,** nous avons affaire à une science qui étudie la langue, non pour elle-même, mais en tant qu'elle est l'expression d'une ethnie, d'un peuple, d'une culture : en ce sens, les réflexions de Humboldt sur le lien entre langue et peuple font partie de l'ethnolinguistique. Cependant on réserve communément l'appellation d'ethnolinguistiques aux recherches menées, en liaison avec l'ethnologie, sur les langues des communautés dites primitives (l'ethnolinguistique américaine a décrit la plupart des langues indiennes). Enfin la **sociolinguistique,** entendue en un sens très large, recouvre tout ce qui concerne les rapports entre langue et société : elle intégrerait ainsi les disciplines précitées et d'autres encore (analyse des discours politiques, religieux, etc.), tout en se démarquant de la sociologie du langage qui ne retient les données linguistiques que comme un moyen de connaître la société. Entendue au sens plus restreint de « **linguistique sociale** », la sociolinguistique « s'occupera des conduites collectives caractérisant des groupes sociaux, dans la mesure où elles se différencient et entrent en contraste dans la même communauté linguistique globale ». Ainsi, c'est le problème de la *variation* linguistique qui intéresse le sociolinguiste, les différences et non le code commun.

On se reportera à l'ouvrage de J.-B. MARCELLESI et B. GARDIN, *Introduction à la sociolinguistique, la linguistique sociale* (Larousse, 1974), ainsi qu'au n° 34 de *Langue française,* « Linguistique et sociolinguistique ».

— Un second groupe de disciplines concerne les rapports entre le sujet parlant et le langage qu'il utilise. La **psycholinguistique** occupe un terrain délaissé par Saussure et la linguistique structurale : celui des mécanismes psychiques à l'œuvre dans l'exercice du langage. « La psycholinguistique a pour objet, non la description scientifique du langage, mais celle des processus d'utilisation de la langue. Elle s'intéresse aux relations liant les messages et l'individu qui transmet ou reçoit ces messages. » Cette discipline étudiera donc le processus de la communication (cf. chap. suiv.), les associations verbales, le problème de l'acquisition du langage chez l'enfant, les liens généraux entre langage et pensée, etc.

On consultera l'*Introduction à la psycholinguistique* de Hans HÖRMANN (Larousse, 1972, traduit par F. Dubois-Charlier) auquel nous avons emprunté la définition de cette discipline. Soulignons aussi l'importance du lien entre la psycholinguistique et la grammaire générative (cf. *infra*).

La psycholinguistique recouvre en particulier la **neurolinguistique** et toutes les études portant sur la **pathologie du langage;** la neurolinguistique, grâce à une étude des rapports entre aphasies (troubles du langage) et lésions cérébrales, étudie les structures qui, dans le cerveau, rendent possible la faculté de langage.

Pour faire le point sur cette question, on consultera l'ouvrage de H. HÉCAEN et R. ANGELERGUES : *Pathologie du langage* (Larousse, 1965).

— Un troisième groupe de disciplines est constitué par les applications de la linguistique au champ des **discours,** ou des textes. Là, plus qu'ailleurs, le partage est bien difficile, à cause des continuelles interférences entre les objets à décrire et les méthodes descriptives. La **poétique,** considérée comme théorie générale de la littérature, existe depuis Aristote, mais le développement récent de la linguistique a amené une réflexion sur le fonctionnement du texte littéraire comme langage spécifique. R. Jakobson fait de la poétique une partie de la linguistique, en mettant en évidence une « fonction » particulière du langage : la « fonction poétique ». Mais ce point de vue semble restrictif à de nombreux chercheurs pour qui le discours littéraire est un objet translinguistique (dépassant le cadre de la linguistique) : on assiste ainsi à la constitution de **sémiotiques** (ou de sémiologies) **littéraires** qui font de la « littérature » un domaine spécifique parmi les systèmes de signes. Plus ancienne, la **stylistique,** étude du style des œuvres littéraires, représenterait, dans cette optique, un secteur seulement de la sémiotique littéraire, celui de la description de l'expression.

Les « applications » de la linguistique aux discours littéraires, remarquables par leur ampleur, ne sont pas les seules : les textes publicitaires ou politiques, par exemple, font l'objet d'analyses, à l'aide de méthodes inspirées de la linguistique. L'une d'entre elles, connue sous le nom « d'**analyse du discours** », consiste à appliquer les méthodes distributionnelles (cf. chap. 4) à des énoncés dépassant le cadre de la phrase. Aujourd'hui, l'étude du discours accorde une importance de plus en plus grande aux problèmes de l'**énonciation,** c'est-à-dire au fonctionnement des éléments linguistiques qui renvoient à la situation de communication et au sujet parlant (en particulier les « embrayeurs », selon la terminologie de Jakobson).

On renverra pour complément d'information, à trois ouvrages :
- *Linguistique et poétique,* par D. DELAS et J. FILLIOLET (Larousse, 1973).
- *L'analyse du discours,* par D. MAINGUENEAU (Hachette, 1976).
- *L'énonciation,* par C. KERBRAT-ORECCHIONI (A. Colin, 1980).
- *Linguistique et discours littéraire,* par J.M. ADAM (Larousse, 1976).

— Un dernier ensemble de disciplines se range sous l'intitulé **linguistique appliquée :** en un sens très large, cette expression peut recouvrir toutes les disciplines ou activités qui utilisent, en quelque manière, le « modèle » linguistique : on aurait pu, sans forcer les choses, faire figurer sous cette rubrique toutes les matières connexes et, par exemple, toutes les recherches sémiologiques (sémiologie de l'art en particulier). Mais, plus étroitement, on réservera le terme de linguistique appliquée pour désigner des applications plus « pratiques », plus « techniciennes » dans certaines activités professionnelles.

On citera d'abord le secteur *pédagogique* avec l'application de la linguistique aux problèmes de l'enseignement des langues vivantes et du français, langue maternelle ou langue étrangère.

Les futurs enseignants de français liront avec profit certains numéros de *Langue française* (nos 6, 8, 22), des *Études de linguistique appliquée* (nos 32 et 39-40), l'ensemble des numéros de *B.R.E.F.* et de *Pratiques* (en particulier les nos 17, 25, 26).

L'application à l'enseignement des langues débouche sur les méthodes audio-visuelles (cf. *Langue française* n° 24).

De même, sous le nom de *techniques d'expression,* une nouvelle discipline s'est constituée qui, sur la base d'une connaissance systématique du langage, vise à donner aux locuteurs les moyens de s'exprimer et de communiquer efficacement dans des situations déterminées.

Les procédures de la linguistique, de la lexicologie particulièrement, sont utilisées pour l'*analyse documentaire* (extraction du sens d'un document à l'aide d'un codage convenu), pour la *traduction* dite *automatique,* pour la *lexicographie* en général. Linguistique et théorie de la communication (cf. chap. 4, 1ʳᵉ partie) ont influencé les recherches menées dans le domaine des télécommunications. Les acquis de la phonétique et de la phonologie ont rejailli sur l'orthophonie, la rééducation des sourds, etc. (La revue *Études de linguistique appliquée* (Didier) est consacrée à certains de ces problèmes.)

Il faut mentionner l'existence d'une *linguistique mathématique*; ce qu'on entend par ce terme recouvre principalement deux domaines :
1) l'application des appareils statistiques à des ensembles d'unités linguistiques (cf. *La statistique linguistique,* Ch. MULLER, Hachette, 1975);
2) la construction de « modèles » mathématiques aptes à « simuler » la structure des langues naturelles, en particulier dans la lignée des travaux de N. CHOMSKY (cf. *Initiation mathématique aux grammaires formelles,* M. HUGUES, Larousse, 1974).

COMMENT RÉPERTORIER ET CARACTÉRISER LES DIFFÉRENTES ÉCOLES LINGUISTIQUES?

On comprendra aisément qu'à l'instar des autres « sciences humaines », la linguistique, du fait de la multiplicité des écoles, offre peu de concepts et de méthodes universellement admis, mais un foisonnement d'orientations, de méthodes et de terminologies. Dans cette diversité, on peut pourtant repérer des lignes directrices : aujourd'hui, on a pris l'habitude d'opposer schématiquement deux grands ensembles, la *linguistique structurale* d'un côté, la *linguistique générative* de l'autre, en prenant comme point de référence la « rupture » de 1957 avec la parution du livre de N. Chomsky, *Structures syntaxiques* (cf. *infra*). Mais, à cette opposition théorique s'en superpose une autre entre la *tradition linguistique américaine* et la *tradition européenne*.

- Le « structuralisme » au sens large

1) *Les héritiers de Saussure et la linguistique européenne.*

Sans détailler pour chaque pays l'influence du *Cours de linguistique générale*, on notera la présence de Saussure dans toutes les tendances marquantes de la linguistique européenne. Dans le **structuralisme praguois,** il s'agit plus d'une concordance de travaux que d'une influence directe. En 1926 se forme à Prague un cercle de linguistique connu aujourd'hui sous le nom d' « école de Prague » : parmi les participants, on retiendra les noms de S. Karčevski et surtout N.S. Troubetzkoy et R. Jakobson. Les « thèses » du groupe ont été publiées à partir de 1929 sous la forme de *Travaux du Cercle de linguistique de l'école de Prague*. Globalement, les conceptions de ces linguistes vont dans le sens de la démarche saussurienne : définition de la langue comme système de signes, insistance sur sa fonction « communicative », priorité donnée à la description synchronique. L'attention accordée au caractère fonctionnel des éléments linguistiques amène ces chercheurs à privilégier la description phonologique (cf. *supra*); l'ouvrage fondamental dans ce domaine est les *Principes de phonologie* de Troubetzkoy publié à Prague en 1939 (trad. franç. par J. Cantineau, Klincksieck, 1949, réimpr. 1957).

Il faut accorder une place spéciale à R. JAKOBSON (né en 1896) pour son universalisme en matière de sciences du langage : fondateur dans les années 1915 du Cercle linguistique de Moscou, il joue un rôle éminent dans la genèse des « formalistes russes » (célèbres théoriciens de la littérature); en 1926, il fonde, avec Troubetzkoy, le Cercle de linguistique de Prague, puis il enseigne en Scandinavie, avant de s'installer définitivement aux États-Unis (il travaille depuis 1950 à Harvard et au M.I.T.). Jakobson s'est illustré dans tous les domaines de la linguistique : morphologie, grammaire, sémantique, et surtout phonologie et poétique. Le lecteur français peut consulter :
- *Essais de linguistique générale*, I et II (éd. de Minuit, 1963 et 1974).
- *Langage enfantin et aphasie* (éd. de Minuit, 1969).
- *Questions de Poétique* (Seuil, 1973).

Dans la lignée de l'école de Prague et de Saussure, on évoquera, en second lieu, l'**école française fonctionnaliste,** avec, entre autres, les noms de A. Martinet, G. Gougenheim, E. Benveniste.

● *Martinet* (né en 1908) a apporté une contribution décisive à la linguistique moderne avec la notion de **double articulation** du langage (cf. *infra*); son postulat fonctionnaliste consiste à considérer les unités linguistiques du point de vue du rôle qu'elles jouent dans la communication; à partir de là, ses recherches ont surtout porté sur la phonologie tant synchronique que diachronique, mais aussi sur la linguistique générale, les problèmes de la morphologie et les applications de la linguistique à la description du français. Jusqu'à une date récente, la syntaxe n'a pas occupé une place organisatrice dans l'œuvre de Martinet; celui-ci s'est d'autre part attaché à distinguer soigneusement le fonctionnement de la langue de tout ce qui concerne le sens (sémantique, sémiologie, etc.). On citera dans cette œuvre considérable :
- *Éléments de linguistique générale* (nouv. éd. Colin, coll. U$_2$, 1967).
- *Économie des changements phonétiques* (Berne, 2e édit. 1964).
- *La linguistique synchronique* (P.U.F., 1965).
- *Langue et fonction* (Gonthier, coll. Médiations, 1971).

● Le nom de *Gougenheim* (1900-1972) mérite d'être signalé non seulement pour ses travaux sur le vocabulaire fondamental du français (cf. *infra,* lexicographie), mais ici précisément pour l'orientation fonctionnaliste de ses recherches sur la grammaire du français (cf. *Système grammatical de la langue française,* éd. d'Artrey, 1938).

● Enfin, s'il participe dans une certaine mesure au courant fonctionnaliste (il a subi l'influence de l'école de Prague), *Benveniste* (1902-1976) occupe une place particulière par l'étendue et la diversité de ses centres d'intérêt. Éminent spécialiste de l'indo-européen, toute une partie de son œuvre est consacrée aux problèmes philologiques; mais il a aussi mené d'importantes recherches en linguistique générale et linguistique française. Il s'est intéressé à la question des rapports entre langue et pensée, à la sémiologie (problèmes touchant à la nature du signe linguistique); il peut être considéré comme un initiateur des théories du discours, de l'énonciation (mise en évidence du fonctionnement des déictiques). On consultera :
- *Le vocabulaire des institutions indo-européennes* (éd. de Minuit, 1969-1970, 2 vol.).
- *Problèmes de linguistique générale I et II* (Gallimard, 1966, 1974).

● Dans le vaste ensemble de la linguistique française, on aurait pu citer des chercheurs originaux tels *L. Tesnière* (1893-1954) dont les *Éléments de syntaxe structurale* (Klincksieck, 1959) développent une intéressante approche des *fonctions* grammaticales et préfigurent certaines recherches récentes qui dépassent le cadre du structuralisme au sens strict (cf. la notion de *translation* qu'on peut comparer avec celle de *transformation*).

● De son côté, G. *Guillaume* (1883-1960) a élaboré une théorie du langage, connue sous le nom de « psycho-systématique » ou « psycho-mécanique », qui considère la langue plutôt comme un dynamisme lié à l'activité de la pensée que comme un pur système de différences (cf. *Langage et science du langage*, Nizet, 2ᵉ éd., 1969). Dans cette lignée, B. *Pottier* (né en 1924) a présenté dans ses ouvrages une théorie des structures syntaxiques et le premier exposé de sémantique structurale. On se reportera à son livre : *Linguistique générale, théorie et description* (Klincksieck, 1974).

Parmi toutes les tendances de la linguistique européenne, c'est la **glossématique,** fondée par le linguiste danois L. *Hjelmslev* (1899-1965) et son collaborateur *H. J. Uldall,* qui se prétend la seule véritable continuatrice de l'enseignement de Saussure. En 1931 se forme, sous l'impulsion de Hjelmslev et de *V. Bröndal* (1887-1942), le Cercle linguistique de Copenhague qui publie, comme l'école de Prague, ses *Travaux* (à partir de 1944). Avec la glossématique, nous avons affaire à une théorie linguistique qui veut développer à l'extrême la conception de la langue comme forme pour assigner une autonomie à la description linguistique parmi les autres études sur le langage. Il s'agit de considérer la langue en elle-même, pour elle-même, abstraction faite de sa substance sémantique ou phonique. L'analyse linguistique doit permettre d'aboutir aux éléments ultimes de la langue. Un tel point de vue amène Hjelmslev à substituer aux concepts saussuriens un nouvel appareil conceptuel : plus de signe, de signifiant ou de signifié, mais un plan de l'expression et un plan du contenu; de plus, la glossématique a recours à une terminologie particulière pour désigner les éléments linguistiques (« cénèmes », « plérèmes », « taxèmes »...). Ce *formalisme* de la glossématique, s'il développe effectivement certaines données de la problématique saussurienne, entre globalement en contradiction avec cette thèse essentielle du *Cours* selon laquelle la langue est un objet marqué d'historicité et inscrit dans une société.

Trois ouvrages fondamentaux de Hjelmslev sont accessibles en français : - *Le Langage* (éd. de Minuit, 1966). - *Prolégomènes à une théorie du langage* (éd. de Minuit, 1971). - *Essais linguistiques* (éd. de Minuit, 1971).

Il n'est pas inutile de signaler le travail d'un héritier de Hjelmslev, K. Togeby : *Structure immanente de la langue française* (2ᵉ édition, Larousse, 1965).

2) *La linguistique américaine.*

On distinguera deux grandes orientations : un courant surtout préoccupé d'ethnolinguistique, un autre tourné vers la linguistique générale et les théories grammaticales.

● Il est impossible d'évoquer la linguistique américaine sans souligner que longtemps sa tâche primordiale a été la description des centaines de langues amérindiennes, d'où une priorité accordée à l'aspect pratique des recherches au détriment de la théorie linguistique. *F. Boas* (1858-1942) donne des méthodes de description de ces langues et émet des hypothèses sur les liens entre langue et ethnie (perspective de l'ethnolin-guistique). *E. Sapir* (1884-1939), grand spécialiste lui aussi des langues amérindiennes, publie d'importants travaux en linguistique et anthropologie ; son ouvrage fondamental, *Language* (1921), contient des données théoriques décisives : existence des phonèmes, définition de la langue comme forme. Avec son disciple *B.L. Whorf,* il a attaché son nom à une théorie connue comme l'*hypothèse de Whorf-Sapir,* selon laquelle c'est la langue qui impose à la communauté sa vision du monde.

On consultera, en français, trois ouvrages de SAPIR :
- *Le Langage* (Payot, 1953, trad. revue en 1970).
- *Anthropologie* (éd. de Minuit, 1967, 2 vol.).
- *Linguistique* (éd. de Minuit, 1968).

De WHORF, on lira : *Linguistique et Anthropologie* (Denoël-Gonthier, 1969).

● Avec Sapir, l'autre grand linguiste américain de la première moitié du xxe siècle est *L. Bloomfield* (1887-1949). Dans *Language* paru en 1933 (trad. franç. Payot, 1970), il jette les bases d'une linguistique fondée sur une approche *« béhavioriste »* des faits de langage conçus comme des « réponses » à des « stimuli » ; une telle perspective amène Bloomfield à ne considérer que les situations concrètes de langage, à exclure en principe toute référence à la signification pour identifier les unités linguistiques, par opposition à l'orientation *mentaliste* qui définit la parole comme un produit de la pensée. Sur ces bases, Bloomfield définit les principes de la **méthode distributionnelle** (à partir d'un corpus donné, il s'agit de procéder à la *délimitation* des unités de la langue par leur environnement, cf. *infra,* chap. 4), et ceux de l'**analyse en constituants immédiats** (il s'agit de montrer l'organisation hiérarchique des unités — du phonème à la phrase — cf. second volume). Les thèses de Bloomfield ont exercé une influence considérable sur le développement de la linguistique américaine : *Z.S. Harris* (né en 1909) donne en 1951, dans *Methods in Structural Linguistics,* l'exposé le plus systématique du distributionnalisme, mais propose par la suite d'importants et nouveaux développements avec l'application de la méthode distributionnelle à l'*analyse des discours,* et l'introduction dans la théorie linguistique de la notion de « *transformation* » (cf. *infra*). Harris, avant Chomsky, marque l'introduction en linguistique de la logique et des modèles mathématiques (cf. *Langages* n° 20 : « Analyse distributionnelle et structurale »).

- La grammaire générative

Cette théorie, élaborée essentiellement par le linguiste américain *N. Chomsky* (né en 1928), assigne à la linguistique une visée différente de celle de Bloomfield ou de Saussure.

Nous parlons ici de la linguistique générative; les mots « génératif » et « transformationnel » ne sont pas interchangeables : la notion de transformation se trouve chez Harris dans un cadre distributionnaliste, alors qu'inversement, on peut concevoir des grammaires non-transformationnelles (grammaire à états finis, grammaire syntagmatique) dans une perspective générative. La grammaire de Chomsky est une grammaire générative comprenant une partie transformationnelle.

Alors que pour l'école américaine, de Bloomfield à Harris, une grammaire consiste en la description d'un *corpus* fini (cf. *infra,* chap. 4), une grammaire générative doit rendre compte du fait que le sujet parlant peut produire et comprendre un nombre indéfini de nouvelles phrases. Là où le distributionnalisme se contente de *décrire*, la grammaire générative cherche à *expliquer ;* il ne s'agit plus de fournir une classification, une taxinomie des unités linguistiques en se fondant sur l'observation et en excluant le sentiment linguistique (démarche inductive). mais de construire un modèle théorique, un système hypothético-déductif; au lieu d'induire des conclusions sur la langue à partir d'un corpus, Chomsky énonce des hypothèses sur la faculté de langage en général, ce qui implique la définition d'une grammaire comme système formel, machine à produire des phrases. La grammaire générative d'une langue sera conçue comme un mécanisme capable de formuler explicitement (c'est le sens de *to generate*) toutes les phrases d'une langue et uniquement celles-ci; elle devra rendre compte de l'intuition des sujets parlants sur leur langue, des jugements de grammaticalité qu'ils portent sur les énoncés de cette langue.

La théorie générative implique une psycholinguistique, un modèle d'apprentissage du langage, une philosophie du langage : la critique sévère du béhaviorisme qu'opère Chomsky l'amène à un retour sur les positions du mentalisme, avec ses références aux « idées innées » de Descartes et à la Grammaire de Port-Royal. Il postule l'existence chez l'enfant d'un mécanisme inné d'acquisition du langage et formule l'hypothèse des universaux linguistiques selon laquelle il y aurait entre les langues des identités fondamentales; d'où l'idée que la théorie générative doit fournir une théorie phonétique, une théorie sémantique et une théorie syntaxique universelles. Ici, cette orientation chomskyenne se démarque nettement de l'entreprise saussurienne : toute définition de la langue comme objet social et historique est éliminée chez Chomsky (pas de théorie de l'arbitraire); d'où le manque d'intérêt pour le « côté ethnographique » des langues, l'absence aussi de toute perspective sémiologique. Si Chomsky, avec son opposition *compétence/performance*, retrouve, contre Bloomfield qui, lui, ne fait pas la distinction, le couple saussurien *langue/parole*, il ne retient pas dans sa définition de la compétence l'aspect social impliqué par le concept de langue; surtout, alors que, pour Saussure, la phrase n'appartient pas à la langue mais à la parole, Chomsky ordonne son modèle de la compétence en prenant pour unité fondamentale la phrase.

Plusieurs étapes sont à distinguer dans la courte histoire de la grammaire générative :

— Le premier état de la théorie, issu de *Syntactic Structures* (1957), distingue dans la grammaire une *partie syntagmatique* qui engendre des structures abstraites et une *partie transformationnelle* qui convertit celles-ci, après application des *règles morphophonologiques,* en phrases effectivement réalisées.

— Le deuxième état de la théorie, dit « théorie standard », issu de *Aspects of the Theory of Syntax* (1965), introduit de nouveaux concepts (en particulier celui de *structures profondes*) et un *composant sémantique*.

— Ces dernières années, la théorie a subi une nouvelle mutation : les transformations sont soumises à des *conditions* très générales qui filtrent leur application ou leur résultat. De plus, entre la structure profonde et la structure de surface est défini le niveau des *formes logiques*.

En conclusion, on remarquera simplement que si certains aspects des hypothèses de Chomsky sur le langage (innéisme, universaux, etc.) font l'objet de nombreuses discussions, la *formalisation,* la *démarche heuristique,* le type d'*argumentation* qu'il a introduits en linguistique semblent un apport déterminant.

Bibliographie. Ouvrages de CHOMSKY traduits en français :
- *Structures syntaxiques* (Seuil, 1969).
- *La linguistique cartésienne* (Seuil, 1969).
- *Le langage et la pensée* (Payot, 1970).
- *Aspects de la théorie syntaxique* (Seuil, 1971).
- *La phonologie générative,* en collaboration avec M. HALLE (Seuil, 1973).
- *Questions de sémantique* (Seuil, 1975).
- *Réflexions sur le langage* (Maspero, 1977).
- *Essais sur la forme et le sens* (Seuil, 1980).

Pour s'initier aux travaux de CHOMSKY :
- N. RUWET, *Introduction à la grammaire générative* (Plon, 1967).
- *Dialogues de Chomsky avec Mitsou Ronat* (Flammarion, 1977).

Pour une application au français :
- C. NIQUE, *Grammaire générative : hypothèses et argumentations* (A. Colin, 1978).
- L. PICABIA, *Éléments de grammaire générative : applications au français* (A. Colin, 1975).

4. LES CONCEPTS FONDAMENTAUX DE LA LINGUISTIQUE STRUCTURALE

La linguistique « structurale » développe les perspectives de Saussure, ce qui ne signifie pas que tous les structuralistes se réclament explicitement de lui, les Américains en particulier. Les divergences entre écoles américaines et européennes sont souvent importantes et il s'en faut de beaucoup que tous les linguistes de cette génération aient eu les mêmes ambitions, et utilisé les mêmes procédures. En dépit de multiples différences, il existe néanmoins une sorte de dénominateur commun à ces approches de la langue. La démarche « structurale » fondée sur la notion d'*opposition* et le test dit de *commutation,* qui en est corrélatif, se retrouve à l'œuvre dans les différentes branches de l'analyse linguistique, comme on pourra le voir dans le reste de cet ouvrage : en phonologie, en lexicologie, et aussi en syntaxe (cf. tome 2).

Comme nous avons déjà eu l'occasion de le dire, ce qu'on appelle le « structuralisme » au sens strict a été radicalement mis en cause par la grammaire générative et la théorie de l'énonciation depuis les années 60. *Cependant, dans une perspective de pédagogie de la linguistique, il est indispensable de posséder les acquis du structuralisme avant d'aborder des théories plus complexes.* Le développement ultérieur des recherches linguistiques n'a pas rendu caducs ces acquis : ils ont été conservés, mais intégrés dans un cadre, une problématique différents (on peut consulter à ce sujet les premiers chapitres de l'*Introduction à la grammaire générative,* de N. RUWET).

LE PROCESSUS DE LA COMMUNICATION

Influencée en cela par l'apparition et les progrès de la sociologie à la fin du XIXe siècle, la linguistique structurale a réagi contre la conception d'une langue conçue comme un organisme naturel évoluant selon des lois immuables; pour elle, la langue est une institution, instrument privilégié de la communication dans une communauté humaine. Il convient donc de l'étudier comme un processus d'échanges et non comme un objet indépendant de l'activité humaine.

Pour que s'établisse une communication linguistique, un ensemble de conditions doivent être réalisées, un certain nombre d'instances mises en place. Tout d'abord, il faut qu'il y ait un **message** à transmettre d'un individu à un autre; celui qui produit ce message est dit **destinateur,** ou **émetteur** (ou *locuteur,* s'il s'agit de communication orale), et celui qui le reçoit est dit **destinataire,** ou **récepteur** (ou *allocutaire,* dans le cas de l'oral). Dans la conversation, les rôles s'inversent continuellement, le destinataire devenant destinateur, et réciproquement.

Il n'y a pas de message possible sans un **code** convenu entre les deux protagonistes de la communication; un code comporte un système de signes préétabli et arbitraire ainsi que l'ensemble de leurs règles de combinaison. Dans le cas d'une langue naturelle, on peut considérer, en simplifiant outrageusement, que ces signes correspondent aux mots et que leurs règles de combinaisons constituent la *syntaxe.*

C'est l'existence d'un code commun qui assure la compréhension du message : si le locuteur s'exprime par exemple en russe et que le destinataire ignore cette langue. le message n'est pour lui que du bruit dénué de tout sens. On appelle **encodage** ou *codage* le processus par lequel l'émetteur, dit alors **encodeur,** donne à son message la forme d'un énoncé qui suit les règles d'un code donné; dès lors, **encoder,** c'est choisir un certain nombre de signes du code, les combiner et les introduire dans le *canal.*

Le **canal** est le support physique de transmission du message. Dans le cas d'un télégraphe, par exemple, le canal, ce sont les câbles électriques, dans le cas de la communication orale, il s'agit de sons audibles par l'oreille humaine. A l'autre pôle de la communication, le récepteur **décode** le message ainsi encodé et transmis par le canal. Le **décodage** consiste à retrouver la signification du message grâce à une identification et à une interprétation des signes et de leur combinaison. Le message décodé peut fort bien être *recodé* pour un nouveau processus de communication : un message oral peut être transcrit en morse, puis à nouveau en langue naturelle, en sténographie, et ainsi de suite. On appelle parfois *transcodage* ce mouvement permettant de passer d'un code à un autre.

On appellera **situation de communication** les données communes au destinateur et au destinataire en ce qui concerne la situation culturelle et psychologique. Cela renvoie aussi bien à l'entourage physique de l'acte de communication qu'aux *rôles* qu'assument ses protagonistes et à la représentation qu'ils se font de l'un et l'autre ainsi que de leur situation. (Il faut également tenir compte des échanges linguistiques antérieurs; tout message s'inscrit toujours dans du « déjà-dit ».) On entendra par **univers du discours** l'univers extralinguistique auquel le message fait référence, qu'il s'agisse d'objets physiquement perceptibles ou non.

- La notion d'information

Dans les années 1945-1950 s'est développée aux U.S.A. une théorie dite « *théorie de l'information* » à laquelle s'attachent les noms de C. E. Shannon et W. Weaver. Cette théorie entendait dépasser le strict cadre du langage humain et donner au concept d'*information* un contenu qui le rende productif dans une multitude de domaines, les télécommunications en particulier. Cette théorie a, par contrecoup, permis d'éclairer certains aspects de la communication linguistique.

Dans cette théorie, **l'information** a un sens purement technique, qui ne tient pas compte de la signification du message, mais de sa transmission seulement : un événement apporte d'autant plus d'information qu'il est inattendu. Un événement totalement prévisible n'apporte donc aucune information. Supposons que l'on ait affaire au jeu de « pile ou face », c'est-à-dire que deux signaux puissent apparaître et que chacun d'eux ait la même probabilité d'apparition, à savoir 1/2 (événements équiprobables), on dira que ces deux signaux portent la même quantité d'information et par convention que chacun communique un « bit » (« *binary digit* ») d'information ; ainsi une unité dont la probabilité d'apparition est de 1/4 communiquera deux « bits » d'information, et ainsi de suite. C'est traduire le fait que la quantité d'information est inversement proportionnelle à la probabilité d'apparition du signal.

La notion de **capacité d'un canal** en découle ; un canal a une capacité totale à un moment donné si tous les signaux ont la même probabilité d'apparition : dans ce cas, le code a un rendement maximal puisqu'il est impossible de prévoir de quelque manière que ce soit quel signal va apparaître. Cela a une incidence fondamentale sur la transmission de l'information. Supposons qu'il faille transmettre successivement des signaux de probabilité inégale : le canal serait mal utilisé si la transmission des signaux les plus prévisibles occupait le canal aussi longtemps que celle des signaux les moins prévisibles. Pour redonner au canal sa capacité maximale, on s'arrange pour qu'un signal apportant deux fois plus d'information qu'un autre occupe deux fois plus de temps le canal que cet autre. Ainsi se trouve compensée la différence de probabilité entre signaux qui diminuait la capacité du canal.

C'est ici qu'il faut introduire deux concepts importants, celui de *redondance* et celui de *bruit*, qui ont été très utilisés en linguistique par la suite. La **redondance** est la perte d'information résultant du fait que les signaux pouvant apparaître dans une position donnée ne sont pas équiprobables. Cette perte d'information se définit donc comme la différence entre la capacité théorique (maximale) d'un code et la quantité moyenne d'information effectivement transmise. Par divers moyens, on peut réduire la redondance autant que l'on veut, mais en fait on préfère le plus souvent laisser une certaine quantité de redondance dans un système de communication pour compenser les effets du *bruit*. On entend par **bruit** tout ce qui peut entraver la transmission du message : canal défectueux, erreurs, mauvais décodage, etc., en bref, toute perturbation imprévisible. S'il n'y a aucune redondance, la perte d'un fragment du message est irréparable. Par exemple, si l'on communique des suites arbitraires de chiffres et qu'un seul soit altéré, il est impossible de le rétablir puisque de 0 à 9 ils sont parfaitement équiprobables : c'est ainsi que sur un chèque on recourt à la redondance en écrivant en chiffres et en mots les sommes d'argent.

Ces perspectives ont une grande importance en linguistique, dans la mesure où le langage sert lui aussi à transmettre de l'information. Les énoncés d'une langue sont en effet constitués d'unités distinctes et successives, qui sont autant d'« événements » auxquels est affectée une certaine probabilité d'apparition : cette probabilité dépend du contexte, puisque dans toute langue n'importe quelle unité ne peut pas suivre n'importe quelle autre.

Dans une langue, par exemple, les différents sons n'ont pas la même probabilité d'apparaître dans la mesure même où ils n'ont pas la même fréquence : en français, le « a antérieur » est beaucoup plus fréquent que le « a postérieur » (cf. 2ᵉ partie, « Phonétique et Phonologie »). En outre, toutes les suites de sons ne sont pas possibles pour une langue donnée et, pour celles qui sont possibles, les variations de probabilité peuvent être considérables (après un « p » initial, on ne peut avoir un « f » en français, mais l'allemand le permet *Pferd, Pfingsten...*). Ces probabilités varient selon les positions : à l'initiale d'une phrase, d'un mot, après telle consonne, etc.

Un autre exemple particulièrement simple de redondance est fourni par les marques de genre ou de nombre : accorder en nombre le verbe avec le sujet, accorder en nombre et genre l'adjectif avec le nom qui le régit sont autant de moyens de renforcer la redondance.

Celle-ci joue donc à tous les niveaux du langage : elle concerne les sons, la syntaxe, le sens ; on ne trouve pas de langue où, à chaque instant, pour une situation donnée, toutes les unités de la langue aient la même probabilité d'apparition. Le locuteur a le choix entre un nombre fini d'unités, et ces unités elles-mêmes n'ont pas une chance égale d'apparaître. Cette redondance généralisée est liée au fait que la langue est une structure et non pas une succession aléatoire d'unités parfaitement équivalentes. On s'en rendra mieux compte un peu plus loin quand on abordera la notion de distribution.

De nombreux linguistes ont mis en garde contre les dangers d'une assimilation pure et simple du langage à un code destiné à transmettre de l'information (cf. *supra*, chap. 2, « Langue/Parole »). C'est réduire la complexité du fonctionnement du langage que de ne voir en lui que ce qu'il a de commun avec des systèmes de transmission élémentaires. R. JAKOBSON, en particulier, montre que la langue a plusieurs « fonctions » (*Essais de linguistique générale* I, « Linguistique et poétique »,

Éd. de Minuit). On trouve des critiques du même ordre chez des sociolinguistes comme chez des théoriciens de l'« énonciation » (cf. O. DUCROT, préface de *Les actes de langage,* par J. Searle, Hermann, 1972). C'est ne pas rendre compte du rôle du langage dans une société que d'y voir un simple instrument de communication.

LES UNITÉS LINGUISTIQUES

Le structuralisme a cherché à définir des procédures permettant de dresser l'inventaire complet des unités qui sont en opposition distinctive dans la langue ainsi qu'à décrire leurs relations. Il s'agit de constituer initialement une « taxinomie » de ces unités, de les classer hiérarchiquement après les avoir dégagées au moyen de quelques principes d'analyse (= de décomposition) élémentaires. On verra que dégager une unité linguistique, c'est montrer qu'elle entre dans des oppositions, à savoir qu'elle exclut d'autres unités de la langue pouvant figurer à la même place dans la chaîne parlée. Mais auparavant, il nous faut définir la notion de *corpus,* c'est-à-dire les données sur lesquelles travaille le linguiste.

- Le corpus

Si l'on veut étudier une langue naturelle, il faut au préalable construire un *corpus.* Ce dernier est un ensemble d'énoncés (écrits ou oraux, selon les besoins) que le linguiste pose comme un échantillon représentatif de faits de parole (au sens saussurien) des locuteurs de cette langue. Un corpus ne peut être exhaustif et contenir tous les énoncés réalisés de la langue : il n'est que représentatif. Cette représentativité pose de délicats problèmes : délimitation de la synchronie, annulation des écarts (dus en particulier aux disparités d'âge, de régions, de groupes sociaux, etc.); c'est ainsi, par exemple, que J. Dubois, pour sa *Grammaire structurale* (I, p. 5), affirme que « la langue qui est ici considérée se définit comme la moyenne des emplois actuels, une fois rejetés les écarts les plus grands ». Autant dire que le corpus est « homogénéisé » au maximum.

Le linguiste s'adresse souvent à des locuteurs, dits *informateurs,* pour leur demander si tels ou tels énoncés du corpus sont acceptables ou non, ou leur faire produire des énoncés nécessaires à la *saturation* du corpus. Un corpus est *saturé* quand le linguiste décide qu'il est inutile de l'étendre davantage. Il s'agit alors d'identifier les unités de la langue et de décrire leur agencement dans une synchronie donnée (ou dans plusieurs, s'il s'agit de comparer des synchronies). C'est là une démarche typiquement inductive : on cherche à rendre compte des régularités qui sous-tendent un ensemble fini de données consignées dans le corpus. On dit que le linguiste structuraliste obéit au *principe d'immanence* lorsqu'il se préoccupe exclusivement de l'architecture interne des relations entre les éléments de la langue en rejetant hors de sa problématique tout ce qu'il juge « extralinguistique », c'est-à-dire ce qui relève du locuteur, de la situation de communication, etc., et dont l'étude est renvoyée aux autres sciences humaines. Le structuraliste ne retient donc du processus global de la communication qu'un seul aspect : le message.

La conception structuraliste du corpus a été par la suite mise en cause, rappelons-le, et de plusieurs côtés, par la grammaire générative (cf. *supra,* chap. 3), par la sociolinguistique, qui critique l'idée d'un corpus homogène éliminant la variation sociale. par les théories de l'énonciation. qui rejettent l'idée qu'on puisse faire abstraction des protagonistes et de la situation de communication pour décrire une langue. Ce qui est mis en doute, c'est l'espoir de totaliser dans un corpus homogène le fonctionnement entier d'une langue.

- Segmentation et substitution

Dans une langue, les unités s'ordonnent successivement sur l'axe syntagmatique. Les énoncés linguistiques sont linéaires : on appelle « chaîne parlée » cette ligne. On a vu que la langue était constituée d'éléments discrets. c'est-à-dire nettement distincts les uns des autres, en nombre fini et entrant dans des systèmes d'*oppositions* (on parle, rappelons-le, de *combinaisons* pour les relations syntagmatiques et d'*oppositions* pour les relations paradigmatiques). Deux opérations élémentaires sur la chaîne parlée, la *segmentation* et la *substitution,* qui forment à elles deux le **test de commutation,** permettent d'identifier les diverses unités de la langue, c'est-à-dire de savoir si telle partie de la chaîne constitue ou non une unité de la langue.

La commutation est un test, un changement provoqué par le linguiste dans un énoncé pour observer le comportement d'un fragment de cet énoncé. Dans un premier temps, on segmente, découpe une partie de la chaîne, et on regarde ensuite si l'on peut substituer à cette partie d'autres parties (en opposition paradigmatique. par conséquent). De telle manière que 1°) le nouvel énoncé ainsi obtenu appartienne à la langue, 2°) le sens de l'énoncé change. Si le test s'avère positif, c'est que les unités commutant ainsi ont une *fonction distinctive* (sont *pertinentes*), sont donc des unités de la langue. Si l'on entend aboutir aux unités distinctives *minimales,* il faut s'assurer qu'un fragment de la partie de la chaîne qu'on vient de faire commuter ne peut pas entrer dans un autre test de commutation.

Prenons un exemple : si l'on segmente dans l'énoncé *la tête est belle* le segment *tête* ainsi : *t-ête,* on peut substituer à *t* d'autres segments comme *cr, f, b, (crête, fête, bête)...,* les segments nouveaux ainsi obtenus appartiennent au français et donnent un sens différent à l'énoncé. Pourtant *cr* n'est pas une unité *minimale* de la langue car je peux appliquer le test de commutation à un fragment de *cr*, à savoir *c* ou *r*; ainsi *brique* et *crique* permettent d'opposer *b* et *c*. En revanche, on ne peut analyser plus avant *b* ou *c*, qui sont donc des unités minimales. Naturellement il faut opérer d'une manière systématique avec le test de commutation si l'on veut dégager : 1°) des unités minimales, 2°) toutes les unités minimales.

Par ce moyen, on vise à établir un inventaire des unités distinctives de la langue, en les répartissant selon leurs **niveaux** respectifs. En effet, on va le voir, le concept de « chaîne parlée » a l'inconvénient de donner l'impression que les éléments de la langue sont tous sur le même plan, alors qu'en réalité la langue se présente comme une *hiérarchie* de constituants situés à des niveaux différents.

Le mot *saison*, par exemple, est découpé en quatre unités minimales : *s-ai-s-on* (nous n'utilisons pas ici l'alphabet phonétique, seul habilité, en principe; cet alphabet sera introduit dans la deuxième partie). Ces unités sont minimales en ce qu'elles ne peuvent être analysées plus avant par l'emploi de ce même test de commutation. Ce niveau ultime de l'analyse est appelé *phonématique*, les unités pertinentes qui le constituent portant le nom de **phonèmes** (cf. 2ᵉ partie, 5).

En se combinant, les phonèmes, qui n'ont pas de signifié, constituent des unités de niveau supérieur douées, elles, d'un signifiant *et* d'un signifié, qu'on peut rapidement appeler « mots ». En réalité, la linguistique se méfie de la notion traditionnelle de « mot », car le mot ne constitue pas l'unité minimale douée d'un signifiant et d'un signifié. Ainsi le mot *charmeur* est en fait analysable en deux unités minimales douées de sens, *charm* et *eur*, le suffixe *eur* ayant pour signifié « nom d'agent ». Cette décomposition se fait aussi à l'aide du test de commutation : on découpe *charmeur* en *charm/eur* et non en *cha/rmeur*, ou en *ch/armeur*, parce que l'on peut opposer *charm-eur*, *charm-ant*, *charm-er*, etc., d'une part, et *charm-eur*, *livr-eur*, *donn-eur*, d'autre part; en revanche, on ne peut construire des paradigmes comparables pour *ch/armeur* et *cha/rmeur*. On adoptera la terminologie d'A. Martinet qui appelle **monèmes** les unités minimales de signification, qu'il divise en deux catégories, les **morphèmes** et les **lexèmes**. Les deux unités constituant « charmeur », à savoir *charm-* et *-eur*, n'ont pas le même statut : *-eur* appartient à un paradigme très limité, est un outil grammatical, un suffixe, au sens très « pauvre », alors que *charm-* appartient à ces séries d'unités extrêmement nombreuses qui composent le lexique d'une langue et dont le sens peut être très « riche ». Le premier type d'unités sera nommé *morphème*, et le second *lexème*, les deux étant des *monèmes*. Ainsi *le serrurier* se compose de deux mots *(le, serrurier)*, de trois monèmes *(le, serrur-, -ier)*, de deux morphèmes *(le, -ier)* et d'un lexème *(serrur-)* (pour ces problèmes, cf. 3ᵉ partie, 1).

A un niveau d'analyse supérieur, on pourrait envisager cette unité linguistique qu'est la *phrase*. En fait, de nombreux linguistes posent l'existence d'une unité intermédiaire entre mot et phrase, le **syntagme**. Un syntagme est une séquence de « mots » formant une unité syntaxique, centrée essentiellement sur le nom ou sur le verbe, qui ne suffit pas à former une phrase à lui seul. Ainsi dans la phrase *le petit enfant mangeait bien*, on distinguera un syntagme nominal *(le petit enfant)*, formant un groupe syntaxique organisé autour du nom *enfant*, et un syntagme verbal *(mangeait bien)* centré sur le verbe *manger*. Aucun de ces deux syntagmes ne suffit à former une phrase. Ici encore, on use de la commutation : *le petit enfant* peut commuter avec *l'enfant, le bel enfant, le bel enfant blond que ma sœur aime*, etc., sans que la grammaticalité de la phrase en souffre ; toutes ces séquences commutent dans une même classe paradigmatique, celle des syntagmes nominaux (cf. tome 2, 1re partie : syntaxe).

Les syntagmes sont les constituants de la **phrase** : la phrase est donc constituée d'unités linguistiques de niveau inférieur, mais n'est pas un constituant d'une unité plus vaste. A un niveau supérieur, il y a bien *l'énoncé*, c'est-à-dire tout discours, écrit ou oral, tenu par une personne unique entre deux silences, mais le structuralisme, en règle générale, ne lui accorde pas de statut linguistique et adopte le plus souvent la définition de la phrase que donne L. Bloomfield dans les années 30, « forme linguistique indépendante qui n'est pas incluse en vertu d'une quelconque construction grammaticale dans une quelconque forme linguistique plus grande ». De fait, si les unités des niveaux inférieurs peuvent entrer dans des classes paradigmatiques avec les unités de même niveau qu'elles, les phrases ne peuvent commuter entre elles : imprévisibles, en nombre infini, de longueurs très variables, elles sont constituées de la combinaison des unités en nombre fini des niveaux inférieurs.

Ces quelques lignes sont très simplificatrices ; rien n'est plus difficile, dans le code oral en particulier, que de définir des critères rigoureux pour délimiter les phrases : l'intonation y joue un rôle capital. C'est là un problème encore ouvert. Ces dernières années, un certain nombre de linguistes ont contesté que la phrase soit une forme « indépendante » et pensent que le « texte » constitue une unité de niveau supérieur à celui de la phrase, unité qui n'est pas une simple addition de phrases. Cela revient à dire que l'étude même des phrases exigerait de prendre en considération l'au-delà de la phrase. (Pour une présentation classique du problème, voir J. LYONS, *Linguistique générale*, pp. 133-139, et sur la notion de « texte », la revue *Langages*, n° 26.)

En résumé, il existe une relation de *composition* entre unités de niveaux différents : la phrase est composée de syntagmes, le syntagme de monèmes, etc. ; chaque unité, sauf la phrase, s'oppose (paradigmatiquement) aux unités de même niveau et est composée d'unités de niveau (on dit aussi de *rang*) inférieur. Cette analyse porte également le nom d'analyse *en constituants immédiats*, en ce sens que chaque unité est décomposée de manière à faire apparaître des constituants de niveau immédiatement inférieur ; par exemple, les phonèmes sont les constituants immédiats des monèmes.

Il convient de ne pas considérer de la même manière ces divers niveaux ; en effet, une coupure fondamentale sépare le niveau phonématique de celui des monèmes. A. Martinet parle à ce sujet de **double articulation** du langage et y voit un trait spécifique, le plus important, du langage humain. Si le langage est articulé, c'est-à-dire construit sur un système d'oppositions et de combinaisons d'unités discrètes, il l'est doublement : *la première articulation* est celle des unités ayant un signifiant (une forme phonique) et un signifié, indissolubles. Ces unités sont extrêmement nombreuses, en renouvellement permanent, selon les besoins de chaque communauté linguistique : elles forment le *lexique* d'une langue donnée. Mais toutes ces unités significatives (monèmes) sont décomposables en unités de *deuxième articulation*, les phonèmes, qui n'ont pas de signifié et ne possèdent qu'une *fonction distinctive*. C'est là ce qui fait l'extraordinaire efficacité du langage humain (son *économie*) : avec un nombre très restreint de phonèmes, une trentaine par exemple, on peut construire un nombre considérable de monèmes.

L'ANALYSE DISTRIBUTIONNELLE

Les principes et la méthodologie de l'analyse distributionnelle, apparue vers 1930 aux U.S.A. sous l'impulsion de L. Bloomfield, ont connu un développement considérable vers 1945 (cf. chap. 3). Cette méthodologie vise à décrire une langue, considérée comme un « stock d'énoncés matériels » (le corpus), sans prendre en considération la signification des énoncés ou la situation de communication ; il s'agit seulement de repérer des régularités et de construire des classes paradigmatiques à partir de là.

La langue est un système de signes arbitraires et linéairement ordonnés ; cette linéarité est cause, on l'a vu, du fait que tout signe occupe une certaine étendue matérielle et que la chaîne parlée peut être segmentée en unités discrètes (= distinctes). Cependant, toutes les combinaisons d'unités ne constituent pas des séquences grammaticales, de la langue. N'importe quelle suite de phonèmes ne donne pas nécessairement un mot acceptable en français, n'importe quelle séquence de mots ne constitue pas une phrase française. Ainsi **tfna* est un mot impossible en français, de même que **poutre chat sur la est* n'est qu'un « tas de mots ». (L'astérisque indique qu'il s'agit de séquences irrecevables.) Il est bien évident que si toutes les combinaisons étaient possibles, s'il n'y avait aucune contrainte sur les séquences, il n'y aurait ni règles, ni grammaire, c'est-à-dire aucune langue possible. L'analyse distributionnelle vise précisément à définir les unités linguistiques par les restrictions qui limitent leur apparition à côté de telles ou telles autres unités. Sur cette base, on peut dégager des *classes d'éléments* : appartiennent à la même classe les éléments soumis aux mêmes restrictions. Autrement dit, chaque élément est défini par sa position par rapport à d'autres dans la chaîne parlée. Une telle position n'est repérable que par la *contiguïté* (proximité matérielle immédiate de deux unités); il s'agit donc là d'une pure description, qui ne fait pas intervenir de considérations portant sur le sens. Avant de donner un exemple, quelques définitions sont nécessaires :

1) *occurrence* : le fait qu'un élément apparaisse dans un fragment de la chaîne parlée;

2) *co-occurrents* : on appelle co-occurrents de A les éléments figurant avec cet élément A, qui lui sont contigus;

3) *environnement* (ou *contexte*) : l'environnement de A est la disposition de ses co-occurrents;

4) *distribution* : la somme de tous les environnements dans lesquels peut figurer A est dite *distribution de A*.

L'analyse distributionnelle permet de constituer des *classes distributionnelles*. On peut fort bien étudier la distribution de chaque unité linguistique, mais la tâche est pratiquement infinie : on verrait par exemple que *cheval* peut figurer après *mon, ton...*, devant *gris, bai, court,* etc. En réalité, on s'est aperçu qu'il était plus productif de considérer que *cheval, père, fauteuil, salon*, etc., sont commutables dans un grand nombre de contextes et de les regrouper dans la même classe paradigmatique, qu'on pourra dénommer classe des « Noms ». De même, dans un contexte comme —*beau livre est posé ici* (ou le signe — représente la place de la classe d'éléments dont on veut définir la distribution), on peut faire commuter *le, mon, ce, chaque*, etc., et constituer une classe distributionnelle dite classe des « déterminants ». Ainsi on ne manie plus des unités isolées, mais des classes. Ces classes ne sont pas définies en fonction de la signification des éléments les composant mais sur le critère formel de possibilités distributionnelles communes.

Le même type d'analyse peut être mené en phonologie (pour l'étude des possibilités combinatoires des phonèmes) comme en sémantique (voir à ce sujet les IIe et IIIe parties). Le principe en est toujours le même : on ne définit pas « intrinsèquement » une unité linguistique, mais on considère de manière purement formelle les contextes dans lesquels elle peut apparaître.

Pour les relations distributionnelles entre deux unités linguistiques, plusieurs cas sont à envisager :
— Si deux unités ont les mêmes contextes, c'est-à-dire qu'elles peuvent commuter partout l'une avec l'autre, on dira qu'elles ont la même distribution, ou, plus précisément, qu'elles sont *équivalentes au point de vue distributionnel*.
— Si deux unités n'ont aucun contexte commun, elles sont dites en *distribution complémentaire*. C'est ainsi que le « déterminant » et le « nom » sont en distribution complémentaire, puisqu'ils figurent nécessairement l'un à la suite de l'autre, et non à la même place dans la chaîne parlée.

Entre ces deux cas extrêmes, on peut envisager que les deux distributions soient en *insersection,* ou que l'une soit *incluse* dans l'autre (équivalence distributionnelle partielle). Deux distributions sont en *intersection* si les deux unités peuvent figurer dans des contextes communs mais qu'il existe des environnements où ils ne peuvent apparaître simultanément, l'un figurant dans certains contextes, le second dans d'autres. En revanche, il y a *inclusion* d'une distribution dans l'autre si une des deux unités figure dans tous les contextes où figure l'autre, mais que, dans certains contextes, cette dernière seule apparaît.

Considérons par exemple *grièvement* et *gravement ;* chaque fois que *grièvement* figure dans un environnement, *gravement* peut également y figurer. En revanche, il existe des environnements dans lesquels on peut trouver *gravement,* mais jamais *grièvement.* Ainsi dira-t-on : *il est gravement blessé* ; ici les deux adverbes sont parfaitement substituables. Par contre, si l'on peut avoir : *il est gravement malade,* on ne rencontrera pas **il est grièvement malade.* La distribution de *grièvement* est donc incluse dans celle de *gravement.*

Il faut insister sur la relation indissoluble entre le concept d'*opposition* et celui de *distribution* ; pour que deux unités linguistiques puissent s'opposer paradigmatiquement, il faut qu'elles aient une équivalence distributionnelle au moins partielle, c'est-à-dire figurent dans plusieurs contextes communs. S'il arrive que deux unités soient équivalentes distributionnellement ou partiellement équivalentes, sans être en opposition, on parle de *variation libre.* Par exemple, dans le contexte suivant :

Paul $\left\{ \begin{array}{l} \textit{a été} \\ \textit{est allé} \end{array} \right.$ à Paris, *a été* et *est allé* sont en variation libre, même si des considérations normatives font préférer l'une à l'autre.

Une manipulation simple va nous permettre d'éclairer la procédure distributionnelle.

Soit une langue fictive, représentée par le corpus suivant où les lettres symbolisent par exemple des mots et les suites de lettres des phrases de cette langue :
gab, eab, epb, eaqb, epdb, gacea, epcga, gpcep, gadcea, gaqcea, epcgpq.

Nous voudrions voir s'il est possible de dégager de ce corpus des classes distributionnelles : pour ce faire, il faut regrouper dans la même classe les éléments qui ont le même environnement; dans un deuxième temps, on verra quelles séquences de ces classes se rencontrent dans le corpus (= *les formules distributionnelles*).

Une première méthode consiste à dresser un inventaire complet des environnements de chacun des éléments, de manière à comparer entre elles leurs caractéristiques distributionnelles.

- a	- b	- c	- d	- e	- g	- p	- q
g-b	ga-	ga-ea	ep-b	-ab	-ab	e-b	ea-b
e-b	ea-	ep-ga	ga-cea	-pb	-acea	e-db	ga-cea
e-qb	ep-	gp-ep		-aqb	epc-a	e-cga	epcgp-
g-ce-	eaq-	gad-ea		-pdb	-pcep	g-ce-	
epcg-	epd-	gaq-ea		gac-a	-adcea	e-cg-q	
g-dce-	-	ep-gpq		-pcga	-aqcea		
g-qce-				gpc-p	epc-pq		
				gadc-a			
				gaqc-a			
				-pcgpq			

On rangera donc dans la même classe les lettres ayant des environnements communs : c'est le cas de *d* et *q* (ayant en commun le contexte *ga-cea*); on nommera X cette classe. De même *e* et *g* ont -*ab* en commun : cette classe sera dite Y. En outre, *a* et *p* partagent les contextes *e-b* et *g-ce* -, définissant une classe Z. On peut dès lors remplacer, dans ce corpus, les occurrences des lettres par les classes ainsi dégagées. Opérer ainsi, c'est en quelque sorte substituer à *fermer, pousser, donner,* etc., la catégorie « Verbe » ou à *p, f, t...* la catégorie « Consonne », en se fondant uniquement sur une étude distributionnelle; en d'autres termes, on remplace les constantes *(fermer, pousser, p, f...)* par des variables (X, Y...). On obtient ainsi une simplification de la diversité apparente des phrases du corpus : au lieu de manipuler des éléments particuliers, on manipule des classes d'éléments.

La réécriture du corpus donne le résultat suivant : YZb, YZb, YZb, YZXb, YZXb, YZcYZ, YZcYZ, YZcYZ, YZXcYZ, YZXcYZ, YZcYZX. Ce qui correspond à cinq *formules distributionnelles*, YZb, YZXb, YZcYZ, YZXcYZ, YZcYZX. On peut même aller plus loin : puisque tout Y est suivi d'un Z et que tout Z est précédé d'un Y (ce que Z. Harris, nomme *dépendance sérielle*), on peut en faire un élément unique W, d'où : Wb, WXb, WcW, WXcW, WcWX. Pour une interprétation, on peut par exemple remplacer *a* par *enfant, p* par *bébé, e* par *ce, g* par *mon, c* par *aime, b* par *pleure, d* par *jeune, q* par *triste.* C'est là, évidemment, un corpus très élémentaire.

Il va de soi que les choses sont beaucoup plus complexes dès qu'il s'agit d'une langue réelle, mais le principe de ces manipulations reste à la base de toute analyse distributionnelle, qu'il s'agisse de syntaxe, de phonologie, de lexicologie ou de morphologie : construction de classes et de formules distributionnelles. Telle qu'elle a été présentée, l'analyse distributionnelle s'avère lourde et fastidieuse, surtout lorsque le corpus prend de l'ampleur. Aussi, pour aller plus vite, peut-on pratiquer une démarche inverse : au lieu d'énumérer les environnements de chaque élément, on choisit un environnement et on regarde quels éléments peuvent y commuter, et ainsi de suite. On dira donc que dans le contexte # -*cheval galope* # (où # indique les limites du contexte considéré), on peut avoir *ce, mon, un,* etc., et non *les, voiture, bien,* etc. Cette démarche n'est qu'une variante de l'autre approche : on use ici du test de commutation pour alléger un interminable inventaire.

LECTURES

J. Lyons : *Linguistique générale,* Larousse, 1970, « Les unités grammaticales ».

Mise en place de la problématique structuraliste des unités linguistiques.

J. Dubois et F. Dubois-Charlier : « Principes et méthodes de l'analyse distributionnelle » in *Langages,* n° 20, pp. 3-13, Larousse, 1970.

Bon résumé des principes du distributionnalisme.

E. Benveniste : « Les niveaux de l'analyse linguistique » in *Problèmes de Linguistique générale,* pp. 119-131, Gallimard, 1966.

Article très clair, qui, dans sa première partie, recourt au classique test de commutation pour dégager les unités linguistiques.

Z.S. Harris : « La structure distributionnelle », in *Langages,* n° 20, pp. 14-34.

Dense, cet article important de 1954 n'est pas toujours de lecture facile.

DEUXIÈME PARTIE
Phonétique et phonologie

Lorsqu'un linguiste vise essentiellement à repérer dans l'analyse des messages oraux les unités qui, possédant une *fonction distinctive*, assurent la perception des différenciations de sens, il donne à la phonologie (voir *supra*, p. 35) un statut privilégié et met en valeur la volonté de se faire comprendre, préalable à l'acte de parole. Mais, en portant la plus grande partie de ses efforts sur l'identification et la classification des éléments de la chaîne parlée qui jouent un rôle dans la communication linguistique, il risque de perdre de vue que tout système abstrait dégagé par la *phonétique fonctionnelle*, c'est-à-dire par la phonologie, se manifeste par et dans un flux sonore.

L'opposition entre la *phonétique* (au sens restreint du terme), qui se consacre à l'étude de la production des sons du langage humain, de leur transmission et de leur réception, et la *phonologie* n'est donc qu'apparente. En réalité les progrès réalisés dans l'étude des facteurs acoustiques et physiologiques ont contribué et contribuent encore à considérablement améliorer la connaissance des rapports hiérarchisés qui structurent la **substance** du langage oral pour en faire une **forme** définie par sa fonction communicationnelle.

Les grands espoirs que l'abbé Rousselot (*Principes de Phonétique expérimentale*, 1897) avait fondés sur la phonétique instrumentale ont donc été amplement vérifiés, surtout après la seconde guerre mondiale. Toutefois, la masse des renseignements nouveaux accumulés depuis 1950 par l'utilisation d'instruments comme le spectrographe et le synthétiseur de parole (voir *infra*, p. 88) et les résultats souvent surprenants des expériences de laboratoire amenèrent certains linguistes à se poser de nouveau un problème épistémologique que l'on avait cru définitivement résolu. En dépit d'un certain nombre de divergences méthodologiques, les linguistes ayant donné à la phonologie son statut de science (Cercle linguistique de Prague — Cercle de Copenhague — École américaine influencée par les travaux de L. Bloomfield — voir *supra*, pp. 42-45) avaient bien montré que la tâche essentielle du phonéticien ne s'identifiait pas à la description des moindres détails de la chaîne parlée, mais bien plutôt au « décryptage » du **code de référence** utilisé par le récepteur humain lorsque, mis en présence d'un message oral, il le segmente en fonction d'unités discrètes emmagasinées dans sa mémoire. Fallait-il donc, eu égard aux nouveaux apports de la phonétique expérimentale, remettre en cause le fait qu'admettre l'existence d'une structure sous-jacente préexistante au décodage (le code de référence) conduisait nécessairement à donner *ipso facto* une primauté à la phonétique fonctionnelle?

Après de longues discussions, un retour au principe selon lequel le processus descriptif va nécessairement de l'abstrait au concret, du fonctionnel au matériel, se dessine depuis quelque temps dans la phonétique structuraliste. « Une fois admise la limitation qu'impliquent nos ressources de production et de perception à nos possibilités distinctives et oppositives, il est important de voir dans les systèmes et les structures linguistiques, et dans les unités dégagées par notre analyse de ces structures, le point de départ de toute description des faits de langue, même des plus matériels » (B. Malmberg, *Manuel de Phonétique générale,* Picard, 1974). Cependant, la nécessité de confirmer ou d'infirmer l'analyse phonologique par des études expérimentales n'en reste pas moins posée, d'où l'importance attribuée dans cet ouvrage d'initiation aux données physiologiques, acoustiques ou perceptives.

D'ailleurs, est-il concevable d'en rester à un niveau de réflexion purement abstrait dès lors que la description des unités fait intervenir des traits articulatoires ou acoustiques qui appartiennent incontestablement à un univers physique? La phonétique et la phonologie sont en réalité deux disciplines complémentaires par lesquelles doit obligatoirement passer la description d'une langue qui se concrétise essentiellement dans l'expression orale.

1. ÉLÉMENTS DE PHONÉTIQUE ARTICULATOIRE

CONDITIONS DE L'ÉMISSION

Les *organes vocaux* (parties du corps utilisées dans l'émission de la parole) sont les poumons, la trachée, le larynx avec les cordes vocales, le pharynx, les cavités buccale et nasales. Ils constituent un tube de forme complexe dont la partie qui s'étend au-dessus du larynx, le *conduit vocal*, peut varier considérablement en fonction des mouvements de la langue, du voile du palais et des lèvres.

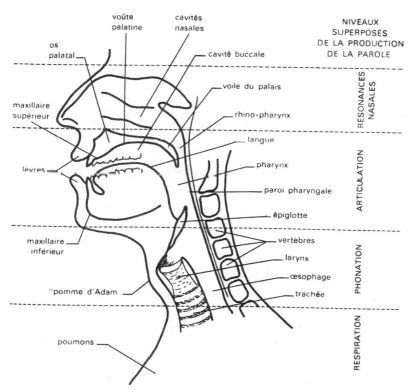

Figure 1 - **Coupe médiane schématique des organes de la parole**

(D'après G. STRAKA, *Album phonétique*. Québec, Presses de l'Université Laval.)

L'énergie demandée par l'émission de la parole vient de l'écoulement d'air qui sort des poumons pendant que l'on expire; mais deux facteurs contribuent alors à modifier les conditions habituelles de l'acte respiratoire.

Premièrement, alors que la pression à l'expiration dépasse habituellement d'environ 0,25 % la pression atmosphérique, elle lui est supérieure d'à peu près 1 % lorsque l'on se met à parler.

Deuxièmement, si l'on se souvient que, dans des conditions normales, on respire environ toutes les cinq secondes et que l'inspiration et l'expiration se répartissent à égalité cette durée (ou à peu près), on constate qu'en parlant, on arrive à réduire à 15 % du cycle de la respiration le temps de l'inspiration, ce qui permet de mieux répondre aux exigences du débit puisque la parole, en français, n'utilise que la phase expiratoire.

Une respiration vocale efficace (obtenant la plus grande puissance avec le moins d'efforts) est donc due à une maîtrise du débit et de la pression de l'air, ce que fait un bon chanteur qui, pour un son de même intensité et de même fréquence (hauteur), dépense presque deux fois moins d'air qu'un mauvais chanteur.

Cet écoulement d'air, habituellement inaudible, peut rencontrer à tous les points de son trajet un rétrécissement ou une fermeture momentanés susceptibles de donner naissance à un *bruit*. Ainsi sont fabriquées les *consonnes constrictives* (rétrécissement) et les *consonnes occlusives* (fermeture), chacune de ces productions pouvant être accompagnée (consonnes *sonores*) ou non (consonnes *sourdes*) de la vibration des cordes vocales. Celles-ci, lors du voisement, s'ouvrent et se ferment rapidement pour fragmenter la colonne d'air en bouffées successives. Si un son est propulsé de la sorte mais que le passage reste ensuite ouvert, on parlera de *voyelles* (ou de *semi-voyelles* s'il se produit un léger resserrement).

ANATOMIE SOMMAIRE DU LARYNX

Le larynx joue un rôle essentiel dans la phonation puisqu'il est le générateur de la *voix* (au sens strict, par opposition au *bruit*), c'est-à-dire du train de bouffées d'air dont nous avons parlé plus haut. Cet organe unit la trachée-artère au pharynx; il est situé plus haut chez l'enfant que chez l'adulte, chez la femme que chez l'homme. Très mobile, il s'élève lors de l'émission des sons aigus et s'abaisse pour les sons graves. Il connaît un développement considérable dès le plus jeune âge mais ses dimensions définitives ne sont acquises qu'après la puberté, surtout chez les garçons où le grossissement est tel qu'il peut faire descendre les fréquences émises d'un octave.

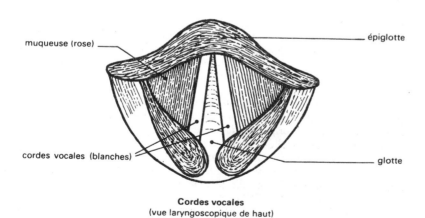

Cartilages du larynx
(vue de profil de gauche)

cornes
supérieures
du thyroïde

cartilage
thyroïde

cartilages
aryténoïdes

cartilage
cricoïde

Coupe verticale du larynx
(vue de derrière)

épiglotte

os hyoïde

cordes
vocales
supérieures
(fausses)

cartilage
thyroïde

ventricule de
Morgagni

cartilage
cricoïde

anneaux
cartilagineux

trachée

cordes vocales
inférieures (vraies)

muqueuse (rose)

épiglotte

cordes vocales (blanches)

glotte

Cordes vocales
(vue laryngoscopique de haut)

Figures 2, 3 et 4 - **Le larynx et les cordes vocales**

(D'après G. Straka, *Album phonétique*, Québec, Presses de l'Université Laval. Dans : *Le Langage*,
Éd. CAL.)

Le larynx est formé de cartilages, de muscles, de ligaments, et de membranes. Des cartilages qui constituent son squelette et que relient entre eux les articulations on doit retenir :

1) à la base, le *cartilage cricoïde*, qui surmonte la trachée et qui a la forme d'un anneau horizontal;

2) au-dessus, le *cartilage thyroïde*, qui fait nettement plus saillie chez les hommes et que l'on appelle communément *pomme d'Adam*; il est muni à ses quatre coins d'apophyses verticales : les cornes inférieures et supérieures;

3) à l'arrière de celui-ci, les deux *cartilages aryténoïdes*, sur les apophyses desquels viennent se fixer les cordes vocales; un système fort complexe de muscles fait que ces deux cartilages, placés symétriquement sur le bord postérieur du cricoïde, sont particulièrement mobiles;

4) en haut l'*épiglotte*, dont la pointe inférieure est fixée à la partie supérieure du thyroïde. (Cf. figures page 65.)

Les principaux muscles du larynx sont :

— les *crico-thyroïdiens*, qui unissent le cartilage cricoïde au cartilage thyroïde;

— les *crico-aryténoïdiens latéraux* et *postérieurs*, qui relient le cricoïde aux aryténoïdes;

— les *ary-aryténoïdiens*, qui associent les cartilages aryténoïdes l'un à l'autre;

— les *thyro-aryténoïdiens*, qui courent de la paroi interne du thyroïde vers les deux aryténoïdes.

D'autres muscles, par exemple les *sterno-thyroïdiens*, connectent le larynx à différentes parties du corps.

Parmi les nombreux ligaments (tissu fibreux blanchâtre très résistant et peu extensible) qui participent à la constitution des articulations, nous retiendrons les paires de tendons qui vont de la paroi interne du thyroïde vers les apophyses antérieures des aryténoïdes.

La paroi interne du larynx est recouverte d'une muqueuse qui forme, avec les quatre *ligaments thyro-aryténoïdiens*, deux doubles replis en saillie vers l'intérieur. Les *ventricules de Morgagni* séparent les replis supérieurs *(fausses cordes vocales)* des replis inférieurs (*vraies cordes vocales*, que nous appellerons par la suite cordes vocales) et constituent une première cavité qui joue peut-être un rôle dans la phonation. Quant à l'espace libre entre les (vraies) cordes vocales et les apophyses antérieures des aryténoïdes, on lui donne le nom de *glotte*. Enfin, les fibres des muscles thyro-aryténoïdiens qui se trouvent situés près des cordes vocales constituent les muscles *vocaux* proprement dits, muscles qui sont largement responsables des phases de constriction (resserrement).

PHYSIOLOGIE DU LARYNX

Le larynx est une sorte de clapet qui, d'une part, empêche les aliments de pénétrer dans la trachée et les poumons pendant la déglutition et, d'autre part, emprisonne l'air dans les poumons lorsque des actes d'efforts le demandent. Mais l'homme a appris à l'utiliser pour convertir le souffle en ondes vocales. Des mouvements successifs d'ouverture et de fermeture peuvent en effet fragmenter le courant d'air en une série d'impulsions, le *ton laryngien,* qui serviront de base à la production des sons du langage.

Pour ce qui est des causes de ce mécanisme deux théories s'affrontent : la *théorie myo-élastique,* dont les partisans prétendent qu'il s'agit d'un phénomène essentiellement passif (non commandé par le cerveau), et la *théorie neuro-chronaxique,* pour les défenseurs de laquelle le phénomène est tout au contraire actif.

En simplifiant beaucoup les différentes phases de l'opération, puisque le locuteur met en jeu une quarantaine de muscles au seul niveau du larynx, on retiendra que certains muscles « adducteurs », en particulier les crico-aryténoïdiens latéraux, font d'abord pivoter vers l'intérieur les cartilages aryténoïdes, eux-mêmes rapprochés l'un de l'autre par une contraction des muscles ary-aryténoïdiens. Ce qui amène les cordes vocales à venir s'accoler. Mais, dès que ces cordes vocales sont rapprochées, elles sont écartées l'une de l'autre par la pression de l'air venant de la trachée. Une certaine quantité de cet air passe alors dans le pharynx et provoque en retour une diminution de la pression sous-glottique et une dépression au niveau de la glotte *(effet Bernouilli).* L'association de ces deux phénomènes permet aux cordes vocales de revenir en position d'accolement du simple fait de leur élasticité. Puis, la pression sous-glottique augmentant de nouveau, se produit un nouvel écartement des cordes vocales et ainsi de suite. Un tel raisonnement (théorie myo-élastique) associe donc la vibration des cordes vocales à *l'action mécanique* du courant d'air venant des poumons et la fréquence des vibrations (nombre de vibrations par seconde) à la vitesse à laquelle les cordes vocales s'écartent et se rejoignent. De multiples facteurs sont alors pris en considération : épaisseur, longueur, texture et tension des cordes vocales — force de pression de l'air venant des poumons.

Cette explication fort ancienne tend de nouveau à être considérée comme la meilleure, essentiellement parce qu'en cas d'ablation totale du larynx, il est possible de faire parler les patients opérés. Il suffit pour cela de reconstituer artificiellement en un point du conduit les conditions d'un « tuyau à anches » (l'anche est une languette simple ou double que l'on trouve dans certains instruments à vent (clarinette) et qui entre en vibration parce qu'elle est alternativement repoussée par le courant d'air venu de l'extérieur et l'air contenu dans le tuyau). Ainsi, un certain nombre de malades dont on a enlevé chirurgicalement le larynx et qui respirent par un orifice ménagé dans la trachée (qui n'est donc plus en rapport avec le pharynx) peuvent utiliser la *parole œsophagienne*. Dans ce cas, ils emmagasinent de l'air dans leur œsophage avant de parler et l'expulsent ensuite en le faisant passer par un ou deux replis qu'ils parviennent à former en haut de l'œsophage par la contraction de certains muscles. Ces replis jouent alors le rôle des cordes vocales, ce qui prouve qu'une activité propre de celles-ci n'est pas la condition *sine qua non* de la production d'une parole compréhensible.

Quant à la théorie neuro-chronaxique issue des travaux de R. Husson (*Physiologie de la phonation*, Masson, 1962), elle tient que les cordes vocales rapprochées par les muscles constricteurs du larynx sont écartées l'une de l'autre par une contraction rapide des muscles vocaux (thyro-aryténoïdiens internes) sous la commande du cerveau, deux nerfs laryngés inférieurs (le *récurrent droit* et le *récurrent gauche*) servant de propagateurs aux stimuli qui en sont issus. Cette théorie, qui pose de nombreux problèmes d'ordre anatomique et physiologique, a influencé les recherches françaises durant de nombreuses années et en particulier celles de E. Garde (*La Voix*, Que sais-je? P.U.F., 1960). Aujourd'hui, la majorité des phonéticiens pensent comme B. Malmberg qu'elle n'a plus guère d'autorité en dehors du cercle de ses promoteurs. Ce qui ne signifie pas, comme nous le verrons en traitant des « facteurs supra-segmentaux », que les recherches neurophysiologiques soient abandonnées, bien au contraire.

ANATOMIE DES CAVITÉS SUS-GLOTTIQUES

Le ton laryngien émis à partir des vraies cordes vocales se propage dans les ventricules de Morgagni puis atteint le pavillon supra-glottique qui comprend le *pharynx*, la *cavité buccale* et les *cavités nasales*. A ces trois *résonateurs* du ton laryngien (voir *infra*, p. 72) peut venir s'ajouter une autre cavité formée par l'espace compris entre les dents et les lèvres lorsque celles-ci sont arrondies ou projetées.

● Le pharynx est un conduit musculo-membraneux qui s'étend en avant de la colonne vertébrale et en arrière des fosses nasales et du voile du palais. Cette sorte d'entonnoir qui fait communiquer la bouche avec l'œsophage et le larynx peut se contracter et se trouve limité par des organes doués de mobilité, l'épiglotte et la base de la langue, susceptibles d'en modifier également le volume.

● Dans la cavité buccale, la *langue*, qui est constituée d'une quinzaine de muscles et dont la partie arrière est fixée à l'os hyoïde, joue un rôle fondamental du fait de sa grande flexibilité. Celle-ci lui permet en effet de changer considérablement la forme et par conséquent le volume des cavités buccales antérieure et postérieure que créent ses mouvements verticaux.

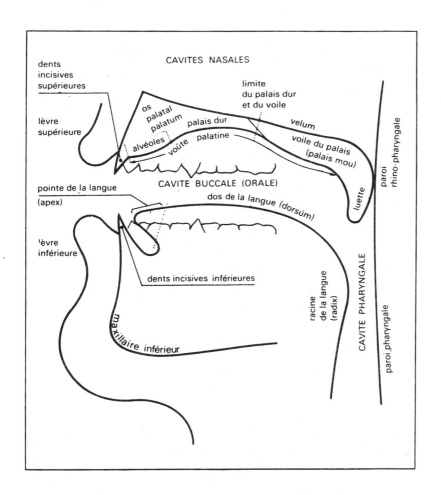

Figure 5 - **Cavités sus-glottiques et organes articulatoires**
(vus de profil à l'aide de rayons X)

(D'après G. Straka, *Album phonétique*, Presses de l'Université Laval. Dans : *Le Langage*, Éd. CAL.)

En ce qui concerne l'**articulation** (ensemble des mouvements des organes vocaux qui déterminent la production des sons), il faut distinguer entre la pointe (articulation *apicale*) et le dos (articulation *dorsale*) de la langue. Cet organe se dirige plus ou moins nettement (simple gonflement, resserrement réel, fermeture) vers une région de la *voûte palatine*. La dénomination de cette région servira à préciser ce qu'il est convenu d'appeler le *lieu* ou *le point d'articulation* : dents (articulation *dentale*), alvéoles (articulation *alvéolaire*), palais dur à constitution osseuse (articulation *palatale*), palais mou à texture musculaire (articulation *vélaire*), luette (articulation *uvulaire*). Si l'on cherche un degré de précision plus fin, on subdivise ces régions et on parle d'articulations *prépalatale, médiopalatale, postpalatale*, pour la partie antérieure, et d'articulations *prévélaire* ou *postvélaire* pour la partie postérieure. Parfois la masse de la langue se gonfle en direction de la paroi postérieure du pharynx ; on utilise alors le terme d'articulation *pharyngale*.

● Pendant la déglutition, le voile du palais assure la séparation des fosses nasales et de la bouche ; dans la phonation, il peut être relevé (articulation *orale*) ou abaissé (articulation *nasale*) ; dans ce dernier cas il met en communication la cavité buccale et les cavités nasales. Celles-ci, tapissées de replis (les cornets) qui filtrent l'air venant de l'extérieur, sont séparées l'une de l'autre par une cloison médiane plate et possèdent des volumes relativement constants.

● Les lèvres, enfin, peuvent fermer ou resserrer l'orifice du conduit vocal ; l'articulation sera appelée *bi-labiale* si les deux lèvres sont utilisées, et *labio-dentale* si la lèvre inférieure vient s'appuyer contre les incisives supérieures. Dans le cas d'un mouvement des lèvres vers l'avant, il s'agira d'une articulation *labialisée (labialisation)*.

En combinant tous ces termes (et ceux utiles pour d'autres langues que le français), les phonéticiens ont pour ambition de décrire le plus fidèlement possible la plupart des types articulatoires utilisés par les sujets parlants : articulation *apico-dentale*, articulation *dorso-vélaire*, etc. De fait, en dépit de la complexité des mouvements articulatoires et des variations de réalisation propres à chaque individu, on constate que des ressemblances se manifestent nettement dans la réalisation orale lorsque plusieurs locuteurs, de même communauté linguistique, prononcent une phrase identique. Toutefois, ceci ne doit jamais faire oublier que les cavités supra-glottiques se modifient de façon ininterrompue et que, par conséquent, le continuum sonore et l'articulation qui le sous-tend ne sauraient être segmentés en une succession de sons aux articulations nettement distinctes. Ce qui signifie en clair qu'un son défini par sa seule fonction significative (= un phonème) ne saurait être repéré et décrit efficacement en ne se fondant que sur ses caractéristiques articulatoires (cf. *infra*, p. 90).

2. ÉLÉMENTS DE PHONÉTIQUE ACOUSTIQUE

NOTIONS DE PHYSIQUE

Les sons sont des variations de la pression atmosphérique que notre appareil auditif enregistre par l'intermédiaire du tympan. Ces variations ont la forme d'*ondes* qui se propagent la plupart du temps dans l'air à une vitesse d'environ 330 mètres/seconde. Sur la Terre, les êtres vivants et les objets sont entourés d'air, c'est-à-dire de particules qui se meuvent rapidement dans tous les sens. Mais on peut expliquer la naissance et la propagation des ondes sonores en simplifiant ce phénomène ou, plus exactement, en supposant que les particules d'air occupent une position de stabilité moyenne dont elles sont écartées par le passage de l'onde. Toute perception sonore implique donc qu'une certaine masse d'air a été mise en *vibration*. Pour mieux comprendre le mouvement vibratoire, on fait appel à des exemples simples comme le pendule, le diapason, la corde de piano ou la masse-ressort.

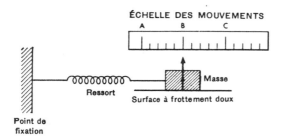

Figure 6 - **Oscillateur simple à masse-ressort**

(Peter B. DENES et Elliot N. PINSON, *La Chaîne de communication verbale*. Courtesy of Bell Telephone Laboratories, Incorporated, Montréal.)

A une extrémité le ressort est fixé, à l'autre il est relié à une masse pouvant glisser sur une surface offrant peu de résistance. Le point B est indiqué par l'aiguille lorsque le système est au repos. Si on pousse la masse vers A, le ressort, en se comprimant, exerce une force contraire (dite de « rétablissement ») qui tend à la ramener à son point de départ ; mais, du fait de son *inertie* (maintien du mouvement ou du repos en l'absence de forces externes), cette masse ira ensuite vers C, où l'allongement du ressort exercera à nouveau une force de rétablissement ; ce mouvement de va-et-vient ne s'arrêtera que grâce aux différentes pertes d'énergie dues en particulier au frottement *(amortissement)*. Le mouvement d'un corps de part et d'autre de son point de repos est précisément appelé *oscillation* (ou vibration). Cette oscillation est dite *complète* (ou *vibration double*) quand le corps passe de B (point de repos) à A (point extrême), puis de A à C (autre point extrême), et enfin de C à B.

Dans l'air, les particules peuvent être comparées à la masse du système décrit ci-dessus et les forces qui les relient au ressort. Grâce à une série de compressions et de raréfactions, l'onde se propage le long des particules, celles-ci ne faisant qu'osciller de part et d'autre de leur position de repos.

Rappelons maintenant quelques définitions particulièrement utiles pour la phonétique acoustique. Un *mouvement périodique* est un mouvement qui se reproduit, identique à lui-même, à des intervalles de temps successifs de même durée. On appelle *période* cet intervalle de temps constant (T) ; elle exprime donc en particulier le temps mis par un corps qui vibre pour accomplir une oscillation complète.

La *fréquence,* elle, est égale au nombre de périodes par seconde ; elle est le plus souvent donnée en p/s (périodes par seconde) mais la même unité peut aussi être exprimée en c/s (cycles par seconde) ou en Hz (hertz). En fonction de la définition de la période, on comprend que la fréquence correspond à l'inverse de celle-ci et qu'elle est donnée par la formule $f = \dfrac{1}{T}$, rapport simple qui permet de voir que pour une période de 1/20 de seconde, la fréquence est de 20 Hz.

Pour un mouvement périodique vibratoire identifiable à un déplacement de part et d'autre d'une position d'équilibre, l'*élongation* est la distance, à chaque instant, du point mobile à sa position d'équilibre. Quant à l'*amplitude,* elle mesure l'élongation maximale, qui ne saurait être une constante puisque, comme nous l'avons vu, des résistances amortissent plus ou moins rapidement ce mouvement. Un système est dit *faiblement amorti* lorsque l'amplitude de ses vibrations diminue lentement et *fortement amorti* dans le cas contraire.

De plus, quand une onde sonore entre en contact avec une masse d'air enfermée dans une cavité, il y a compression de cette masse ; cette dernière tend alors à expulser l'onde. Mais, si la fréquence de l'onde pénétrante correspond à la fréquence propre de la cavité, ou se trouve légèrement plus haute ou plus basse, celle-ci joue le rôle d'un *résonateur,* c'est-à-dire renforce l'amplitude de la vibration pénétrante.

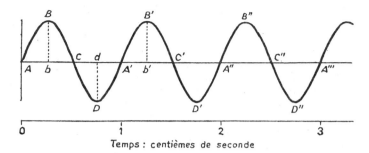

Figure 7 - **Onde sinusoïdale**

(D'après B. MALMBERG, *Manuel de Phonétique générale*, Picard, Paris.)

(Onde représentant le mouvement périodique d'un oscillateur simple à masse-ressort, par exemple.) Les points A, A′, etc., C, C′, etc., sont des points de repos. Les points B, B′, etc., D, D′, etc., sont des points d'éloignement maximal. Les distances b...B, b′...B′, etc., représentent l'amplitude de la vibration. Le temps qui s'écoule entre A et A′, A′ et A″, etc., constitue la période d'une vibration double : 1/100 de seconde; la fréquence est donc ici de 100 Hz.

ACOUSTIQUE ET PRODUCTION VOCALE

La parole en tant que phénomène physique peut venir de deux types de sources sonores. La production de *sons voisés* (cf. *supra*, p. 64, « voix ») comme les voyelles fait intervenir une source d'impulsions périodiques : l'ensemble poumons-cordes vocales. Les *sons non-voisés* (les consonnes *sourdes*) sont engendrés, eux, par une source de *bruit*, c'est-à-dire d'impulsions apériodiques. Ce bruit est produit par l'action du courant d'air, issu des poumons, sur les parois de l'appareil vocal, soit à la suite d'une constriction (bruit nettement perceptible), soit à la suite d'une occlusion (bruit bref). Pour certains sons (consonnes *sonores*), il est nécessaire de coupler impulsions périodiques et impulsions apériodiques; la distinction entre [s] et [z], par exemple, ne vient donc pas d'une différence d'articulation à l'intérieur de l'ensemble pharyngo-buccal mais du fait que le locuteur associe « voix » et « bruit » pour l'émission du second son en faisant vibrer ses cordes vocales. Pour la formation des consonnes *nasales* ([m], par exemple), le locuteur ferme le conduit vocal pour que l'air s'écoule par les fosses nasales; on parlera alors de *couplage acoustique* puisque deux cavités de résonance (pharyngo-buccale et nasale) sont mises en relation. Quant aux voyelles nasales, elles sont également issues d'un couplage de la cavité nasale et de la cavité buccale mais, dans ce cas, celle-ci reste ouverte dans sa partie antérieure; il serait donc plus juste de dire que les voyelles nasales sont des voyelles oralo-nasales.

73

La connaissance du « spectre » de la parole, de ses différentes composantes physiques, est indispensable pour la *classification acoustique* des sons du langage. Les deux sources sonores que nous venons de distinguer possèdent des caractéristiques acoustiques différentes.

La source périodique donne naissance à des « oscillations de relaxation » (phases de séparation et de rapprochement) qui prennent naissance au niveau des cordes vocales (cf. *supra*, p. 67). La fréquence de ces oscillations est essentiellement déterminée par les qualités propres aux cordes vocales et par la pression subglottique. Le débit d'air au niveau des cordes vocales est donc modulé à une fréquence correspondant au nombre de vibrations par seconde des cordes vocales. Cette fréquence, le *fondamental*, est en moyenne de 120 Hz pour un homme et de 220 Hz pour une femme.

Le signal émis au niveau des cordes vocales est complexe mais il est possible, en fonction d'un théorème dit « théorème de Fourier », de le décomposer en une somme d'oscillations sinusoïdales dont les fréquences, que l'on appellera *harmoniques,* sont toutes des multiples entiers du fondamental et dont on peut supposer qu'elles ont plus ou moins la même amplitude. Ce signal va être modifié en passant par le conduit vocal. Celui-ci est constitué de cavités (pharyngale, buccale — elle-même décomposable en cavité antérieure et en cavité postérieure —, nasale, labiale) dont il est possible de modifier la forme et les relations. Leurs volumes respectifs ainsi que leurs couplages acoustiques (cf. *supra*, p. 73) seront donc déterminés par l'articulation et en particulier par la position de la langue. Ces cavités jouent le rôle de *caisses de résonance,* c'est-à-dire qu'*elles renforcent dans le spectre sonore les harmoniques dont la fréquence est proche de la leur.* Les zones de fréquence ainsi renforcées sont appelées **formants** et, comme nous le verrons, ce sont les éléments qui permettent la reconnaissance et l'identification des sons. La fréquence de la première zone formantielle (F1) peut varier de 200 à 900 Hz environ, celle de la deuxième (F2) de 500 à 2 500 Hz; le rôle de F3 est discuté. Quant aux formants supérieurs, ils contribuent essentiellement à repérer les caractéristiques individuelles de la voix.

Lors de la production d'une voyelle, le conduit vocal se modifie très peu. La fréquence des formants des voyelles que l'on veut produire est donc relativement stable. Par contre, la forme de ce conduit vocal, lors de l'émission de certaines consonnes, évolue rapidement, ce qui produit un changement de la fréquence des formants propres aux voyelles qui les précèdent et qui les suivent. Ces *phases transitionnelles* sont caractéristiques de la consonne prononcée (cf. *infra*, p. 92).

Pour ce qui est de la production des sons à partir d'une source de bruit, nous nous contenterons de dire pour l'instant que leurs formants se situent dans des fréquences jamais atteintes par F1 et F2.

ACOUSTIQUE ET PERCEPTION

— Le *conduit auditif* est un résonateur qui amplifie les ondes sonores aux fréquences proches de la sienne. De ce fait, parvenues au tympan, ces ondes sonores exercent des pressions de deux à quatre fois plus grandes qu'à leur entrée dans le conduit. Les trois osselets de l'*oreille moyenne* (marteau, enclume, étrier) constituent une sorte de piston qui va du tympan à la *fenêtre ovale* (ouverture fermée par une mince membrane qui fait communiquer l'oreille moyenne avec l'oreille interne). Ils contribuent eux aussi, par un mécanisme de forces convergentes, à augmenter la pression qui s'exerce sur le milieu fluide de l'oreille interne; d'où la possibilité d'entendre des sons initialement très faibles. De plus, l'oreille moyenne assure une protection de cette même oreille interne contre les sons dont les fréquences risqueraient d'être traumatisantes; dans ce cas, des mouvements musculaires spécifiques réduisent l'efficacité du système de transmission et modifient le mode de vibration de l'étrier. Quant à l'*oreille interne,* elle est composée de menues cavités logées dans le crâne; l'une d'entre elles, le limaçon (ou cochlée), constitue le lieu où les vibrations mécaniques se transforment en impulsions nerveuses.

— Mais l'homme ne peut entendre tous les sons; le *seuil d'audibilité* est défini par la courbe donnant pour chaque fréquence l'énergie (exprimée en *watts*) qui rend chaque son audible. Inversement, aux limites supérieures, les sons deviennent d'abord pénibles à supporter (audition douloureuse) puis destructeurs de l'oreille interne (fig. 8).

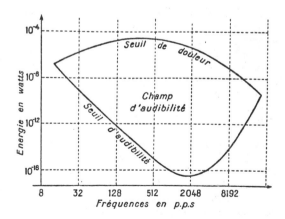

Figure 8 - **Champ d'audibilité**

(J.-J. MATRAS. *Le Son*, P.U.F., Paris.)

On mesure les intensités soniques en *décibels* (dB). Pour donner quelques points de repère, signalons qu'un chuchotement produit une intensité de 20 dB et une conversation ordinaire une intensité de 60 à 70 dB, à une distance d'environ 1 m.

— L'intensité est perçue *subjectivement* comme la **force** (fort/faible) et la fréquence comme la **hauteur** (aigu/grave). Il est important de garder présent à l'esprit qu'il ne faut pas confondre ces qualités (subjectives) avec les *qualités objectives* du son. Pour mesurer les premières, il faut en effet passer par le sujet entendant.

● La *force* d'un son peut se définir comme l'intensité physique (donnée en décibels) de ce son lorsqu'il est transmis à l'oreille avec une fréquence de 1 000 Hz; cette unité de force porte le nom de *phone* et indique simplement que telle force est plus grande ou plus petite qu'une autre (échelle qualitative).

● Pour la *hauteur*, le problème est plus simple puisque la fréquence sert le plus souvent d'échelle qualitative pour les sons purs d'intensité fixe, ce qui revient à dire que la hauteur croît alors avec la fréquence.

● La **durée** (ou longueur, ou quantité), elle aussi, peut être objective ou subjective. Dans le premier cas, elle est mesurée en centisecondes (cs) sur des tracés comme les sonagrammes. Dans le second, elle correspond à l'appréciation de l'oreille : tel son est senti comme plus long que tel autre. On s'aperçoit alors que le temps ne joue pas autant qu'on le croit dans ce type de perception et que l'environnement phonétique contribue dans une très large mesure aux impressions de durée.

— De plus, il convient d'ajouter que les phonéticiens ont pris nettement conscience que la perception est *multi-paramétrique* (nous verrons plus nettement l'importance de ce concept dans le chapitre sur les faits suprasegmentaux; cf. p. 101). Cela signifie, par exemple, que la hauteur perçue ne dépend pas uniquement de la fréquence et qu'inversement l'impression de force n'est pas totalement dissociable de la fréquence. Ce qui revient à dire, pratiquement, que des différences légères de fréquence entre deux sons peuvent être compensées par des différences d'intensité.

— Le **timbre,** enfin, est associé à l'ensemble des « qualités » acoustiques qui résultent du renforcement plus ou moins prononcé de certains harmoniques. Chaque son a donc à la fois un timbre qui lui est propre (étant donné son articulation) et une « couleur » (que certains, au risque de créer une confusion, appellent aussi timbre) qui est due aux caractéristiques individuelles de l'appareil phonatoire qui l'a émis. De la même façon, un fa dièse n'a pas le même timbre qu'un fa mais possède des qualités différentes (une « couleur ») selon qu'il est joué au piano ou au violon.

3. L'ALPHABET PHONÉTIQUE INTERNATIONAL (A.P.I.)

La grande place donnée aux *textes écrits* dans notre système éducationnel, phénomène qui s'accentue au fur et à mesure que l'on franchit les degrés de l'apprentissage, contribue très souvent à nous faire croire qu'une langue s'identifie à son code graphique (son système d'écriture). Mais il est évident qu'une langue vivante se présente essentiellement comme une *combinaison de sons*. Ceci est important non seulement pour l'étude des langues étrangères (ce que chacun admet assez facilement) mais aussi pour celle de notre propre idiome (ce qui nécessite une prise de conscience beaucoup plus difficile à obtenir qu'on ne le croit généralement).

Dans cet effort de renouvellement des perspectives, l'*alphabet phonétique* joue un rôle non négligeable. Il obéit à un principe simple : à chaque son différent d'une langue correspond, dans un système de transcription arbitraire, un signe graphique différent. Chaque couple son/graphe ainsi créé de toutes pièces constitue donc une *relation univoque* (un son est toujours traduit de la même façon) *réciproque* (son ⇄ signe écrit), que l'on pourrait appeler bi-univoque et énoncer simplement de la sorte : « un seul signe pour chaque son, un seul son pour chaque signe ». Un exemple pris dans notre langue (où l'orthographe, comme on le sait, est loin d'être phonétique) fera mieux comprendre à quelles difficultés se heurte un étranger qui désire passer de la lecture visuelle d'un lexème à sa réalisation orale et, par contrecoup, l'utilité d'un tel outil de travail. Choisissons un mot simple comme *soir*. Deux lettres dites « voyelles » *o* et *i* doivent être interprétées comme constitutives d'un groupe graphique de deux signes (digramme) où le *o* « représente » tout autre chose que dans *port* et le *i* tout autre chose que dans *cil*. De même la graphie *x*, autre exemple, connaît des réalisations différentes dans *taxi, hexagone, soixante, sixième*. Multiplier les raisonnements de cet ordre serait facile et montrerait à quel point il est malaisé de maîtriser un système aussi complexe, et donc nécessaire de recourir à un instrument simplificateur, surtout si celui-ci peut s'appliquer à toutes les langues. Celui que nous utilisons dans cet ouvrage est appelé « Alphabet Phonétique International » (A.P.I.); il fut créé en 1888 par l'*Association phonétique internationale* qui le perfectionna ou, plus exactement, essaya de le rendre plus précis au cours des années, en y ajoutant particulièrement un certain nombre de signes diacritiques (signes ajoutés aux symboles pour en modifier la valeur).

Signes de l'A.P.I. utilisés pour le français

VOYELLES

A.P.I.	*Exemples*	A.P.I.	*Exemples*
i	lit	y	lu
e	dé	ø	deux
ɛ	dais	œ	peur
a	ta	ə	de
ɑ	tas	ɑ̃	dent
ɔ	sort	ɔ̃	don
o	sot	ɛ̃	brin
u	loup	œ̃	brun

Signes complémentaires

● Durée — Voyelles longues : deux points après la voyelle :
$$je\ pars\ [ʒəpaːʀ]$$
— Voyelles demi-longues : un point après la voyelle :
$$je\ pars\ avec\ lui\ [ʒəpa.ʀavɛklɥi]$$

● Timbre (nuances de...) :
Ouverture : un crochet [c] au-dessous de la voyelle.
Fermeture : un point [.] au-dessous de la voyelle.

● Diphtongues — Emploi d'une ligature : [ɔ͜y]

CONSONNES (et semi-consonnes)

A.P.I.	*Exemples*	A.P.I.	*Exemples*
p	pont	s	saisir
b	bon	z	saisir
m	mon	ʃ	champ
		ʒ	Jean
t	temps	f	fer
d	dent	v	verre
n	neige	ʀ	rond
		l	long
ʞ	clair	j	ciel
g	gant	ɥ	lui
ɲ	agneau	w	Louis

Remarques

1) On peut différencier les deux réalisations principales du *r* en utilisant les signes suivants : [r] : *r* « roulé » provincial (vibrante apico-alvéolaire); [ʀ] : *r* du français standard (fricative dorso-uvulaire).

2) Le signe [ŋ] transcrit parfois la consonne nasale empruntée à l'anglais : *camping* [kɑ̃piŋ].

3) Les mi-occlusives sont notées avec une ligature : [dʒ].

Signes complémentaires

● Assourdissement (ou dévoisement) - Noté par un cercle souscrit [̥] : *médecin* [mɛd̥sɛ̃].

● Sonorisation (ou voisement) - Noté par un v souscrit [̬] : *bec de gaz* [bɛ̬kdəgɑz].

La *transcription phonologique* (qui est notée entre barres diagonales : / /) a pour but de traduire la succession des unités sonores dotées d'une fonction distinctive; elle s'oppose à la *transcription phonétique* (placée entre crochets : [ ]) qui, elle, ambitionne de rendre compte de toutes les variations individuelles de la chaîne parlée. Bien que celle-ci ne puisse rivaliser avec les tracés des appareils enregistreurs, on a coutume de l'appeler *transcription étroite* et de l'opposer ainsi à la transcription phonologique, dite alors *large*. A vrai dire, il s'agit là d'un abus de langage. Ce qu'il faut retenir, c'est que l'une et l'autre peuvent être plus ou moins « étroites », c'est-à-dire se rapprocher plus ou moins de leur visée initiale. Les transcriptions phonologiques, comme les transcriptions phonétiques. demandent donc un long apprentissage lorsqu'elles veulent être « fidèles ». Il n'en reste pas moins vrai que la pratique de ces types de notations fournit un excellent moyen de prendre conscience du fonctionnement de la langue en tant que système prenant vie dans des réalisations individuelles. Toutefois, dans un premier temps, on se contentera de transcriptions larges, phonétiques ou phonologiques.

4. LES CLASSEMENTS

CLASSEMENTS ARTICULATOIRES

- Les voyelles

Si l'on s'appuie sur les seuls faits articulatoires, on peut définir les voyelles comme des sons qui demandent la vibration des cordes vocales et un libre passage dans le canal buccal (cf. *supra*, p. 64). Naturellement, cette définition n'implique nullement que ce qui se passe dans la bouche soit sans effet sur la formation des voyelles.

Les mouvements horizontaux de la langue permettent d'utiliser un premier grand critère de classification : le **lieu d'articulation** (ou **point d'articulation** pour ceux qui réservent le « lieu d'articulation » à la phonologie en pensant que la phonétique demande l'utilisation d'un terme indiquant un degré plus grand de précision). Pour les voyelles, il s'agit essentiellement de désigner l'endroit de la voûte palatine vers lequel la langue gonfle sa masse musculaire. On oppose ainsi les *voyelles palatales*, pour lesquelles la partie antérieure du dos de la langue s'élève vers le palais dur, aux *voyelles vélaires*, pour lesquelles la partie postérieure de ce même organe se dirige vers le palais mou. Si c'est la partie moyenne du dos de la langue qui s'élève vers un point médian de la voûte palatine, on parlera de *voyelles moyennes*, terme rarement utilisé pour le français. De longues discussions ont opposé les phonéticiens pour savoir quelle était la voyelle la plus postérieure du français. Le tableau de G. Straka donné en illustration à ce chapitre rappelle cette problématique en indiquant que pour [ɔ] et [o] la partie postérieure de la langue se retire en arrière vers la paroi postérieure du pharynx (articulations vélaires pharyngées). Si l'on se référait strictement aux mouvements verticaux de la langue dans l'arrière de la bouche, [u] serait donné comme la voyelle la plus postérieure du français.

Interviennent ensuite les différents paramètres définissant le **mode d'articulation,** c'est-à-dire la façon dont s'effectuent les mouvements de l'appareil phonatoire.

● Le *degré d'aperture*, déterminé par les mouvements verticaux de la langue, est mesuré pour les voyelles par la distance entre la langue et la voûte palatine à l'endroit du gonflement maximal de la langue. Le tableau de G. Straka propose trois degrés d'aperture et une disposition dans l'espace permettant d'atteindre un degré plus fin de comparaison. B. Malmberg, en songeant à une classification plus nettement hiérarchisée, en propose quatre pour les voyelles orales du français :

1	voyelles fermées	[i]	[y]			[u]
2	voyelles mi-fermées		[e]	[ø]		[o]
3	voyelles mi-ouvertes			[ɛ]	[œ]	[ɔ]
4	voyelles ouvertes			[a]	[ɑ]	

(in *Phonétique française*, Hermods, 1969)

L'écartement au point d'articulation est le seul utilisé dans les tableaux de classification, mais la phonétique expérimentale a montré que le degré d'aperture des mâchoires (qui, en français, va de 1 mm pour [i] à 10 mm pour [ɑ]) s'accordait assez bien avec la description en fonction de la hauteur perçue.

En associant les deux critères définis jusqu'à maintenant (lieu d'articulation et aperture), on peut disposer les voyelles en triangle mais il s'agit alors d'une simplification réductrice (le tableau de Straka indique nettement une disposition trapézoïdale), pourtant utile pour rappeler que trois voyelles sont les seules à être utilisées dans toutes les langues : on parlera alors de *triangle fondamental*.

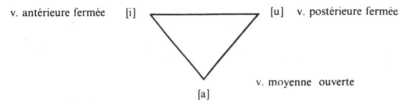

v. antérieure fermée [i]   [u] v. postérieure fermée

v. moyenne ouverte
[a]

● La *labialisation*, qui désigne le mouvement plus ou moins marqué des lèvres vers l'avant, permet de faire la différence entre *voyelles labialisées* et *voyelles non labialisées*. Cette opposition, en particulier, est utile pour mettre en valeur le fait que notre langue trouve l'une de ses originalités dans une série de voyelles antérieures labialisées ([y], [ø], [œ]), voyelles que l'on appelle parfois *voyelles orales composées* pour mieux les différencier des *voyelles orales simples,* et rappeler ainsi qu'elles réunissent deux mouvements articulatoires rarement associés (articulation antérieure et labialisée). Toutefois, il ne faut pas trop exagérer l'importance de ce facteur car l'observation quotidienne montre qu'un assez grand nombre de locuteurs français parlent en projetant peu les lèvres. Dans ce cas, ils modifient les autres articulations des sons labialisés pour obtenir leur reconnaissance par une série de *compensations*. En réalité, rappelons-le, toute classification articulatoire repose sur une moyenne d'observations effaçant les variations propres aux réalisations individuelles; ce que tout enseignant de langue française maternelle ou étrangère ne devrait jamais oublier.

● La description de certaines langues comme le français fait intervenir un troisième mode d'articulation : la *nasalisation*. On abaisse alors le voile du palais pour mettre en communication le canal pharyngo-buccal avec les fosses nasales et laisser ainsi passer une partie de l'air par le nez. Les *voyelles nasales* s'opposent aux *voyelles orales* dans une terminologie que nous avons déjà signalée comme confuse, puisque dans le premier cas le flux d'air suit deux voies : la buccale et la nasale. Beaucoup de langues font entendre une certaine nasalisation lors de l'émission vocalique *(voyelles nasalisées)* mais il s'agit dans ce cas d'un facteur secondaire dépendant essentiellement de la proximité d'articulations consonantiques elles-mêmes nasales (variantes combinatoires, cf. *infra*, p. 96). Naturellement, étant données les différences perçues, on a essayé de trouver en quoi l'articulation des voyelles nasales du français différait de celle des voyelles orales. L'analyse de radiographies a montré, contrairement à l'opinion commune, l'importance d'un léger déplacement vers l'intérieur des deux piliers du voile du palais, associé à un abaissement prononcé de ce même voile. C'est cette compression pharyngale qui est particulièrement responsable du timbre de nos voyelles nasales; donc, celles-ci ne sont pas essentiellement dépendantes du passage de l'air par le nez mais bien plutôt d'un équilibrage des cavités (et par conséquent des volumes) de résonance. D'autre part, ces quatre voyelles nasales ([ɛ̃], [œ̃], [ã], [ɔ̃]) sont *pures* (non diphtonguées, non suivies d'un appendice consonantique nasal) et ne correspondent pas exactement aux voyelles orales qui sont représentées par les mêmes symboles. En réalité, elles sont plus ouvertes, ce que montre à l'évidence le tableau de Straka.

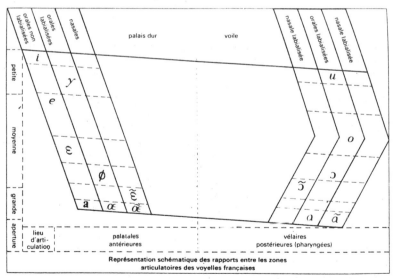

Figure 9 - **Zones articulatoires des voyelles françaises**
(G. STRAKA, *Album phonétique, op. cit.*, dans *Le Langage*. Éd. CAL.)

Ce tableau ne fait pas figurer le [ə] (*e* instable ou *e* muet) dans les voyelles du français. Le statut de cette voyelle est tout à fait particulier puisqu'elle peut connaître le degré 0, c'est-à-dire ne pas être prononcée dans certains environnements ¡et en fonction du style utilisé. Si elle est prononcée, son articulation est voisine de celle de [œ] (voyelle un peu plus antérieure et un peu plus nettement labialisée que [ə]), mais il n'en reste pas moins vrai que la transcription de l'A.P.I. est inadéquate. Dans les autres langues, [ə] désigne en effet des voyelles neutres (des « schwas ») non labialisées : en anglais, le *a* de *cinema* est transcrit [ə] → sinimə].

● Deux autres facteurs peuvent encore intervenir dans la définition des modes d'articulation : la *durée* et la *tension*.

Dans certaines langues, la distinction entre *voyelles longues* et *voyelles brèves* a valeur phonologique (en anglais, par exemple, l'opposition *sit* [sit])/*seat* [si:t] est porteuse d'une différence de sens); dans d'autres, les différences de durée dépendent de l'accent ou de l'environnement consonantique. En français, on peut dire, comme l'ont montré en particulier les enquêtes d'A. Martinet et de ses disciples (« L'évolution contemporaine du système phonologique français », in *Le français sans fard,* P.U.F., 1969), que la durée n'a plus guère de valeur distinctive puisque peu de locuteurs différencient encore, par exemple, *mettre* [mɛtr] de *maître* [mɛ : tr], *tache* [taʃ] de *tâche* [tɑ : ʃ] (dans ce cas, il y a opposition de longueur et de timbre). Sur le plan graphique, l'accent circonflexe, signe d'un allongement provoqué soit par la chute d'un *s* (ex : *âne*), soit par la contraction de deux voyelles (ancien français : *dëu* → français moderne : *dû*), représente donc un état dépassé de la prononciation. Toutefois, certains allongements sont encore vivants dans le système actuel du français : toute voyelle accentuée placée devant [z], [ʒ], [v], [ʀ] ou le groupe [ʀ] ainsi que les voyelles nasales et les voyelles orales [o], [ø], [ɑ] accentuées et placées devant une consonne prononcée, sont allongées; d'où les transcriptions : *il neige* [il nɛ : ʒ], *c'est mince* [sɛmɛ̃ : s]. Ici, la transcription reste large puisqu'elle indique une prononciation assurée par la majorité des locuteurs ayant le français comme langue naturelle, ce qui n'est pas sans intérêt en linguistique appliquée à l'enseignement. Enfin, comme nous le verrons, on peut considérer qu'en dehors de ces allongements combinatoires, toute voyelle accentuée du français est ordinairement plus longue qu'une voyelle inaccentuée.

● Pour ce qui est de la tension *(voyelles tendues/voyelles relâchées),* elle joue par exemple, en association avec la longueur, un rôle phonologique en anglais ou en allemand. En français, ce facteur ne peut être utilisé dans la structuration du système puisque toutes les voyelles sont nettement tendues (à différents degrés), qu'elles soient accentuées ou non.

Ce qui nous ramène au problème fondamental. Les progrès de la phonétique expérimentale (utilisation de moyens mécaniques puis photographiques) ont montré que la description de plus en plus poussée de l'articulation des sons du langage humain (même en abandonnant les variantes individuelles) conduisait à des analyses dont la finesse mettait en cause tout effort de structuration. En définitive, on décrit des classes de sons en sachant pertinemment qu'à l'intérieur d'une même classe on peut trouver des différences suffisantes entre sons pour que l'on puisse discuter leur introduction dans une même classe. En fait, sur ce plan, la phonétique contemporaine préfère désormais insister sur l'ensemble des habitudes articulatoires qui caractérisent une langue donnée par rapport aux autres langues : sa *base articulatoire*. Pour le français, elle serait définie par quatre termes : ANTÉRIORITÉ — LABIALISATION — NASALISATION — TENSION.

— Les consonnes

On admet généralement que pour l'articulation des consonnes, le passage de l'air à travers la voix buccale, à la différence de ce qui se passe pour les voyelles, n'est pas libre.

Contrairement à ce qui est fait pour les voyelles, la description traditionnelle des consonnes place en tête l'un des paramètres du mode d'articulation (si l'on dit : [a] est une voyelle antérieure ouverte non labialisée, on dira : [t] est une occlusive apico-dentale sourde), d'où un ordre différent de présentation.

En français, la prise en considération des paramètres contribuant au **mode d'articulation** permet de classer comme suit le système consonantique :

1 occlusives
— sourdes : [p] [t] [к]
— sonores : [b] [d] [g]
2 constrictives (ou fricatives)
— sourdes : [s] [ʃ] [f]
— sonores : [z] [ʒ] [v]
3 sonantes
— nasales (sonores) : [m] [n] [ɲ]
— latérale (sonore) : [l]
— vibrante (sonore) : [r]

● Pour les consonnes, le *degré d'aperture* établit une première opposition, fondamentale, mais souvent mal définie pour le troisième groupe. Si la fermeture du canal buccal est complète, on parle de *consonnes occlusives*; si elle correspond à un fort resserrement, on utilise le terme de *consonnes constrictives*. Pour la troisième catégorie *(les sonantes)*, l'obstacle articulatoire existe toujours mais il est de si faible importance qu'on se rapproche nettement du type vocalique (cf. *infra*, p. 93).

● Intervient ensuite la *sonorité*; elle permet, à l'intérieur du système consonantique, d'opposer les consonnes articulées sans que les cordes vocales vibrent *(consonnes sourdes)* à celles dont l'émission est accompagnée d'une mise en action de ces mêmes cordes vocales *(consonnes sonores)*. Cette différenciation a pour avantage supplémentaire de mettre en valeur des séries qui s'opposent membre à membre sur ce seul critère ([p]/[b], [t]/[d], [k]/[g], par exemple). Elle est souvent associée à celle qui prend en compte le *degré de tension* avec lequel sont articulées les consonnes. Dans certaines langues comme la nôtre, les consonnes sourdes sont effectivement assimilables à des *fortes* et les consonnes sonores à des *douces*. Cette distinction réelle, mesurable, mais ne jouant apparemment aucun rôle dans la reconnaissance du son, montre mieux sa fonction si l'on se réfère à la combinatoire de la chaîne parlée. Les travaux de B. Malmberg sur les phénomènes d'*assimilation* ont en effet prouvé que si un Français prononce la séquence *un bec d'aigle* [œ̃bɛκdɛgl], le [κ] de *bec* (occlusive sourde) devient une sonore sous l'effet du [d] (consonne sonore) mais reste une forte. Dans les paires sourdes/sonores que nous avons signalées plus haut, l'opposition forte/douce constitue donc alors le véritable invariant.

● La *nasalisation* est également un facteur de classification des consonnes. Dans ce cas, on associe la fermeture du canal buccal à une position abaissée du voile; [m], [n] et [ɲ] sont donc en réalité des occlusives nasalisées (et des sonores).

● Une autre catégorie de sonantes est constituée par les *vibrantes*. Par opposition aux *latérales* (pour lesquelles le contact avec le lieu d'articulation se fait au milieu de la langue, l'air passant par les deux côtés), les vibrantes sont des médianes caractérisées par des battements (séries d'occlusions) à un endroit variable du canal buccal. On distingue habituellement en français deux types de *r*. Le *r* apical dit « roulé » [r] est dû à des battements de la pointe de la langue contre les alvéoles; il est encore utilisé dans de nombreuses régions. Quant au *r* du français standard (*r* dorsal), que l'on transcrit [ʀ], il est articulé comme une fricative puisque la partie postérieure du dos de la langue se rapproche nettement de la luette (*r* uvulaire) ou de la partie postérieure du voile du palais; le plus souvent, la luette ne vibre pas.

● Il convient d'ajouter à cette description des modes d'articulation la catégorie des *mi-occlusives* (ou *affriquées,* si l'on se réfère au plan auditif), qui font encore partie de notre système standard actuel grâce à la prononciation de quelques mots étrangers ([ts̪] →*tsar* prononcé par beaucoup [d̪z]/[t̪ʃ] →*tchèque*/[d̪ʒ] →*jazz*). D'autre part, elles sont indispensables à la description de l'ancien français et de certains dialectes ou patois. Contrairement à ce qui se passerait lors de la succession des deux mêmes consonnes dans la chaîne parlée, le lieu d'articulation ne change pas au cours du passage de l'occlusion à la constriction.

Pour ce qui est du **lieu d'articulation** des consonnes, constatons d'abord que le terme est certainement plus adéquat que pour les voyelles. Deux types d'indications sont pertinents :

1) le lieu d'articulation proprement dit, où se produit le barrage total ou partiel (pour la détermination de ces zones, voir *supra*, p. 70);

2) l'organe d'articulation ou la partie de celui-ci formant obstacle.

Dans une définition plus précise, le lieu d'articulation d'une consonne désigne donc l'endroit du canal buccal où l'air producteur des sons rencontre un obstacle (total ou partiel) résultant du déplacement d'un ou de plusieurs organes mobiles. De ce fait, on a pris l'habitude de nommer les types d'articulation consonantiques en associant ces deux composantes. Le tableau ci-dessous indique ce que donne ce principe lorsqu'il est appliqué aux consonnes du français, étant bien entendu que le manque de précision des localisations, abondamment démontré par les radiographies et les palatographies (photos de traces articulatoires laissées sur le palais grâce à l'emploi d'un produit colorant), justifie à lui seul les différences de dénomination que l'on peut rencontrer d'ouvrage à ouvrage.

Types d'articulation	Sons
bilabial	[p] [b] [m]
labio-dental	[f] [v]
apico-dental (ou post-dental)	[t] [d] [n] [l]
apico-alvéolaire	[ʃ] [ʒ] [r]
prédorso-alvéolaire	[s] [z]
dorso-palatal	[k] [g] [ɲ]
dorso-vélaire	[k] [g]
dorso-uvulaire	[ʀ]

Remarque : Le type d'articulation de [k] et [g] est dorso-palatal ou dorso-vélaire en fonction des voyelles d'accompagnement et particulièrement de celle qui suit. Il s'agit là de variations d'articulation beaucoup plus nettes que pour [t] et [d], par exemple (variante prédorsale).

- Les semi-consonnes

Même si l'on définit les voyelles comme des sons qui sont prononcés avec la voie buccale libre, la classification en fonction du degré d'aperture fait immédiatement apparaître que pour trois voyelles du français ([i], [y], [u]) le passage que suit le flux d'air vibrant est relativement étroit (cf. tableau, p. 82). Il est donc concevable que, si l'on continue à élever la langue dans la même direction, l'articulation entrera dans une zone transitoire où, sans aller jusqu'à produire un bruit de constriction, elle donnera naissance à des sons qui ne seront plus totalement vocaliques. La question de savoir si ces sons doivent être classés dans la catégorie des voyelles (d'où l'utilisation par certains du terme *semivoyelle*) ou dans celle des consonnes conduit à des ambiguïtés telles qu'il est préférable d'utiliser le mot *glide* (emprunté à l'anglais) pour les désigner, ce terme ayant le mérite de souligner que dans une certaine mesure le [j] (français : *ciel* →sjɛl]), le [ɥ] (fr. : *nuit* → [nɥi]) et le [w] (fr. : *Louis* → [lwi]) peuvent être considérés comme des voyelles articulées rapidement, des phases articulatoires transitionnelles. Quant aux arguments acoustiques et phonologiques pour décider dans l'un ou l'autre sens, ils seront donnés dans les chapitres correspondants (cf. *infra*, pp. 93-99).

Cette esquisse des problèmes posés par la classification articulatoire nous a permis d'illustrer deux grandes tendances de la recherche contemporaine en ce domaine.

D'une part, on ne se contente plus de descriptions superficielles; ce que l'on cherche à atteindre, c'est la compréhension la plus poussée possible d'un mécanisme extrêmement complexe, même si cela doit conduire à l'utilisation de techniques « sophistiquées » et à la multiplication des expériences.

D'autre part, on cherche à universaliser le plus possible ces descriptions pour échapper au danger d'analyses trop particularisantes. Pour cela on dégage avec soin les *invariants* qui, en dépit des variations infinies propres aux réalisations individuelles, assurent que, dans une circonstance donnée, le son perçu sera reconnu comme le son que l'interlocuteur voulait émettre. En définitive, ce sont bien les valeurs distinctives qui orientent alors les choix du phonéticien. De ce fait, comment pourrait-il s'interdire d'être phonologue?

CLASSEMENTS ACOUSTIQUES

- Les voyelles

L'analyse acoustique des sons, qui débutera dès la fin du XIXe siècle, aura des difficultés à s'imposer tant que les appareils utilisés ne permettront ni d'obtenir des différenciations suffisamment fines, ni de préciser ce qui se passe aux fréquences élevées. Il faudra donc attendre que des méthodes d'enregistrement électrique, d'une plus grande sensibilité, se substituent aux méthodes d'enregistrement mécanique pour que l'on puisse vérifier un certain nombre d'hypothèses et en particulier la théorie de la résonance (proposée en 1863 par le physicien allemand H. von

Helmholtz). Après les progrès des années 30 (oscillographe), l'utilisation du *spectrographe* (dont le type le plus répandu est le *sonagraphe*) eut pour avantage de permettre la visualisation des *formants* (cf. *supra*, p. 74) et du continuum sonore. Cet appareil fournit en effet des images du spectre vocal (que l'on appelle habituellement *sonagrammes*) où le *temps* se lit horizontalement et la *fréquence* verticalement. Quant à la noirceur plus ou moins prononcée des traits, elle est en rapport avec l'*intensité* des composants du spectre. Sur ces tracés, un formant (ou zone formantielle) se traduit donc par une barre foncée, horizontale, montante ou descendante, selon que la fréquence reste stable, croît ou diminue.

Le sonagraphe comprend un certain nombre de filtres qui permettent d'isoler les unes des autres les fréquences qui constituent le son complexe. Le *filtrage étroit,* qui isole des bandes plus étroites, permet de visualiser les variations de fréquence de chaque harmonique mais rend difficile la lecture des formants. On lui préfère donc le *filtrage large.*

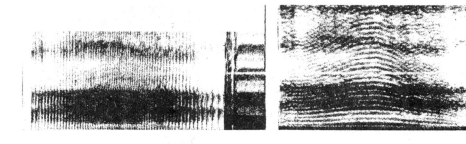

Figure 10 - **Reproduction d'un filtrage large et d'un filtrage étroit**

Comme on le voit en comparant ces deux sonagrammes du même son [ɑ], dont les formants F1 et F2 sont très rapprochés, le filtrage étroit (à droite) permet de constater que chaque formant comprend deux ou trois harmoniques (voix mâle).

Toutefois, des résultats probants ne seront atteints qu'au moment où la *synthèse* viendra confirmer les résultats de l'analyse (ce qui, par ailleurs, associera de nouveau la perception à la phonétique instrumentale). Pour ce faire, on utilisera le *synthétiseur de parole* (ou *pattern-playback*), qui est en quelque sorte un spectrographe inversé. On peint à la main sur une bande de matière plastique ayant un support spécial des motifs identiques à ceux repérés sur les sonagrammes; le synthétiseur balaie d'un faisceau lumineux ces motifs et produit les ondes sonores correspondantes. En opérant des choix successifs dans la masse des informations apportées par l'analyse des sonagrammes, on peut ainsi déterminer ce qui est linguistiquement pertinent, c'est-à-dire suffit à assurer l'identification de tel ou tel son.

On a pu ainsi constater qu'il existe plusieurs formants pour chaque voyelle mais que les deux formants les plus bas dans l'échelle des fréquences (F1 et F2) sont les plus importants pour l'identification de ces sons qui, en quelque sorte, peuvent être assimilés à des « doublets acoustiques ». Les formants les plus hauts, à partir de F4, ont un rôle linguistique moindre et contribuent essentiellement à caractériser le timbre. Pour ce qui est de F3, les opinions divergent; mais l'on sait désormais que si l'on veut synthétiser au moyen de deux formants seulement des voyelles antérieures comme [i], pour lesquelles F2 et F3 ont des fréquences élevées et proches, il faut donner à F2 une fréquence plus élevée que sa fréquence naturelle pour obtenir une bonne reconnaissance : F3 joue donc un rôle dans leur identification. De plus, dans le cas des voyelles postérieures, F1 et F2 peuvent être à la rigueur remplacés par un seul formant intermédiaire. Il n'est donc pas étonnant que certaines théories préalables à l'utilisation du sonagraphe aient cru que les voyelles antérieures étaient composées de deux formants et les voyelles postérieures d'un seul. La configuration différente du spectre de ces deux types vocaliques conduit désormais à opposer *voyelles diffuses* et *voyelles compactes*. Les premières ont leurs formants principaux (F1 et F2) éloignés l'un de l'autre (mais à des degrés divers); pour les secondes, ces deux formants sont rapprochés l'un de l'autre dans une position plus ou moins proche du centre du spectre. Par conséquent, [i] et [a] sont les voyelles les plus conformes à ces deux définitions canoniques.

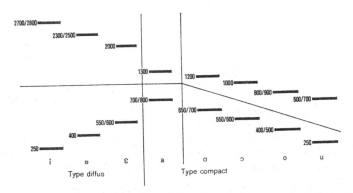

Figure 11 - **Représentation schématique des formants vocaliques (voyelles orales du français)**

(D'après G. STRAKA, *op. cit.*, in F. CARTON, *Introduction à la phonétique du français*, Bordas.)

En ce qui concerne les rapports entre ces formants et les cavités de résonance, il est admis qu'il s'agit là d'un problème fort complexe. L'hypothèse la plus couramment acceptée est celle-ci : plus les formants 1 et 2 sont distants l'un de l'autre, plus il est possible d'attribuer respectivement F1 à la cavité postérieure et F2 à la cavité antérieure; mais, plus ils sont proches, moins il est facile de les assigner à l'une ou l'autre cavité.

Quoi qu'il en soit, une synthèse à trois formants, aux fréquences repérées sur les sonagrammes, conduira toujours à une reconnaissance plus facile de la voyelle ainsi synthétisée.

En plaçant les valeurs de F1 sur l'axe des ordonnées et celles de F2 sur l'axe des abscisses, on obtient un schéma acoustique des voyelles orales du français.

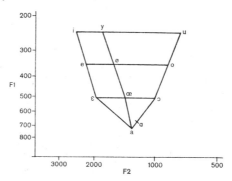

Figure 12 - **Schéma acoustique des voyelles françaises**

(D'après P. DELATTRE, *Studies in French and Comparative Phonetics*, Mouton, La Haye-Paris.)

Ce schéma acoustique ressemble à celui proposé dans le chapitre précédent (cf. *supra*, p. 82) mais permet de montrer la nécessaire association entre la phonétique acoustique et la phonétique dite « classique », essentiellement fondée sur l'articulation. Ainsi, quand on passe successivement de [i] à [e], de [e] à [ɛ] et de [ɛ] à [a], se produit en même temps un abaissement de F2 et une montée de F1, ce qui indique en particulier que l'accroissement des valeurs de F1 est en rapport avec une augmentation du degré d'aperture. De même, l'abaissement de F2 quand on passe de [i] à [y] (ou de [e] à [ø], ou de [ɛ] à [œ]) peut être mis en parallèle avec la labialisation puisque projeter les lèvres vers l'avant conduit dans une certaine mesure à agrandir la cavité antérieure, c'est-à-dire à abaisser la fréquence propre d'une cavité qui servira de cavité de résonance.

D'autre part, ce même schéma permet de mieux comprendre (et par conséquent de mieux appliquer à l'enseignement) l'opposition entre voyelle grave et voyelle aiguë que l'on a souvent associée à un « dualisme » simplificateur : dans le triangle fondamental (cf. *supra*. p. 81), [i], voyelle aiguë, est opposé à [u], voyelle grave. Or, comme le dit **P.** Delattre, il faut toujours se rappeler que « les voyelles ne se perçoivent pas par une seule bande mais par un accord de deux bandes dont la première est aussi importante que la seconde » (« Les attributs physiques de la parole et l'esthétique du français », in *Revue d'Esthétique,* Nlle série 3-4, S.P.D.G., 1965). La phonétique acoustique nous apprend donc qu'en dehors des séries sonores structurées (que l'on pourrait appeler *séries acoustiques,* et qui sont données par les alignements horizontaux du schéma : [i], [y], [u]/[e], [ø], [o]/[ɛ], [œ], [ɔ]), pour lesquelles l'oreille entend nettement les passages de l'aigu au moins aigu puis au grave du fait qu'elle ne doit repérer qu'un seul paramètre de variation (F1 reste identique pour les trois voyelles de la série), la perception de la hauteur reste approximative. Ce qui fait que « la distinction grave/aigu ne se justifie peut-être plus si l'on compare [i] (note basse + note haute) à [e] (note moins basse + note moins haute) » (P. Delattre, *ibid).*

Les voyelles nasales, elles, ont longtemps offert des difficultés. Après de nombreuses expériences de synthèse, on a pu enfin découvrir que leur reconnaissance était essentiellement associée à un affaiblissement de l'intensité de leur F1 et par conséquent à un déséquilibre entre F1 et F2. Quant au formant nasal (FN1), relativement stable à 250 Hz, il ne joue qu'un rôle secondaire dans le repérage; sa présence permet pourtant, dans les opérations de synthèse, de moins réduire l'intensité de F1. On comprend donc que les voyelles nasales du français soient à la fois associées à un « effet de voile » (la perception du doublet acoustique est moins nette) et à un accord plus aigu que celui des voyelles orales correspondantes (F1 et F2 sont à peu près identiques pour chaque paire v. orale/v. nasale, mais, dans le cas de la nasale, F2 est entendu plus nettement que F1).

- La diphtongaison

Une diphtongue est un son vocalique qui, au cours de sa réalisation, change de timbre, de sorte qu'il est perçu différemment au début et à la fin de son émission.

L'étude des sonagrammes a permis de mieux établir les critères de classification. Désormais, il est justifié de proposer une distinction articulatoire et acoustique entre *sons vocaliques stables* (monophtongues) et *sons vocaliques instables,* eux-mêmes divisés en *voyelles diphtonguées* et en *diphtongues proprement dites.*

Un anglophone, qui est amené à utiliser dans sa langue maternelle douze diphtongues « essentielles », aura tendance à articuler les voyelles du français comme des voyelles diphtonguées, ce qu'il fait d'ailleurs pour ses propres voyelles « pures » (monophtongues).

Le français standard contemporain ne connaît plus ni diphtongues, ni triphtongues (même si l'orthographe en a gardé le souvenir comme dans *fleur* ou *beau*); toutefois, l'apprentissage de la *tension* (élément de la base articulatoire du français) joue un rôle fondamental dans l'acquisition de notre langue par des étrangers; la tendance à la diphtongaison doit en effet être interprétée comme une résultante du relâchement articulatoire.

- Les consonnes

La méthode par analyse et synthèse a également permis de mieux comprendre la structure acoustique des consonnes, qui forment la trame de la chaîne de communication verbale.

Elles sont caractérisées, d'un côté, par certaines bandes de fréquence aux intensités particulièrement fortes (« formants de bruit »), de l'autre, par la modification qu'elles apportent au spectre des voyelles qui les précèdent et qui les suivent. Ces modifications appelées *transitions* sont définies comme des portions de formant dont l'inflexion indique un glissement des fréquences vers le haut ou vers le bas. L'identification d'une consonne *isolée* risque donc de poser un certain nombre de problèmes.

L'utilisation du synthétiseur de parole a effectivement prouvé que ces transitions jouent un rôle premier dans la reconnaissance des *occlusives,* que l'on croyait parfaitement définies par la présence d'un *blanc* (interruption du son buccal) et d'une *explosion* (bruit intense mais bref marquant la fin de la fermeture), au-dessus de 3 000 Hz pour [t], au-dessous de 3 000 Hz pour [p] et [к].

En effet, lorsque les formants d'une voyelle synthétique sont pourvus des transitions caractérisant l'une de ces consonnes occlusives, les auditeurs sont capables de l'identifier même si l'ovale vertical représentant l'explosion n'est pas tracé sur le spectrogramme de départ. D'où la création du concept de *locus,* point de convergence, jamais atteint, vers lequel se dirigent toutes les transitions de deuxième formant décodées comme une même consonne.

En fonction de ces remarques, les occlusives peuvent être caractérisées de la façon suivante :

1) les labiales ([p]/[b]) ont un locus situé dans les basses fréquences (aux environs de 700 Hz);

2) les dentales ([t]/[d]) ont un locus nettement plus élevé (aux environs de 1 800 Hz) qui permet de les opposer aux précédentes comme des sons aigus le seraient à des sons graves;

3) les vélaires ([к]/[g]), elles, ont des locus dont la situation dépend énormément de la voyelle d'accompagnement (locus vers les basses fréquences avec les voyelles vélaires, vers des fréquences plus élevées avec les voyelles palatales).

Quant aux consonnes *nasales,* essentiellement reconnaissables comme telles par un formant bas à 250 Hz, leur lieu d'articulation est repérable par le locus des transitions de second formant (T2) propre aux occlusives orales correspondantes : [m] = c. grave, [n] = c. aigu, [ɲ] = c. neutre.

Tout se passe donc comme si les auditeurs ne percevaient pas les sons un par un mais faisaient la synthèse d'éléments de rang supérieur comme la *syllabe*, découverte expérimentale d'une extrême importance. En réalité, l'identification des sons ne repose pas uniquement, comme on l'avait longtemps cru, sur le décodage instantané de leurs traits caractéristiques en un point donné de la chaîne parlée. Pour les occlusives, par exemple, elle dépend du repérage d'éléments acoustiques successifs mais étroitement associés. On retrouve ici l'un des aspects fondamentaux de la parole vue dans sa substance, aspect souvent masqué par le raisonnement purement phonologique. La chaîne parlée est un véritable *continuum sonore* dans lequel il est difficile (et à la limite artificiel) d'isoler des segments et de les caractériser.

Les bruits qui accompagnent l'émission des *constrictives* nous informent mieux sur les lieux d'articulation que les explosions des occlusives; les transitions jouent donc pour elles un rôle moins important. Toutes ces consonnes sont étroitement associées à une zone de turbulence visible sur le sonagramme et à l'accroissement lent de son intensité. Les travaux d'analyse et de synthèse ont tout d'abord prouvé que [s]/[z] et [ʃ]/[ʒ] se distinguent les unes des autres par les fréquences où se concentre leur intensité. Pour les *sifflantes*, il s'agit essentiellement d'un bruit partant de 4 000 Hz, et, pour les *chuintantes*, d'une concentration qui part de plus bas, d'environ 2 000 Hz. Pour [f] et [v], constrictives à faible intensité, les sonagrammes montrent généralement un bruit inégalement réparti dans les zones élevées du spectre mais ces consonnes sont plutôt identifiées par les transitions de second formant des voyelles d'accompagnement, qui convergent vers le locus propre aux consonnes labiales.

Pour les sonantes [l] et [ʀ], les transitions sont assez longues pour que le formant de la voyelle soit en continuité avec la tenue de la consonne. Ces consonnes ont en général des spectres très voisins de ceux des voyelles (ce sont des *liquides*); le F1 est assez haut (400 Hz) mais les autres formants diminuent rapidement d'intensité; on constate souvent la présence d'un léger bruit.

Les formants des **semi-consonnes** (glides) sont également d'intensité plus faible que ceux des voyelles mais se distinguent de ceux de [ʀ] et de [l] par une durée générale et une tenue plus brèves.

Pour terminer, retenons donc que les consonnes ne s'opposent pas aussi nettement aux voyelles qu'on le croit habituellement. Les nasales, les sonantes et les glides présentent des structures de formants et sont donc, acoustiquement, à la fois consonantiques et vocaliques.

5. LA PERSPECTIVE PHONOLOGIQUE

La phonologie ambitionne d'appliquer aux unités sonores décrites par la phonétique (articulatoire et acoustique) des critères linguistiques aboutissant à hiérarchiser leur *fonction* dans la communication.

LE PHONÈME

Les variations dans la prononciation d'un son, tant qu'elles ne mettent pas en cause la bonne compréhension du message, restent le plus souvent inaperçues de celui qui communique dans sa langue maternelle.

Par exemple, lorsqu'un Français entend le mot *ticket* successivement prononcé avec un [e] ou un [ɛ], il ne réagit que fort peu à la différence, même s'il connaît ce que l'on a coutume d'appeler la prononciation « acceptée » ou « reçue » : [tikɛ]. Bien différente sera sa réaction si, dans une phrase telle que *ses cheveux sont blancs,* la réalisation de la dernière voyelle nasale le fait hésiter entre *blancs* [blɑ̃] et *blonds* [blɔ̃].

Ce sont des remarques de cet ordre qui conduisent à vouloir repérer dans une langue donnée les sons qui, possédant une *fonction distinctive,* assurent de ce fait la différenciation des signes linguistiques. Dans un but pédagogique, toutefois, nous commencerons par nous placer dans la situation d'un linguiste qui cherche à établir l'inventaire des **phonèmes** d'une langue dont il ignore tout, c'est-à-dire que nous éviterons d'avoir recours au sens.

Une analyse de ce type isole les unités qui *s'opposent* en remplaçant un segment par d'autres sur l'axe paradigmatique, remplacement que l'on dénomme *commutation* (cf. *supra,* p. 53). Il ne faut pas confondre cette opération, rappelons-le, avec celle de *permutation* qui, elle, aboutit à changer de place deux éléments sur l'axe syntagmatique.

Les principes et définitions nécessaires à l'analyse distributionnelle ayant été donnés précédemment (cf. *supra,* p. 56), nous nous contenterons de signaler que la phonologie a coutume d'utiliser le terme *opposition* lorsque la corrélation se fait entre deux unités dont l'une seulement est effectivement réalisée (l'axe paradigmatique est l'*axe des substitutions*) et le terme *contraste* lorsque ces deux unités sont mises en relief par leur contiguïté (l'axe syntagmatique est l'*axe des combinaisons*).

Prenons comme exemple simple le corpus suivant : [lapɛʀ], [lamɛʀ], [lafɛʀ], [lavɛʀ], [lanɛʀ], [latɛʀ], constitué de suites sonores différentes dont on n'envisage pas de décrire le sens, même si certaines d'entre elles trouvent un signifié en français. Il s'agit en réalité de préciser en quoi ces suites sont identiques et en quoi elles diffèrent.

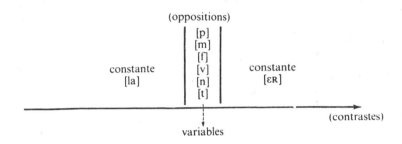

Dans un *contexte* commun (sur l'axe syntagmatique), la substitution d'une variable à une autre entraîne bien la constitution de séquences distinctes : on dira que les variables que l'on a isolées sont en *opposition distinctive* (ou *pertinente*) et l'on appellera *phonèmes* de la langue dont est extrait ce corpus de telles unités distinctives. On montrera qu'elles sont bien *minimales* en recourant à nouveau au test de commutation suivant la démarche décrite précédemment (p. 53).

En réalité, comme on peut s'en douter, la méthode porte habituellement sur un vaste corpus, ce qui complique énormément les opérations ; il n'en reste pas moins vrai que l'on décidera toujours que *seules les unités qui apparaissent dans le même contexte peuvent être considérées en opposition.*

La **phonématique** (partie de la phonologie qui s'occupe plus particulièrement de l'étude des phonèmes et de leurs traits distinctifs, par opposition à la **prosodie** qui traite essentiellement des faits *suprasegmentaux*, cf. *infra*, p. 100) utilise habituellement une méthode qui a pour avantage d'être plus rapide mais qui exige une bonne connaissance préalable de la langue que l'on analyse ; elle est à conseiller à ceux qui veulent étudier leur propre langue dans une perspective phonologique. Elle s'appuie sur les différences de sens entre deux unités de signifiants très voisins (*blanc* et *blond* dans l'exemple initial). On décide que deux sons s'opposent en tant que phonèmes si leur commutation dans un même contexte aboutit à la création de deux unités de sens différent :

Ex. : *coussin* [kusɛ̃] vs *cousin* [kuzɛ̃]

Si [s] prend la place de [z], le second mot change de sens, et inversement : [s] et [z] sont des phonèmes du français (que l'on écrira /s/ et /z/). Et le phonème, en fonction de cette approche, se définira comme *la plus petite unité phonique capable de produire un changement de sens par simple commutation, sans avoir de sens elle-même* (cf. *double articulation*, p. 56).

Cette méthode est donc fondée sur le repérage de **paires minimales,** c'est-à-dire de paires de mots ayant un sens différent mais dont le signifiant ne diffère que par un seul phonème (ex. : *pleur/fleur-* /plœr/ ∽ /flœr/).

Jusqu'alors, notre présentation de l'analyse phonologique pourrait faire croire qu'elle repose essentiellement sur une prise en considération de ce qui se passe sur l'axe paradigmatique. Il nous faut donc désormais préciser comment interviennent dans le raisonnement les *lois de distribution.*

VARIANTES, NEUTRALISATION ET TRAITS DISTINCTIFS

— Les chapitres précédents ont notamment permis de montrer que la nature articulatoire et acoustique d'une consonne peut être modifiée par la voyelle qui précède ou qui suit. Par exemple, les différences que l'on perçoit dans la production de [k] lorsque l'on oppose [ku] à [ki] (consonne vélaire vs consonne palatale) font de ces deux réalisations des **variantes combinatoires** (ou **allophones**) du même phonème /k/ ; elles sont appelées combinatoires car elles dépendent évidemment ici de la mise en relation de [k] avec [u] et [i]. De même, la différence de longueur entre le [ɛ] de *il naît* [il nɛ] et celui de *il neige* [il nɛːʒ] est due à l'influence de [ʒ] en position accentuée (cf. *supra,* p. 83) ; on dira donc également que ces deux voyelles sont des variantes combinatoires du phonème /ɛ/, variantes qui, ne pouvant apparaître dans le même contexte, sont nécessairement en *distribution complémentaire.* Dans cette perspective, chaque phonème, défini comme une *classe de sons,* est associé à un nombre fini d'allophones dont on peut déterminer les lois d'apparition et dont la réalisation est en quelque sorte mécanique.

— Prenons maintenant le cas du *r ;* un francophone utilisera en fonction de ses origines géographiques, de son éducation, du milieu socio-culturel dans lequel il vit, soit un [r], soit un [ʀ], celui-ci pouvant même être « raclé », c'est-à-dire articulé encore plus à l'arrière. Puisque la réalisation de ces différents *r* n'est en rien conditionnée par le contexte mais dépend du libre choix du locuteur, on parlera de **variantes libres.**

— D'autre part, on peut opposer /e/ et /ɛ/ dans des paires minimales telles que *dé/dais* - /de/ ⌣ /dɛ/ ou dans des alternances morphologiques du type : je chant*ai* /e/ ⌣ je chant*ais* /ɛ/, mais cela n'est plus possible dès que l'on est en présence d'une *syllabe fermée,* c'est-à-dire d'une syllabe qui se termine par une consonne (une *syllabe ouverte* se termine par une voyelle). En effet, la phonématique nous apprend que, dans cette distribution, on ne trouve jamais de /e/, que l'on soit en position accentuée ou inaccentuée (ex. : *terre* — /tɛr/, *perdu* — /pɛr-dy/). Quand deux phonèmes s'opposent en certaines positions et ne peuvent le faire en d'autres, l'opposition est dite **neutralisée** pour ces dernières positions. En ce qui concerne le phonème qui ne peut se rencontrer dans un contexte donné, on précise qu'il connaît une *restriction de distribution.*

— Le phonème, en ce qui concerne sa substance sonore, est défini par certaines caractéristiques phoniques que l'on appelle **traits distinctifs** (ou **traits pertinents**). Ces traits fonctionnent aux différents niveaux de la communication et peuvent donc être décrits soit en termes articulatoires, soit en termes acoustiques. Quoi qu'il en soit, ils ne se présentent jamais isolés en un point de la chaîne parlée (le phonème est composé d'un faisceau de traits dont la somme assure qu'il peut être opposé à tous les autres phonèmes de la même langue) et se combinent avec d'autres traits, dits non distinctifs, qui sont dus soit à l'influence du contexte, soit au statut sociolinguistique du locuteur. Apprendre à parler une langue, c'est donc en partie engrammer les mouvements articulatoires qui permettront d'engendrer les « complexes de traits » reconnus comme des phonèmes par ceux qui ont appris à les différencier en comparant leurs qualités acoustiques. Or les recherches de R. Jakobson en phonologie (*Preliminaries to Speech Analysis,* Cambridge, Mass., 1952, en collaboration avec G. Fant et M. Halle) ont précisément abouti à l'établissement d'une grille de classification de douze traits distinctifs binaires permettant de dégager les oppositions caractérisant chacune des langues existant au monde. Ce qui est proposé, ce sont des catégories qui peuvent recevoir une interprétation acoustique *et* une interprétation articulatoire. On peut discuter des avantages et des inconvénients d'un tel binarisme, surtout lorsqu'il est accompagné d'une relance implicite de la théorie des universaux; mais il a le mérite de chercher à éliminer les redondances tout en structurant *l'ensemble* du système phonologique propre à chaque langue.

— Dans les positions de neutralisation d'une opposition, les traits distinctifs se réduisent aux traits communs aux deux termes de cette opposition, traits qui définissent phonologiquement l'**archiphonème.**

Un court extrait du tableau des consonnes du français illustrera ce type d'analyse :

	/p/	/b/	/m/
nasal	—	—	+
vocalique	—	—	+
interrompu	+	+	+
continu	—	—	+
compact	—	—	—
aigu	—	—	—
voisé	—	+	+

(/+ continu/ = absence d'un silence, /+ vocalique/ = présence de formants).

Tout phonème est constitué d'une suite de traits non ordonnés, suite qui assure qu'il ne peut être confondu avec aucun autre phonème de la langue décrite.

LES SYSTÈMES PHONOLOGIQUES DU FRANÇAIS

La description du système consonantique du français n'offre guère de difficultés lorsque l'on passe du plan phonétique au plan phonologique. Il est aisé de découvrir un nombre important de paires minimales permettant d'affirmer que les 17 sons indiqués page 84 sont autant de phonèmes jouant un rôle dans la communication.

Les problèmes sont beaucoup plus complexes pour le système vocalique. Si l'on prend le tableau suivant :

voyelles orales simples   [i] [e] [ɛ] [a] [ɑ] [ɔ] [o] [u]

voyelles orales composées   [y] [ø] [œ] [ə]

voyelles nasales   [ɛ̃] [œ̃] [ɑ̃] [ɔ̃]

on s'aperçoit que les paires minimales opposant un son à un autre son sont parfois rares et peu opérantes. Tel est le cas pour /a/ ~ /ɑ/ (je suis là/je suis las), /ɛ̃/ ~ /œ̃/ (brin/brun), /ø/ ~ /œ/ (jeûne/jeune), /ɔ/ ~ /o/ (Paul/Paule), et, à un degré moindre, pour /e/ ~ /ɛ/ (fée/fait), qui contribuent, par exemple, à différencier le futur -ai /e/ du conditionnel -ais /ɛ/. La phonémique du « e instable » (/ə/), elle, constitue un cas particulier : d'une part, sa présence ou son absence ont une valeur distinctive dans des séquences comme dehors/dort, le haut/l'eau ; d'autre part, quand il est prononcé, il ne s'oppose jamais à /ø/ ou /œ/ mais à /e/ (ou à /ɛ/), pour distinguer singulier et pluriel (le chant/les chants), présent et passé composé (je chante/j'ai chanté), et des formes lexicales comme : dessous/des sous.

On peut donc décider, en fonction des remarques précédentes, que le système vocalique du français oscille, selon les locuteurs et le style utilisé, entre un système maximal de 16 phonèmes et un système minimal de 10 phonèmes.

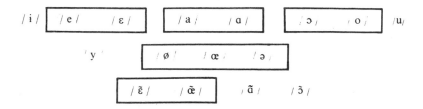

Remarque : Les phonèmes de ce tableau situés à l'intérieur d'un même cadre seront utilisés par certains locuteurs comme des variantes libres.

La réduction plus ou moins prononcée du système phonologique d'une langue est donc fondée sur la prise en considération du rendement des oppositions. Ce rendement est évalué en fonction de la fréquence des mots constituant les paires minimales, de l'identité de leur catégorie syntaxique ou non, du caractère morphologique de l'opposition, etc. Il est évident, d'autre part, que la réalisation par un locuteur du système minimal tendra à être interprétée comme propre au « style familier ».

Une simplification d'un autre ordre peut être appliquée aux semi-consonnes. Sur le plan phonologique, il est toujours possible de substituer à /ɥ/ et /w/ les voyelles dont elles sont issues ; un mot comme *nuage* est souvent prononcé en deux syllabes [ny-aʒ], transcription d'ailleurs adoptée par le D.F.C. (cf. *infra*, p. 142). De plus, peu de paires minimales opposant ces sons *(Louis/lui, enfoui/enfui...)*, il n'est pas rare que le /w/ soit utilisé à la place du /ɥ/ (ex. : *juin, linguistique...*). Cependant le *yod*, lui, ne peut être remplacé par un [i] qu'après une consonne (ex. : *rien*) ou dans le mot *hier* ; dans les autres distributions, il reste un phonème à part entière et peut même s'opposer à [i] à la finale de certains mots : *abbaye*/abɛi/ — *abeille*/abɛj/ (*abbaye* peut être prononcé avec un /e/ ou un /ɛ/).

6. LES FAITS PROSODIQUES

Dans les chapitres précédents ont été analysés les constituants articulatoires et acoustiques des éléments minimaux de la chaîne parlée : les phonèmes. Ces éléments minimaux sont insérés dans des unités de rang supérieur (syllabes, « mots phoniques », groupes rythmiques...) dites *suprasegmentales* dans la linguistique américaine mais appelées le plus souvent *prosodèmes* dans les ouvrages européens (la science qui s'en occupe étant alors la *prosodie*). Comme pour les voyelles et les consonnes, on peut en traiter soit sur le plan de la substance, soit sur le plan de la forme.

On distingue généralement dans la prosodie d'une langue les **faits accentuels** (nature et place de l'accent), le **rythme** (répartition des accents et des pauses) et l'**intonation** (dont la substance est désignée par le terme de *mélodie*). Toutefois, les différents prosodèmes étant constitués des mêmes phénomèmes physiques (fréquence, amplitude, durée), il est souvent difficile de décider, en un point précis du continuum sonore, si tel ou tel facteur acoustique appartient plus précisément au phénomène accentuel ou au phénomène intonatif, par exemple. De ce fait, il peut donc paraître plus simple de définir chacun d'entre eux par le rôle qui leur est dévolu dans la communication; d'où le recours aux trois fonctions proposées par N.S. Troubetzkoy : *la fonction distinctive* (qui permet de différencier l'une de l'autre deux unités significatives), *la fonction démarcative* (qui conduit à reconnaître les limites d'une unité linguistique) et *la fonction culminative* (qui assure une mise en relief de certains éléments du message). Mais, là encore, les chevauchements sont tels qu'il est impossible d'attribuer *une* fonction précise à *un* prosodème donné; ainsi l'*accent*, que l'on identifie à la fonction culminative, exerce également dans certaines langues une fonction démarcative (dans ce cas, il est fixe) et dans d'autres une fonction distinctive (dans ce cas, il est libre et permet, par exemple, de différencier en anglais le nom *'increase* du verbe qui, lui, est accentué sur la seconde syllabe : *in'crease*).

L'*intonation*, quant à elle, peut être essentiellement identifiée au fonctionnement signifiant de la fréquence fondamentale de l'onde

100

sonore au niveau de la phrase, fonctionnement repéré acoustiquement par les variations de hauteur du ton laryngien. Mais il convient de préciser immédiatement :

— que ces mêmes variations peuvent opérer à un autre niveau dans les *langues à ton* et que, dans ce cas, elles jouent, au même titre que les phonèmes, une *fonction distinctive* dans des paires minimales où elles caractérisent soit des syllabes (chinois de Pékin, par exemple), soit des combinaisons de syllabes (suédois, par exemple);

— que d'autres facteurs acoustiques comme l'intensité ou la durée sont peut-être redondants mais contribuent incontestablement à amplifier ou à réduire les impressions auditives de montée ou de chute mélodique.

Les psycho-acousticiens ont en effet abondamment démontré à quel point la perception de l'intonation est multi-paramétrique. Il est avéré, par exemple :

— que plus la finale d'une courbe interrogative montante est intense, plus elle est perçue comme aiguë (influence de la force);

— qu'une montée sur une voyelle intrinsèquement aiguë comme [i] est plus nettement entendue que si elle se fait sur un [u] intrinsèquement grave (influence du timbre);

— que deux lignes mélodiques d'égale hauteur auront tendance à être différenciées en fonction de la rapidité de leur réalisation, la plus rapide étant identifiée comme la plus aiguë (influence du *débit*, c'est-à-dire de la vitesse plus ou moins grande à laquelle on parle).

Il convient donc de garder présent à l'esprit que des *lois de compensation* interviennent constamment dans le phénomène intonatif, soit sur le plan de l'acoustique (si les variations de hauteur du ton laryngien sont insuffisantes, les autres paramètres mélodiques joueront en plus grand nombre ou se trouveront renforcés), soit sur celui du fonctionnement globalisant du discours (si la structuration syntaxique de l'énoncé est suffisamment prégnante pour rendre le trait intonatif redondant, celui-ci peut ne pas être réalisé par le locuteur).

Mais l'étude du rôle joué par l'intonation dans le processus communicationnel ne se réduit pas à un appel aux trois fonctions citées précédemment. Comme l'a fort bien démontré Troubetzkoy dans ses *Principes de Phonologie* (voir *Lectures*, p. 107), quand nous écoutons un locuteur, nous repérons *qui* parle, sur *quel ton* il parle, et *ce qu'*il dit. Trois plans du fonctionnement de la chaîne parlée (et par conséquent de l'intonation) sont donc susceptibles d'être définis : le *plan expressif,* le *plan appellatif* et le *plan représentatif,* chacun d'entre eux pouvant jouer un rôle de *signal* (volontairement émis par le locuteur) ou d'*indice* (involontairement émis par celui qui parle mais reconnu par le récepteur).

Au plan expressif est rattaché tout ce qui permet de repérer l'identité du sujet (sexe, classe d'âge, origine géographique, statut socio-culturel), étant bien entendu qu'il s'agit là d'un système conventionnel, c'est-à-dire socialisé.

Au plan appellatif correspondent les traits qui appartiennent au fonctionnement impressif du langage, ces impressions pouvant être sous le contrôle de l'émetteur (signal) ou non (indice). Un locuteur peut en effet vouloir montrer son mécontentement à celui qui écoute ou trahir involontairement l'état de colère dans lequel il se trouve.

Au plan représentatif (ou référentiel, pour Jakobson) est associé ce qui autorise la reconnaissance de phrases composées de mots ayant un sens déterminé.

PHÉNOMÈNES ACCENTUELS ET RYTHMIQUES DU FRANÇAIS

L'accent du français est un **accent fixe,** qui tombe toujours sur la dernière syllabe « ferme » (c'est-à-dire n'ayant pas un [ə] pour élément vocalique) de l'unité accentuelle. Grâce aux analyses et aux synthèses faites en laboratoire, on sait désormais que la durée est le paramètre acoustique qui permet de repérer cet accent avec le plus de certitude. Mais il ne s'agit nullement d'un critère de reconnaissance exclusif. Dans certains cas, on constate qu'aucune différence de longueur n'est mesurable sur les tracés alors que des variations de fréquence et d'amplitude caractérisent nettement les syllabes senties comme accentuées à l'audition. Ce phénomène, notons-le, est plus net dans la conversation courante que dans la lecture, où un débit plus lent permet de mieux équilibrer les rapports de durée entre syllabes marquées et syllabes non marquées. Quoi qu'il en soit, ce repérage instrumental et objectif ne doit pas être confondu avec le repérage perceptif, pour lequel la hauteur constitue certainement l'élément donnant le plus facilement une impression d'accent (d'où l'utilisation par certains linguistes du terme *accent tonique*).

Si l'accent final du français est essentiellement un accent de durée, il n'en reste donc pas moins vrai que des variations de fréquence contribuent également à son repérage dans la chaîne parlée alors que l'intensité, elle, ne joue probablement à ce niveau qu'un rôle compensatoire ; d'ailleurs, dans des conditions normales, ce sont plutôt les syllabes accentuées situées en fin d'énoncé qui connaissent l'intensité la plus faible.

Comme nous l'avons vu précédemment, l'accent du français, puisqu'il est fixe, ne peut exercer de fonction distinctive. Il n'en reste pas moins vrai que le mot constitue l'unité accentuelle « théorique » (ex. : *cinémá, diplomatié, élaboratión*) de cette langue, où une très forte tendance à la *désaccentuation* contribue pourtant à organiser la chaîne parlée en fonction de proéminences accentuelles marquant la dernière syllabe ferme d'unités de rang supérieur, que l'on appelle généralement **groupes rythmiques.**

102

Rappelons tout d'abord que certains mots, en dehors de cas exceptionnels, ne sont habituellement pas accentués; sans entrer dans le détail d'une liste exhaustive, on peut dire que ce sont essentiellement :
— les pronoms personnels sujets ou compléments;
— les *mots fonctionnels* (ou mots-outils), qui indiquent *soit* des relations grammaticales entre les syntagmes constitutifs de la phrase (ex. : les prépositions), *soit* des relations grammaticales entre les phrases (ex. : les conjonctions), *soit* les frontières de syntagmes nominaux où ils jouent un rôle de déterminant (ex. : les articles et les adjectifs démonstratifs, possessifs, relatifs, indéfinis).

D'autres mots sont soumis à une *désaccentuation totale* dans des séquences où interviennent des conditions de structuration particulière. Celles-ci peuvent agir au niveau du *lexique* (l'effacement du premier accent dans des unités comme : *eau-de-vié, fer à repassér, livre de comptes* témoigne de la perception d'un sémantisme global), de la *syntaxe* (l'adjectif épithète antéposé est désaccentué, parce qu'il indique par sa distribution une qualité inhérente au nom qui suit : *d'admirables gravúres*) ou de la *prosodie* (le français n'acceptant pas la succession de deux syllabes accentuées si elles ne sont pas séparées par un silence, un syntagme tel que : *du chocolát súisse* sera réalisé avec une désaccentuation de l'élément nominal si le locuteur ne prend pas de temps de pause avant de passer à l'adjectif : *du chocolat súisse*).

Mais l'aspect le plus original du système français réside dans ce que l'on pourrait appeler une « désaccentuation partielle ». Ce qui signifie que les accents les plus perçus dans le continuum sonore de la chaîne parlée sont ceux qui marquent la fin de groupes de mots constituant non seulement des unités de sens mais aussi (et surtout) des unités syntagmatiques. Une phrase comme : *les pêcheurs éviteront la tempête grâce aux prévisions de la météo* comprend cinq accents virtuels *(les pêcheúrs éviterónt la tempête grâce aux prévisións de la météó)* qui, selon toute probabilité, ne seront pas concrétisés de la même façon. On peut en effet supposer qu'un locuteur parlant à une vitesse normale tendra à désaccentuer plus ou moins nettement *éviteront* et *prévisions* pour mieux faire entendre les principaux « constituants » de la phrase (P → SN + SV + SP : les pêcheúrs éviterónt la tempête grâce aux prévisións de la météó).

En français, la structure syntaxique de l'énoncé est donc en quelque sorte génératrice de la structuration rythmique. Cela dit, il convient d'ajouter immédiatement que tout modèle accentuel virtuel dépendra fortement dans sa réalisation :
— du débit;
— de la nécessité de ne pas trop désaccentuer, puisque des laps de temps excessifs entre chaque accent risquent de fausser la perception des rapports hiérarchiques de l'énoncé;

— de la nature articulatoire et acoustique de la syllabe accentogène (susceptible de porter l'accent);

— de l'influence perturbatrice d'un autre type d'accent, généralement appelé *accent d'insistance,* qui marque le début des mots sur lesquels on veut insister *(c'est formidable!),* mais dont un emploi excessif modifie considérablement la nature acoustique du message. A la limite, il ne serait pas erroné de dire que, dans certains styles de réalisation orale, l'accent d'insistance, par sa systématisation, joue désormais un rôle démarcatif (totalement différent de celui exercé par l'accent final de groupe).

Quant aux *groupes de souffle,* ils sont constitués d'un ou plusieurs groupes rythmiques et se terminent par des pauses dont la répartition n'est nullement indiquée par les signes de ponctuation du code graphique. En réalité, ils sont difficilement repérables en dehors des tracés reproduisant les variations de la pression buccale et du volume pulmonaire.

PHÉNOMÈNES INTONATIFS DU FRANÇAIS

Les techniques nouvelles utilisées en laboratoire (synthèse de la parole permettant de faire varier les paramètres, reconnaissance des *patterns* (« patrons ») au moyen d'un ordinateur, etc.) ont permis d'extraire un certain nombre de traits acoustiques structurant l'intonation. Ce sont :

— le trait de direction de la courbe (montante ou descendante);

— les traits de durée et/ou d'intensité, à valeur essentiellement compensatrice;

— le trait de forme de la courbe (⌣ , ⌐ , \ );

— le trait de registre (bande fréquentielle, dans laquelle se situe une partie déterminée de la courbe : attaque, finale, etc.);

— le trait de pause qui, dans des langues comme le français, est essentiellement réservé à la fonction expressive. En effet, dans une phrase comme : *ils cherchent une solution,* le locuteur tend naturellement à ne pas rompre la continuité du flux sonore et module (passage d'un ton à l'autre) en réalisant un enchaînement consonantique : cher|*chent une.*

On utilise habituellement quatre registres pour la description phonologique du système intonatif français :

4	aigu	-	interrogation
3	infra-aigu	-	inachèvement
2	médium	-	syllabes inaccentuées
1	grave	-	achèvement

104

Quant aux registres suraigu (5) et infra-grave (0), ils jouent un rôle dans l'étude des plans expressif et appellatif.

L'A.P.I. n'offrant aucun système de transcription pour l'intonation, on peut se demander à juste titre s'il est possible de la noter. Certains linguistes adoptent une visée extrêmement généralisante et se contentent d'opposer l'*intonème* (fait intonatif à valeur fonctionnelle) *montant*, traducteur de l'inachèvement, à l'*intonème descendant*, traducteur de l'achèvement.

Il t'a dit qu'il l'a vu   [il tadi ↑   killavy ↓]

Une telle transcription ne rend guère de services lorsqu'il s'agit de visualiser l'intonation durant une procédure d'apprentissage; en effet, il est alors tout aussi important, par exemple, de signaler la hauteur à laquelle on attaque le début de la phrase. D'une façon générale, il est donc préférable d'utiliser une « échelle » reprenant la structure en registres et de symboliser la ligne mélodique par une courbe ou une série de courbes; cette représentation a également pour mérite de rappeler que, dans la parole, la voix ne cherche pas à « tenir la note » et passe d'une unité sonore à l'autre dans une sorte de « glissando » extrêmement caractéristique.

La description du système intonatif français soulève encore de nombreux problèmes. Précisons donc d'abord que les classifications proposées ci-dessous s'inspireront essentiellement des travaux de P. Delattre et de P. Léon et ne prendront pas en considération les recherches sur les intonations de base qui demandent l'application de règles de réécriture (cf. 2e tome, 1re partie).

On peut distinguer (si l'on neutralise tout fait expressif ou appellatif) :

1) un système où l'intonation joue un rôle nettement syntaxique pouvant parfois se suffire à lui-même.

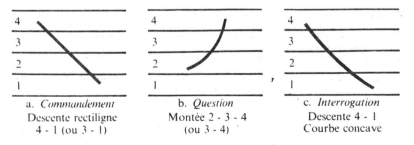

a. *Commandement*	b. *Question*	c. *Interrogation*
Descente rectiligne	Montée 2 - 3 - 4	Descente 4 - 1
4 - 1 (ou 3 - 1)	(ou 3 - 4)	Courbe concave

Commentaires : a) L'intonation peut à elle seule marquer le « commandement » : *Vous partez avec moi,* mais devient redondante si interviennent des informations d'ordre syntaxique (en particulier grâce à l'impératif) ou sémantique.

b) La « question » correspond aux interrogations oui-non (ce sont les seules réponses possibles). Trois structures syntaxiques sont utilisées : inversion, formule interrogative *est-ce que*, syntaxe énonciative. Dans une phrase comme : *Vous descendez à la prochaine?*, l'intonation joue un rôle nettement phonologique.

c) Dans « l'interrogation » la présence d'un morphème interrogatif suivi d'une inversion autorise des variations mélodiques individuelles plus marquées : comment (↑) conduisez-vous (↑ ou ↓)?

2) un système où l'intonation assure une fonction démarcative participant de la structuration syntaxique de l'énoncé.

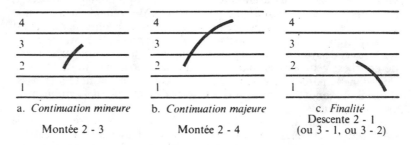

a. *Continuation mineure* b. *Continuation majeure* c. *Finalité*
Montée 2 - 3   Montée 2 - 4   Descente 2 - 1 (ou 3 - 1, ou 3 - 2)

Commentaires : La théorie de Delattre distinguant deux types de « continuation » est fort discutée; il n'en est pas moins vrai qu'un sommet mélodique est le plus souvent perçu dans toute phrase énonciative groupant deux ou plusieurs mélodies de continuation (établissement de l'idée/achèvement de l'idée) : *Il est un pays superbe* (c. mineure), *un pays de Cocagne* (c. majeure), *dit-on, que je rêve de visiter avec une vieille amie* (finalité).

d. *Parenthèse haute* e. *Parenthèse basse* f. *Écho*
Intonation plate 3 - 3   Intonation plate 1 - 1   Intonation plate 4 - 4

Commentaires : La « parenthèse basse » est l'intonation utilisée pour les groupes incis (*dit-on*, dans la phrase de Baudelaire citée ci-dessus). « Parenthèse haute » et « parenthèse basse » sont entendus

concurremment dans les cas où la rupture de l'énoncé intervient à la fin de la phrase; si la phrase est interrogative : parenthèse haute, si la phrase est énonciative : parenthèse basse. Ex. : *Tu l'as vu, ton ami* (finale 1 — 1)/*Tu l'as vu, ton ami?* (finale 3 — 3). L'« écho » correspond à ce que l'on appelle habituellement une mise en apostrophe.

LECTURES

Phonétique et phonologie générales

B. MALMBERG : *La Phonétique* (Coll. « Que sais-je? », n° 637, P.U.F., 9ᵉ éd. mise à jour, 1971).

Bonne initiation à la phonétique générale. Certaines parties et surtout le chapitre IX demanderaient à être de nouveau remis à jour.

B. MALMBERG : *Les Domaines de la Phonétique* (Coll. « Sup », série « Le linguiste » n° 10, P.U.F., 1971).

Exposé systématique, clair et précis de toutes les questions posées par la phonétique générale; la plupart des exemples ne sont pas empruntés au français.

Peter B. DENES et Elliot N. PINSON : *La Chaine de Communication verbale.* Physique et Biologie du Langage (Laboratoires du Téléphone Bell, éd. Thérien Frères, Montréal, 1963).

Excellente initiation à la phonétique acoustique, et aux grands problèmes posés par l'émission et la réception des sons du langage humain.

A. MARTINET : *Éléments de Linguistique générale* (Coll. U2, A. Colin, rééd. revue et augmentée, 1968).

On trouvera dans ce manuel d'initiation une présentation dense et complète des principes de l'analyse phonologique (chapitre 3).

R. JAKOBSON : *Essais de Linguistique générale* (Coll. « Points », Éd. de Minuit, 1963).

La partie de cet ouvrage intitulée « Phonologie » conduit à mieux comprendre comment on peut définir des traits distinctifs; le système proposé, toutefois, se veut fondamentalement binariste.

N.S. TROUBETZKOY : *Principes de Phonologie* (trad. J. Cantineau, Klincksieck, 1949, réimpr. 1957).

Ouvrage souvent difficile mais qui constitue le classique de la phonologie structuraliste.

P. Léon et Ph. Martin : *Prolégomènes à l'Étude des Structures intonatives* (Coll. « Studia Phonetica », N° 2, Didier, 1970).

Ouvrage de base dont la lecture pourra être complétée par celle des articles composant le n° 3 de la même collection paru sous le titre : *Analyse des faits prosodiques.*

R. Jakobson : *Six leçons sur le son et le sens* (Éd. de Minuit, 1976).

Introduction à la méthode structurale et tout particulièrement à la phonologie ; toutefois, les textes sont de 1942.

Phonétique et phonologie descriptives du français

P. et M. Léon : *Introduction à la Phonétique corrective* (Hachette-Larousse, 1964, nombreuses rééd.).

Excellent ouvrage d'initiation. Présentation rapide et complète du système français sous un éclairage utile à tout enseignant de cette langue.

F. Carton : *Introduction à la Phonétique du Français* (Bordas, 1974).

Ouvrage complet mais un peu touffu. Une grande place y est accordée à la phonétique historique. La dernière partie a le mérite de signaler les problèmes posés par la prononciation *des* français contemporains.

A. Martinet : *Le Français sans fard* (Coll. « Sup », série « Le linguiste », n° 6, P.U.F., 1969).

Recueil d'articles clairs et enrichissants qui ont pour avantage de bien montrer que toute étude linguistique doit obligatoirement associer les différents paramètres de l'analyse.

A. Martinet : *La Prononciation du Français contemporain* (Droz, 1945, rééd. 1972).

Description fonctionnaliste d'un état de langue (1941) qu'il est utile de comparer avec le nôtre.

P. Léon : *Prononciation du Français standard* (Didier, 1966).

Manuel d'orthoépie très clair (nombreux tableaux).

P. Delattre : *Studies in French and Comparative Phonetics* (Mouton, 1966).

Beaucoup plus technique que les précédents, ce recueil constitue néanmoins l'ouvrage auquel se réfèrent tous ceux qui s'intéressent à l'enseignement du français, langue maternelle ou étrangère, et à la poétique. Sa lecture devrait être complétée par celle de deux articles « Comparing the vocalic (consonantal) features of English, German, Spanish and French » parus dans la revue I.R.A.L. II (1964).

TROISIÈME PARTIE
Problèmes du lexique

Avec la phonétique et la phonologie, nous avons eu accès aux unités linguistiques de deuxième articulation, qui se combinent pour constituer des unités douées de sens, les *monèmes* ou *morphèmes*. Cette troisième partie étudie précisément ces unités de première articulation, et sous deux perspectives, lexicologique et lexicographique. On commencera par essayer de clarifier le statut du mot en le situant dans la double problématique du mot comme unité de *langue* et comme unité de *discours* en prise sur l'univers social. Pour étudier les lexèmes, la lexicologie structurale leur a appliqué les concepts et méthodes éprouvés en phonologie et en syntaxe : analyse distributionnelle, analyse en traits distinctifs, fondées sur les notions de *valeur* et de *champ sémantique*. Les pages consacrées à la lexicographie et en particulier à la pratique du dictionnaire devraient permettre aux étudiants de mieux maîtriser cet instrument de travail privilégié qu'est le *dictionnaire de langue*.

1. LE MOT

La notion de *mot* présente ce double caractère d'être familière, évidente pour le grand public, et cependant de constituer pour le linguiste une source de difficultés théoriques considérable. Accepter l'idée que le mot est à la base de l'apprentissage de la langue, qu'elle soit orale ou écrite, revient à admettre, comme l'a toujours proposé la grammaire traditionnelle, qu'il constitue l'unité fondamentale de la langue et qu'il reste au fondement de la constitution des dictionnaires.

Or, une fois mis en évidence le caractère systématique de la langue, la linguistique a été confrontée au redoutable problème de la délimitation des unités linguistiques — et ce, dès le *Cours de Linguistique générale* (in chap. II, deuxième partie : *Les entités concrètes de la langue*). Le mot se trouve à la croisée des deux axes de la langue : l'axe syntagmatique, où s'établissent des relations entre termes co-occurrents — il concerne par là toutes les recherches de la grammaire structurale (morphologie, morphosyntaxe, syntaxe) —, et l'axe paradigmatique, où s'établissent des relations entre termes « substituables » — il renvoie par là à toutes les questions touchant le *lexique* et le *vocabulaire*. Dans la présentation classique de la question par le structuralisme, le domaine de la grammaire inclut aussi bien certains éléments intérieurs au mot (les flexions) que les rapports syntagmatiques des mots entre eux, alors que le domaine du lexique comporte les mots eux-mêmes et les éléments de *composition* et de *dérivation*.

La linguistique structurale, même si elle a opéré une critique de la notion traditionnelle de mot, n'a pu s'interdire d'en faire l'une de ses préoccupations essentielles, alors que, dans d'autres optiques — non taxinomiques —, privilégiant plus le discours que le signe isolé (analyse du discours), faisant de la phrase l'unité fondamentale de la langue (grammaire générative), cette question a perdu de son acuité.

Nous examinerons la validité du mot comme outil pour une description scientifique de la langue, avant de montrer les limites de toute conception qui ignore la dimension du discours, ce qui nous permettra de mettre en évidence l'importance socio-culturelle du mot.

110

LA SYNTAXE DU MOT

Dans l'optique saussurienne, les unités linguistiques n'apparaissent pas données d'avance : il faut les identifier, les délimiter. C'est dire que le mot dans sa « réalité » acoustique ou graphique, dans son évidence pour l'usager de la langue, ne saurait être identifié scientifiquement comme l'unité linguistique de base : il ne peut en donner qu'une idée très approximative. D'autre part, Saussure a conscience des éléments disparates qui se dissimulent derrière l'appellation de « mot » : ce caractère vague ne permet pas une appréhension rigoureuse des problèmes, interdit de retenir cette notion comme un concept opératoire. Ainsi, la linguistique doit mettre en évidence l'obstacle que constitue le mot pour la description fonctionnelle de la langue, sans pour autant renoncer à proposer une définition de cet élément essentiel au *sentiment linguistique* des locuteurs.

- Le mot dans le code oral et le code écrit

Nous sommes à ce point conditionnés par l'écriture (à travers toute notre culture, et depuis l'école) que la tentation est grande, dès qu'on parle du mot, de le définir immédiatement en termes graphiques. Une telle attitude a même conduit certains linguistes à se demander si le graphisme ne « créait » pas les mots. A cette affirmation, on peut répondre clairement non : l'aptitude à la division en mots n'étant pas ignorée par exemple des peuples sans écriture. En tout cas, on peut opposer la stabilité du *mot graphique* à la mouvance du *mot phonétique* et noter surtout la non-coïncidence de ces deux notions.

Le mot, à l'écrit, est un groupement de lettres, séparé, à gauche et à droite, par un blanc, des autres éléments du texte. Or, ces blancs du texte ne correspondent pas toujours, tant s'en faut, aux limites du code oral : de nombreux phénomènes, telles les liaisons, prouvent que l'isolement du mot à l'écrit n'est qu'une convention inhérente à ce code, qui ne vaut pas à l'oral. A. Martinet (art. cité dans la bibliographie) fait cette remarque qu'un étranger, en se fiant à ce qu'il entend, écrirait *jlaluidonne* en un seul mot, là où l'orthographe et surtout les structures grammaticales commandent de l'écrire en quatre mots : *je la lui donne*.

Pour qui s'ingénie à trouver des critères phoniques de délimitation du mot, le résultat risque d'être aussi décevant. Pas plus la position de l'accent que la « pause potentielle » (possibilité de s'arrêter après l'émission d'une séquence de sons) ne constituent vraiment des critères convaincants : les locuteurs peuvent souvent faire entendre des accents ou réaliser des pauses en des points différents d'une même séquence sonore. De tels critères ne nous permettent donc pas d'appréhender le fonctionnement réel de l'élément mot.

Ainsi les limites graphiques des mots ne correspondent pas aux limites orales; mieux encore, on verra que mots graphiques et mots phoniques ne coïncident pas avec les entités de la *langue* et ne donnent pas une juste idée de sa structure véritable. Or, c'est justement pour rendre compte de son fonctionnement, que la linguistique structurale s'est essayée à définir l'unité de base de la langue : le **monème** dans la terminologie de Martinet. Situons le problème du mot par rapport à notre connaissance (acquise au chapitre 4, 1re partie) de l'unité minimale de signification.

- Le mot : unité de la langue?

Pour délimiter les monèmes, il faut partir de l'existence des « mots » dans les énoncés : comme le dit Martinet, le mot est un « écran » derrière lequel se cachent « les traits réellement fondamentaux du langage humain » (art. cit.). Or, entre le monème et le mot, différents rapports sont possibles, comme le montre le recours au test de commutation (cf. chap. 4) : soit le monème est équivalent au mot (les mots *travail* ou *calcul* constituent chacun un seul monème), soit le mot comprend plusieurs monèmes *(travaill-ons, calcul-ateur)*, soit plusieurs mots ne forment qu'un monème *(au fur et à mesure)*. Ces monèmes se divisent eux-mêmes en deux catégories : les monèmes grammaticaux ou **morphèmes** et les monèmes lexicaux ou **lexèmes,** et les mêmes écarts se retrouvent avec le mot : un morphème peut être un mot (l'article *le*) ou seulement une partie de mot (-*ons* dans *travaillons*); un lexème peut être un mot *(travail, calcul)* ou seulement une partie de mot (*travaill-* dans *travaillons*, *calcul-* dans *calculateur*). Cette bipartition entre morphèmes et lexèmes a pour rôle d'expliciter le fonctionnement de la langue (point de vue lexical et point de vue grammatical), fonctionnement qui reste incompréhensible si l'on s'en tient aux divisions en mots de l'énoncé.

Mais la segmentation de la chaîne se heurte souvent à des difficultés considérables : il arrive qu'on ne puisse pas identifier « physiquement » les monèmes au sein du mot. Ainsi il est impossible de segmenter le terme *chevaux* en un lexème *cheval* et en un morphème qui marque le pluriel. Où pratiquer la césure? C'est pour pallier cette difficulté que certains linguistes, les Américains en particulier, ont introduit la distinction entre **morphème** et **morphe.** Dans cette optique, le morphème (équivalent du monème chez Martinet) cesse d'être un segment physiquement repérable dans le mot pour devenir un constituant grammatical *abstrait.* On dira ainsi que *chevaux* équivaut a deux morphemes : *cheval + pluriel* (Martinet, lui, parle de *monème amalgamé*). Le nom de *morphes* désigne les morphèmes quand ils sont physiquement repérables : ils représentent *concrètement* les morphèmes abstraits. Ainsi les deux morphèmes *cheval + pluriel* sont représentés par un seul morphe *chevaux*; en revanche, les morphèmes *ce + féminin* correspondent à deux morphes [sɛ] et [t].

Cette distinction entre morphème et morphe est dans la ligne de l'opposition saussurienne *forme/substance* : le morphème « est un élément de forme, arbitrairement lié à sa réalisation substantielle au niveau phonologique ou orthographique de la langue » (J. Lyons, *op. cit*, p. 142). En outre, elle présente l'intérêt de donner une solution au problème des réalisations différentes du même morphème : ainsi /aller/ est-il réalisé en français par les **allomorphes** : *all-, v-, i-, (aller, je vais, nous irons)*.

A l'aide de ces notions de morphe, morphème, allomorphe, on peut déterminer des types de langue, en particulier opposer les langues *agglutinantes* (le turc, par exemple), dans lesquelles chaque morphe représente un morphème, aux langues *flexionnelles* (le latin) pour lesquelles la segmentation en morphes est très difficile. Pour ce problème : cf. J. Lyons pp. 144 et sq.

A travers cet exposé succinct sur la délimitation des unités linguistiques (morphèmes ou monèmes), nous sommes amenés à reconnaître le caractère *inopérant* de la notion de mot. Quel intérêt y a-t-il à conserver le même terme (mot) pour nommer les réalités linguistiques les plus diverses, les fonctionnements les plus hétérogènes? On est pourtant en droit de se demander pourquoi certaines combinaisons de monèmes (ou morphèmes) ne sont pas séparées dans l'énoncé (forment des mots) et d'autres le sont, autrement dit, s'il y a des *critères formels* d'identification du mot.

- Les définitions du mot en linguistique structurale

Si les réponses varient avec les écoles linguistiques, si les terminologies diverses ajoutent quelque confusion à une question déjà délicate, on peut néanmoins retenir quelques constantes dans les critères de définition du mot. Nous examinerons successivement les conceptions de Martinet, Bloomfield et E. Coseriu en la matière.

Pour Martinet, il existe deux grands types d'unités significatives : le **monème** et le **syntagme** ou combinaison de deux ou plusieurs monèmes. Le mot ne recouvre ni l'un ni l'autre ; il ne peut être défini en *compréhension,* seulement en *extension* (pour ces deux termes cf. chap. 2, 3ᵉ partie). Sous la rubrique « mot », on mettra deux classes d'éléments qui, eux, ont une place dans la structure linguistique : un type particulier de syntagme autonome caractérisé par l'*inséparabilité* de ses composants et un ensemble de monèmes d'une grande diversité. Ainsi Martinet s'intéresse moins à donner une définition du mot qu'à découvrir, à travers la critique de cette notion, toutes les modalités de fonctionnement des unités significatives.

C'est à partir de la différence entre la « forme minimale » ou « morphème » et le syntagme, « forme libre non minimale », que Bloomfield définit le mot comme **« forme libre minimale »**, c'est-à-dire comme forme qui « peut être émise seule mais qui est indécomposable en éléments qui puissent (tous) être émis seuls avec un sens » : ainsi *calculateur* est une forme libre minimale, car si je peux émettre *calcul* seul, je ne peux faire de même avec *-ateur*. Cette définition, intéressante pour les groupements de morphèmes lexicaux, ne couvre cependant pas les mots grammaticaux : comment émettre seuls l'article *le* ou la préposition *dans*?

Il reste que nous retrouvons ici, comme chez Martinet, le critère de l'inséparabilité des éléments. Nous pourrons appeler mots tous les groupements de morphèmes (ou monèmes) qui se caractérisent par une *forte cohésion interne* de leurs composants et une rigidité de leur ordre. Si l'on peut *insérer* un élément à l'intérieur d'une suite, cette suite n'est pas un mot mais un syntagme : entre *la* et *maison*, on peut insérer un ou deux adjectifs *(la jolie petite maison)*, alors que cette opération d'insertion est exclue dans des combinaisons comme *chef-d'œuvre, pomme de terre*, etc.

E. Coseriu utilise également cette notion de cohésion interne pour différencier **technique du discours** et **discours répété**. La *technique du discours* comprend les unités lexicales et grammaticales et les règles pour les modifier et les combiner dans la phrase (syntaxe). Le *discours répété*, quant à lui, englobe toutes les unités, *de longueur fort variable*, dont les éléments constitutifs ne peuvent être remplacés ou re-combinés en fonction des règles actuelles de la langue. Par exemple, *calme* appartient à la technique du discours parce qu'il entre dans toutes les combinaisons qu'admet son signifié *(un enfant calme, une maison calme, rester calme)*, alors que *coi* est un élément inséparable des segments de discours répété qui le contiennent *(rester coi, se tenir coi)* et ne peut, par conséquent, entrer dans les combinaisons Nom + Adjectif (*un enfant coi, *une maison coite)*.

Cette distinction est opératoire dans la mesure où elle permet d'ajouter que, théoriquement, seuls les énoncés en technique du discours sont analysables en termes de structure. Les éléments constitutifs des segments de discours répété, parce qu'ils ne sont pas commutables, échappent à ce type d'analyse et constituent des *blocs lexicaux* qui, eux, participent de la technique du discours lorsqu'ils sont examinés globalement.

Le concept de discours répété, qui met sur le même plan de fonctionnement des équivalents de phrases, de syntagmes ou de lexèmes, possède une seconde valeur méthodologique : celle de montrer autrement, mais tout aussi clairement, à quel point la notion de *mot* reste floue. Dira-t-on, pour reprendre un exemple classique, que les lexèmes *chat* et *gris* sont contenus dans la phrase *la nuit, tous les chats sont gris*, alors que le signifié de ce segment de discours répété n'est pas déductible des signifiés de chacun de ses constituants et de leur combinaison grammaticale?

C'est au statut grammatical du mot dans la langue que nous avons accordé notre attention, dans la droite ligne du projet saussurien d'identification des unités linguistiques. Mais il va sans dire que la question du mot ne peut se limiter à l'énoncé de quelques critères formels de reconnaissance. Le mot, quelle que soit la suspicion que la linguistique structurale fait peser sur lui, *existe comme donnée du lexique,* comme unité « psychosociale » du discours. Pour envisager la sémantique du mot, il faut aussi se placer à un autre niveau d'analyse, non plus celui du code de la langue, mais celui des emplois réels, des énoncés réalisés.

LE MOT : POINT DE RENCONTRE ENTRE LANGUE, SOCIÉTÉ ET HISTOIRE

Le geste saussurien de séparation entre langue et parole a eu pour conséquence de rejeter hors de la science linguistique toute la dimension du **discours,** avec la référence qu'elle implique au *sujet de l'énoncé* et à la *situation* (cf. langue/parole, chapitre 3, 1re partie).

- Mot et morphème. Langue et discours

C'est donc dans le cadre de la **parole,** au niveau des énoncés effectivement réalisés par les locuteurs, que le mot possède une réalité linguistique. Le **morphème** constitue, avant tout, un élément syntaxique : nous ne nous posons pas à son propos les problèmes du sens. Comme le souligne J. Dubois (cf. bibl.), « il ne renvoie à aucune expérience précise, il ne dénote aucun objet ». S'il possède une signification, elle est purement abstraite : elle ne concerne aucune situation particulière, n'intéresse aucun locuteur spécifiquement. Le **mot,** lui, ne prend sens que par les autres mots qui l'entourent; il n'actualise ses virtualités qu'au sein d'un énoncé; bien plus, cette actualisation est étroitement liée à la « personnalité » du sujet qui émet le message, à la situation sociale et historique de l'acte de parole, à la relation interpsychologique entre l'émetteur et le récepteur. Dans l'infinité des discours, chaque mot peut être employé avec des virtualités particulières.

Les procédures de la linguistique générative donnent un moyen d'articuler la problématique du mot sur la syntaxe de la phrase. Le recours aux transformations, en particulier à la nominalisation, montre bien que l'existence de certains mots relève de la phrase (cf. J. DUBOIS, *op. cit.,* p. 66) ; « *l'accomplissement d'un projet* résulte de la transformation nominale de la proposition : *un projet est accompli/ s'accomplit* ». A un autre niveau, les études lexicologiques se refusent de plus en plus à privilégier l'unité lexicale isolée, puisqu'on ne peut démarquer l'analyse du vocabulaire de celle du discours tout entier. Ce sont les recherches sur l'analyse du discours et la constitution d'une théorie de l'énonciation qui ont imposé cette reformulation des problèmes de lexicologie et de sémantique.

- Valeur socio-culturelle du mot

C'est parce qu'ils appartiennent à des discours culturels au sens très large du terme, que les mots possèdent une *épaisseur sémantique*.

Toute communauté linguistique possède un stock de mots marqués de **connotations** : au sens premier, reçu par l'ensemble des locuteurs (la dénotation), s'ajoutent ou se substituent des acceptions particulières à un individu ou un groupe (connotations). A la limite, on peut dire que tout mot possède un contenu connotatif, puisqu'il est émis par un sujet, dans une situation bien déterminée. Il y a ainsi, dans le vocabulaire de chaque locuteur ou groupe de locuteurs, un coefficient d'expériences personnelles.

On opposera le *lexique* aux *vocabulaires* : le lexique désigne l'ensemble des lexèmes d'une communauté linguistique, alors que les vocabulaires constituent des sous-ensembles, des domaines particuliers de ce lexique. On parlera ainsi du vocabulaire politique, du vocabulaire médical ou du vocabulaire d'un auteur particulier, etc.

D'autre part, les mots s'imprègnent des valeurs que leur confère leur insertion dans des discours politiques ou idéologiques; comparons les deux phrases suivantes :
André est un collaborateur du patron.
André fut un collaborateur notoire.
Dans le premier cas, il s'agit du sens dénoté de *collaborateur* : « personne qui travaille avec une ou plusieurs autres à une entreprise commune ». Dans le second, nous avons affaire à un sens lié à l'histoire, à connotation péjorative : « en France, sous l'occupation allemande (1940-1944), partisan de la politique de rapprochement et de coopération avec l'occupant » (ces définitions sont celles du *Grand Larousse de la Langue Française*).

On pourrait multiplier les exemples : suivant les groupes socio-politiques, des connotations différentes s'attachent à des mots comme *Ordre, Progrès, Liberté*. Pour la bourgeoisie française du XIXᵉ siècle, le mot *communisme* est un mot tabou. A l'époque du colonialisme, le terme *civilisation* ne pouvait pas être neutre, etc. Ainsi les mots sont une « caisse de résonance » de la société et de l'histoire. De ce point de vue, les dictionnaires constituent un miroir significatif de ces résonances : étudier le traitement qu'ils font de certains termes peut être très fructueux pour l'historien (cf. par exemple « Le mot *nègre* dans les dictionnaires français d'Ancien Régime », par S. Delesalle et L. Valensi, in *Langue française* nº 15 et l'ensemble du nº 43).

Dans les discours littéraires, politiques, religieux, etc., les études de lexicologie statistique mettent en évidence des mots thèmes et des mots clés. Le *mot thème* est un mot très fréquent dans le vocabulaire d'un individu ou d'un groupe d'individus. Quant au *mot clé*, c'est un mot dont la fréquence présente un écart significatif (dans un corpus donné) avec sa fréquence « normale » (que ce soit par rapport à une norme définie en fonction du *vocabulaire fondamental* de la langue ou par rapport à une norme fondée sur un corpus préalablement construit : autres textes poétiques s'il s'agit d'un ensemble de poèmes, vocabulaire politique d'une époque s'il s'agit de discours politiques...).

Pour dégager les valeurs spécifiques de différents mots d'un corpus donné, on peut également recourir à l'étude statistique des *co-occurrences* : certains mots en attirent d'autres dans leur voisinage, et on peut quantifier cette « attirance », d'où la construction de « réseaux », instrument privilégié d'une comparaison entre corpus. (Cf. *Des tracts en mai 68*, A. Colin, 1975).

Ce lien fondamental entre une langue et la culture, la civilisation où elle s'est formée, fait de chaque langue le plus inestimable des documents historiques. Si dans les mots se « reflète » plus ou moins directement l'histoire, *les mots eux-mêmes sont insérés dans l'histoire :* certains disparaissent, d'autres apparaissent, leurs sens se modifient. La formation de nouvelles unités de signification et la création de nouvelles acceptions pour les unités existantes sont une nécessité pour la communication inter-humaine.

Cet exposé sur le mot, figure centrale de la lexicologie et de la sémantique, peut finalement nous introduire à l'idée qu'il n'y a pas, qu'il ne saurait y avoir de coupure radicale entre l'étude formelle de la langue et l'étude des significations, mais au contraire interaction entre la linguistique et les sciences de la société et de l'histoire.

LECTURES

H. MITTERAND : *Les mots français*. Coll. Que sais-je?. P.U.F.. 1963.
　　Introduction solide aux problèmes généraux du lexique et du vocabulaire.

J. LYONS : *Linguistique générale*. Larousse, 1970.
　　Les chapitres 5-3 et 5-4 examinent les problèmes du morphème et du mot.

A. MARTINET : « Le Mot », in *Problèmes du langage*, Gallimard, 1966.
　　Article très dense, typique de la démarche fonctionnaliste.

A. MARTINET : *Éléments de Linguistique générale*, Coll. U2, Colin, 1967.
　　On consultera particulièrement le chapitre 4 consacré aux unités significatives.

J. DUBOIS : *Grammaire structurale du français (tome 3) : La phrase et les transformations*, Larousse, 1969 (pp. 65 à 68).

2. LEXICOLOGIE STRUCTURALE

Si la linguistique structurale, à ses origines, s'est moins préoccupée de sémantique que de phonologie, c'est peut-être parce que le domaine des signifiants proposait un spectacle riche mais anarchique où il était difficile mais tentant de vouloir introduire une systématique. Celui des signifiés, au contraire, semblait, de par sa nature propre, obéir à un ordre, à une logique dont on croyait connaître depuis longtemps les grandes lois de fonctionnement.

Il a donc fallu attendre un certain nombre d'années avant que ne se développe une sémantique de l'unité lexicale. Celle-ci se caractérise surtout par le désir d'étendre au lexique le principe des écarts différentiels (oppositions) par le recours au test de commutation, recours conduisant directement à l'analyse distributionnelle et indirectement à l'analyse en traits distinctifs. Ce faisant, cette lexicologie a participé des progrès mais aussi des limites du structuralisme.

LE SIGNE LINGUISTIQUE

Le modèle saussurien du signe linguistique se caractérise par l'union indissoluble du signifiant et du signifié, corrélative de l'arbitraire du signe. Un signe linguistique satisfait donc à diverses conditions :

a) être perceptible par les sens et conserver son unité, rester stable à travers toutes ses occurrences ;

b) avoir une signification ;

c) être employé à l'intérieur d'une communauté linguistique qui le comprend ;

d) appartenir à un système de signes, une langue naturelle.

On représente en général le signe linguistique à l'aide d'un triangle, dit *triangle sémiotique*.

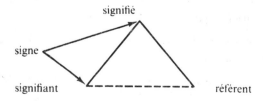

118

On entend par *référent* ce à quoi renvoie le signe, l'univers non linguistique. Cet univers ne se limite pas aux seuls objets physiques perceptibles : beaucoup de référents n'existent que par la médiation d'un discours et/ou d'un type de discours; par exemple, *amour* ou *amitié* s'inscrivent dans l'univers du discours, mais ne trouvent leur valeur propre qu'en fonction de ce qu'en dit une société, tandis que *déstalinisation* n'a de référent que dans et par le discours politique. Dans le triangle, la relation entre signifiant et référent est en pointillés pour souligner que l'appel au référent passe le plus souvent par le signifié, mais qu'il convient de réserver quelques cas marginaux comme celui des noms propres.

On parlera de *signification* pour nommer la relation entre signifiant et signifié (relation, rappelons-le, arbitraire), et on réservera le terme de *référence* (certains parlent de *dénotation*) à la relation entre signe et référent.

Le *signifié* (dit aussi *sens*) est constitué des traits distinctifs sémantiques qui, dans une langue donnée, caractérisent tel signe linguistique par rapport aux autres; on peut dire également que c'est l'ensemble des critères qu'a retenus une langue pour permettre de repérer le référent correspondant à un signe.

- Signification lexicale et grammaticale

Depuis très longtemps, on distingue des mots « vides » (articles, prépositions...) et des mots « pleins » (dits aussi « sémantèmes ») comme *table, vérité,* etc. On préfère aujourd'hui distinguer entre lexèmes et morphèmes, que d'autres dénomment morphèmes lexicaux et morphèmes grammaticaux. Ces deux types de signes n'ont pas le même statut. On opposera le caractère fini, « fermé » des classes paradigmatiques de morphèmes au caractère « ouvert » des classes de lexèmes. Les lexèmes voient leurs signifiés évoluer constamment; en outre, leur nombre considérable fait que chaque locuteur n'en maîtrise qu'une partie. En revanche, les morphèmes sont très stables, peu nombreux et maîtrisés par tous les locuteurs, en règle générale. En fait, la distinction n'est pas absolue dans le détail : des glissements se produisent d'une classe à une autre; c'est ainsi que *aller,* qui n'appartenait primitivement qu'à la classe ouverte des verbes, tend en français contemporain, quand il précède un infinitif, à fonctionner comme un auxiliaire du futur ; *il va manger,* pour beaucoup de locuteurs, est l'équivalent de : *il mangera. Aller* appartient donc aussi à une classe fermée, celle des auxiliaires.

De plus, tout lexème possède en quelque sorte un « sens grammatical » ; *blanc, triste,* par exemple, ont un signifié en tant qu'ils désignent une couleur ou un état d'âme, mais aussi en tant qu'adjectifs qualificatifs attribuant une « qualité » à un nom. B. Pottier a ainsi proposé de distinguer dans le signifié, *substance du signifié* et *forme du signifié* (la signification grammaticale), ce dernier aspect relevant plutôt de la syntaxe.

Le lexème *banlieue,* dans les deux exemples ci-dessous, aurait la même substance, mais non la même forme du signifié : *La banlieue* (nom) *s'étalait à nos yeux. Cette ville fait très banlieue* (adjectif).

- Homonymie et polysémie

Le triangle sémiotique est déficient sur un point capital : il ne peut rendre compte de ces aspects fondamentaux du langage humain que sont les phénomènes de *polysémie,* d'*homonymie* et de *synonymie.* Ce triangle donne en effet l'illusion qu'à chaque signifiant correspond un signifié, et réciproquement. En réalité, il arrive très souvent qu'au même signifiant (phonique et/ou graphique) correspondent plusieurs signifiés ; on parle alors d'*homonymie,* ou de *polysémie,* selon le cas. Il y a **homonymie** lorsque les divers signifiés sont nettement distincts, leur affinité sémantique n'étant plus ou presque plus perçue par les locuteurs (par exemple, *cadre* d'un tableau et *cadre* du personnel), et **polysémie** quand les signifiés sont des « sens » différents de la même unité lexicale (par exemple *exquis* dans le domaine culinaire, et *exquis* dans l'ordre intellectuel). Inversement, on parle de **synonymie** (cf. *infra,* p. 125) quand plusieurs signifiants correspondent au même signifié (*auto* et *voiture,* par exemple).

En ce qui concerne l'homonymie, il ne faut pas confondre *homophones* et *homographes* ; sont *homophones* deux signes dont le signifiant phonique est identique, comme *lutte* et *luth,* tous deux prononcés [lyt] ; sont *homographes* deux signes ayant même forme graphique (exemple : nous *portions* et les *portions*) ; mais, le plus souvent, les homographes sont aussi homophones. On peut également parler d'*homonymie grammaticale,* par exemple dans le cas du morphème *-eur* : le suffixe de *laideur* est homonyme de celui de *vendeur.* Le premier est un suffixe qui nominalise (= transforme en nom) un adjectif et indique une « qualité », alors que le second nominalise un verbe et désigne un agent (= celui qui fait une action).

On distingue traditionnellement deux types d'homonymie, en fonction de leur origine : celle provenant d'un accident phonétique, et celle résultant de l'éclatement d'un signe (polysémisation) :

— L'homonymie de *sain, saint* et *sein* est un accident résultant de l'évolution phonétique. Leurs étymons latins (les mots auxquels ils remontent) étaient trois signes distincts ; *saint* provient de *sanctus, sain* de *sanus, sein* de *sinus.* S'il y a risque de confusion entre ces homonymes, on dit qu'il y a *conflit homonymique* et la langue peut alors être conduite à recourir à un nouveau signe pour résoudre ce conflit. En fait, les lexèmes homonymes ne se gênent que s'ils appartiennent à la même catégorie grammaticale (noms, verbes...) et risquent de se trouver souvent dans les mêmes contextes. Ainsi aucune confusion n'est possible entre : *Je vais* **vers** *lui* et *Je bois un* **verre,** ou entre *le chat* et *le chas* de l'aiguille. L'homonymie par accident phonétique présente moins d'intérêt linguistique que l'homonymie par polysémisation.

— L'homonymie due à l'éclatement d'un signe demande d'opposer la polysémie à la **monosémie**; sont monosémiques les signes qui n'ont qu'un seul sens : à cette règle obéissent en principe les vocabulaires scientifiques et techniques, qui cherchent à éviter toute équivoque, soit en créant les signes appropriés, soit en spécialisant un terme du vocabulaire courant (exemple de création : *ophtalmologie, hydrocution,* etc.; exemples de spécialisation : *force* en physique, *espérance* en théorie des probabilités...). A l'inverse, une unité polysémique a plusieurs sens, ou *acceptions.* Toute la difficulté consiste précisément à définir des critères rigoureux permettant de savoir si l'on a affaire à diverses acceptions d'une même unité polysémique, ou à des homonymes. En principe, deux homonymes ont des signifiés parfaitement disjoints, alors que les acceptions d'un polysème sont en intersection sémantique.

En fait, dans la pratique, il est impossible de disposer de critères rigoureux permettant de séparer nettement les deux cas : c'est là un choix des lexicographes, souvent discutable (cf. chap. suivant). Considérera-t-on, par exemple, que le *guide*$_1$ = « ouvrage à consulter » et le *guide*$_2$ = « individu qui conduit la visite d'un lieu » sont deux acceptions d'un polysème, ou deux homonymes? De multiples facteurs interfèrent dans l'évaluation de cette proximité sémantique. Diachroniquement, la langue connaît un mouvement continuel de polysémisation qui tend vers l'homonymie, sans y parvenir bien souvent. Les nouveaux homonymes peuvent à leur tour se polysémiser, et ainsi de suite.

Prenons un exemple : le lexème *rayon,* au XVIᵉ siècle, réfère à un rayon de miel, puis se polysémise en désignant des étagères de bibliothèque, et par extension n'importe quelles étagères. Dira-t-on qu'il y a homonymie ou seulement polysémie quand *rayon* désignera une section d'un magasin sans qu'il soit question d'étagères? *Rayon* peut même signifier aujourd'hui : « affaires relevant d'un domaine particulier » *(le rayon de la politique étrangère);* nouvel homonyme ou nouvelle acception?

- Raisons de la polysémisation

La polysémie ne constitue pas une imperfection des langues naturelles car elle est inéluctable dès lors qu'une langue fonctionne. En un sens, chaque phrase s'inscrit dans une situation unique et répond à des nécessités toujours particulières : on peut dire à la limite que les mots prennent un sens différent, se chargent de valeurs particulières à chacun de leurs emplois. Cette tendance polysémisante est contrebalancée par la nécessité absolue de la compréhension du message par l'interlocuteur; il faut une *langue,* c'est-à-dire un système d'éléments au sens relativement stable et en nombre fini, pour construire des énoncés en nombre infini adaptés à des situations toujours nouvelles; d'où un équilibre foncièrement instable entre le caractère inédit des signifiés à transmettre et le caractère nécessairement fini de la langue. Puisqu'il est évidemment impensable de créer autant de mots nouveaux qu'il y a de référents nouveaux dans des situations elles-mêmes inédites, les locuteurs, par la polysémisation, accroissent indéfiniment les possibilités des unités lexicales déjà existantes. Une langue totalement monosémique posséderait un lexique pratiquement infini, sans parvenir pour autant à maîtriser tous les signifiés envisageables.

Ici intervient un facteur d'une importance capitale : la fréquence avec laquelle on emploie un mot. On constate que plus un mot est utilisé, plus il tend à être polysémique, et inversement. Cela peut s'expliquer en termes de *compréhension* et d'*extension.*

Définir quelque chose par **compréhension** consiste à énumérer ses traits distinctifs : ainsi un *chat* sera donné comme un « mammifère + carnivore + félidé... ». Ce type de définition, qui renvoie à une taxinomie scientifique, s'oppose à la définition par **extension,** laquelle consisterait par exemple, pour *vert,* à énumérer tous les noms qui peuvent être suivis de l'adjectif dans des phrases du type : *X est vert* (en fait, les dictionnaires sélectionnent arbitrairement un ou deux termes; le *Littré* propose ainsi pour **vert :** *qui est de la couleur de l'herbe et des feuilles des arbres*). Il est devenu traditionnel de critiquer cette méthode, essentiellement parce que l'on voit mal où s'arrête la liste des termes appartenant à un ensemble. Il n'en reste pas moins vrai qu'elle pourrait être considérée comme structurale puisque, dans l'exemple choisi, elle chercherait à opposer le lexème *vert* aux termes désignant les autres couleurs dans une série de phrases permettant d'utiliser le test de commutation.

Comparons maintenant un verbe comme *faire* à un verbe comme *scier.* Puisque le premier possède un signifié pouvant s'appliquer à un nombre considérable de situations, sa définition par extension sera fort longue et restera ouverte (exemple : *j'ai fait l'Italie cet été*); inversement, sa définition par compréhension réunira peu de traits caractéristiques. Quant au second, il apparaîtra comme un lexème dont l'« extension » est faible mais la « compréhension » grande.

Pour exprimer autrement cette opposition, on dira que *faire* (comme *chose, machin, truc...*) est extrêmement polysémique alors que *scier* ne l'est pas, phénomène évidemment lié à leur fréquence d'utilisation. En effet, le *principe d'économie* qui préside à la communication conduit l'émetteur à ne pas apporter plus de précisions sémantiques qu'il n'est nécessaire. Ainsi, dans une situation donnée, on ne dira pas : *Donne-moi la clef à molette* mais *Donne-moi la clef* (abrégement) ou encore : *Donne-moi l'outil* ou même *Donne-moi le machin* (« archilexème », cf. *infra*). A chaque fois, la « compréhension » diminue et l' « extension » augmente, ainsi que la fréquence du mot utilisé.

Quant au danger d'équivoque introduit par la polysémie, il est considérablement diminué par la prise en considération des contextes linguistiques, l'utilisation de la redondance et l'analyse des circonstances extérieures, trois données qui permettent presque toujours de sélectionner l'acception pertinente (cela, d'ailleurs, vaut également pour les homonymes).

L'ÉVOLUTION SÉMANTIQUE

Le changement de sens d'une unité lexicale, l'apparition d'acceptions nouvelles se réalisent à travers des processus que la rhétorique traditionnelle a partiellement et plus ou moins nettement repérés depuis longtemps, en particulier par la théorie des *tropes* (dits aussi couramment « figures de rhétorique »). S'il est indispensable de connaître ces quelques notions, il ne faut cependant pas s'en servir pour étudier chaque mot comme un être autonome dont on chercherait à retracer la biographie. En réalité, la perspective structurale amène à considérer l'évolution lexicale dans le cadre de systèmes.

Deux types de transferts de sens (tropes) sont particulièrement importants : l'un fondé sur la **similarité** des signifiés *(métaphorisation)*, l'autre sur la **contiguïté** des signifiés *(synecdoque, métonymie...)*.

— Le lexème *étoile* a récemment pris le sens de « célébrité du monde du spectacle » par une métaphorisation fondée sur la similarité entre l'étoile (haute dans le ciel, qui éclaire, etc.) et les vedettes du spectacle. Autrement dit, c'est à partir de « points communs » entre deux signifiés (« intersection sémique », cf. *infra*) que s'opère la métaphorisation.

— Au lieu de se ressembler, les signifiés peuvent être « contigus ». Il s'agit cette fois de désigner par une de ses parties le tout d'un objet ou inversement (synecdoque), le contenu par le contenant, la cause par l'effet, etc., autant d'exemples traditionnels de métonymie. (Aujourd'hui, on parle souvent de processus métonymique pour désigner globalement tous ces transferts par contiguïté de sens.) Prenons l'exemple très classique de *bureau* : *bureau* désignait primitivement une étoffe de bure, souvent utilisée pour recouvrir une table; par une synecdoque, le lexème *bureau* en est arrivé à désigner le meuble lui-même, puis par une métonymie, c'est la pièce contenant ce meuble qui a été ainsi dénommée.

— La similarité peut opérer non seulement sur les signifiés (métaphore), mais aussi sur les signifiants et provoquer un changement de sens : contagion (ou contamination), étymologie populaire, en particulier. On parle d'*étymologie populaire* quand les locuteurs attribuent une fausse étymologie à un mot dont ils ne saisissent plus le sens et changent du même coup ce sens; par exemple *forcené* est maintenant rattaché à *force*, alors qu'en réalité ce mot provient de *fors* (« hors de »), et *sen* (« bon sens ») et signifiait en Ancien Français « fou ». En revanche, il y a *contagion phonétique* quand une forme en attire une autre sur la base d'une ressemblance phonique : ainsi *fruste* (« usé par le temps ») a été attiré par *rustre* et son sens également, d'où la forme parlée *frustre*.

— La contiguïté des signifiants peut également être facteur d'évolution sémantique : ainsi *pas* et *point* dont les signifiés sont étrangers à la négation ont progressivement pris valeur de morphèmes de négation du fait de leur association, depuis l'Ancien Français, à *ne* dans *ne... pas* et *ne... point* (phénomène de *contagion syntaxique*). Dans cet exemple, toutefois, ce phénomène est aussi lié à l'effacement de *ne* dans certaines réalisations orales. L'*abrégement*, de même, est source de mutation sémantique : *une départementale*, c'est *une route départementale*; l'abrégement a donné à la suite article-adjectif le sens du syntagme entier.

En résumé, un grand nombre de changements sémantiques s'opèrent par similarité ou contiguïté des signifiants (étymologie populaire, contagion, abrégement...), mais aussi par similarité ou contiguïté des signifiés (processus métaphorique et métonymique). On obtient ainsi la classification de S. Ullmann (*Précis de sémantique française*, Francke, 1952), classification typiquement structuraliste fondée sur le couple axe paradigmatique (similarité)/axe syntagmatique (contiguïté).

Il faut également prendre en considération les changements intervenant dans les référents : si le signe désignant un référent reste identique alors que ce référent se modifie, cela provoque un changement de sens concomitant. Ainsi *tirer* a pu signifier « lancer un projectile » (cf. *tirer une balle*) et non plus seulement « amener à soi » parce que les armes de jet étant primitivement munies d'une corde que l'on tirait à soi, dès que les armes à feu apparurent, le verbe *tirer* dut aussi évoluer sémantiquement.

Signalons encore les phénomènes d'*extension* ou de *restriction sémantiques*. Il y a *extension sémantique* quand il y a oubli d'un des composants du signifié; ainsi *arriver* qui signifiait « atteindre une rive » a fini par signifier simplement « atteindre un lieu » (la « compréhension » du signe est donc moins grande). Inversement, il y a *restriction sémantique* lorsque la compréhension du signe s'accroît : *traire*, qui en Ancien Français désignait tout mouvement de traction, n'a plus désigné que la seule traction d'une mamelle.

Les changements sémantiques ne sont pas souvent simples à analyser : bien des évolutions se réalisent par la médiation de plusieurs processus œuvrant simultanément. Nous n'en avons cité que quelques-uns des plus importants, et sans nous intéresser à leurs causes, qui sont multiples et complexes. Il n'est pas possible de « prévoir » l'évolution lexicale dans le détail; on ne peut que la constater. Si l'on arrive toujours à expliquer une évolution sémantique, ce ne peut jamais être qu'une explication *a posteriori*.

En matière d'évolution de sens et, plus généralement, de *néologie lexicale*, la lexicologie structurale s'est enfermée dans des limites : centrant son intérêt sur le mot, elle a en général négligé l'aspect syntaxique de cette question (insertion du mot dans le cadre de la phrase, conversions des catégories syntaxiques les unes dans les autres : nominalisations des verbes, adjectivisations des noms, etc.), et, au-delà, l'articulation du changement sémantique sur une théorie de la dérivation et de la composition. Dans ce domaine, on peut consulter l'ouvrage fondamental de L. Guilbert (*La créativité lexicale*, Larousse, 1975), qui s'inspire des perspectives offertes par la grammaire générative et ouvre sur la sociolinguistique. En effet, cette dernière dimension du problème est tout aussi capitale : toute évolution sémantique se produit et se diffuse dans le cadre de discours toujours « situés » dans la structure sociale, en fonction du statut socio-culturel de leurs émetteurs et leurs récepteurs.

LES RELATIONS SÉMANTIQUES

Comme on l'a vu, l'évolution de nombreux lexèmes vers la polysémie peut provoquer leur éclatement en plusieurs homonymes. L'homonymie (deux Sé pour un Sa) est à juste titre considérée comme le pendant de la synonymie (deux Sa pour un Sé). Il existe cependant une dissymétrie entre ces deux notions : la synonymie (« identité » des Sé de plusieurs signes) constitue réellement une *relation sémantique* au même titre que l'antonymie (signifiés « contraires ») ; elle est une modalité indispensable de la communication linguistique, alors que l'homonymie est plutôt facteur de *perturbation* sémantique dans cette communication.

— **La synonymie :** elle se définit comme une identité de signifiés entre deux signes linguistiques. On peut en avoir une conception large ou très restrictive ; une synonymie parfaite exigerait que les deux unités synonymes soient substituables dans tous les contextes. Une idée très ancienne consiste à dire qu'il n'y a pas de « vrais » synonymes et que l'on arrive toujours à déceler une « nuance » pour distinguer les prétendus synonymes. C'est là une conséquence immédiate de l'indissolubilité de la relation entre signifiant et signifié : quand il y a deux signifiants différents, les locuteurs postulent qu'ils correspondent à deux signifiés différents. Ainsi, la plupart des francophones croient qu'*oculiste* et *ophtalmologiste,* quoique parfaitement synonymes en droit, n'ont pas le même signifié.

Le problème de la synonymie est directement lié à celui du *statut socioculturel* des lexèmes : *bide* et *ventre* ne sont pas substituables sans incidence sur le sens du message. Il est également lié à la *situation de communication* et à l'*économie* : si on ne donne pas plus de précisions qu'il n'est nécessaire, certains mots pourront être synonymes dans certaines situations et non dans d'autres (ainsi dans le contexte de la course automobile, *les bolides* et *les formule I* peuvent être synonymes, mais ce n'est évidemment pas généralisable à d'autres situations). Interviennent aussi la *diachronie* (synonymie de *chef* et *tête?*), le *type de discours* (*énergie* et *force* sont souvent synonymes dans la langue courante, mais non dans le discours des sciences physiques), les *tabous*. Un *mot tabou* est un mot que le consensus social recommande de ne pas utiliser en raison d'une identification plus ou moins consciente du nom à la « chose » dénotée : ainsi à *mourir* on substituera par exemple les euphémismes *trépasser, s'éteindre,* etc. Ces *euphémismes* sont destinés à atténuer l'effet désagréable de certains mots et sont donc facteur privilégié de création synonymique : *w.-c., waters, petit coin...* Beaucoup de synonymes sont des *intensifs* ou ont une valeur *diminutive* : *content/ ravi, étonner/stupéfier, fatigué/épuisé,* etc. En outre, un certain nombre de contraintes sociolinguistiques favorisent l'apparition de synonymes, en particulier la nécessité de ne pas répéter toujours les mêmes mots dans le même énoncé.

— **L'hyponymie** : c'est l'équivalent de la notion mathématique d'« inclusion »; on dira par exemple que *vélomoteur* ou *moto* sont des hyponymes de *véhicule,* en ce sens que tous les composants du signifié (*sèmes,* cf. *infra*) de *véhicule* se retrouvent dans le signifié de *vélomoteur* et dans celui de *moto,* qui sont dits *co-hyponymes,* alors que *véhicule* est dit leur *hyperonyme.* On peut également dire que si un objet est un *vélomoteur,* une *moto...,* cela implique qu'il est un *véhicule* (on retrouve ici l'opposition extension/compréhension).

— **L'antonymie** : il s'agit de sens contraires; mais la notion de « contraire » est floue et il ne faut pas confondre *antonymie stricte, complémentarité* et *réciprocité.*
 • Sont *complémentaires* deux lexèmes tels que la négation de l'un implique l'affirmation de l'autre : si x n'est pas *mâle,* alors x est *femelle* ; si x n'est pas *mort,* alors x est *vivant.*
 • Sont *réciproques* des couples de lexèmes comme *acheter/vendre, donner/recevoir, mari/femme,* etc., ce qu'un test de permutation démontre : *Jean est le mari de Jeanne / Jeanne est la femme de Jean.*
 • L'*antonymie stricte* est liée à la gradation, c'est-à-dire à une comparaison entre deux lexèmes situés sur une même échelle : ainsi l'opposition *grand/petit* sur l'axe de la « taille ». La négation de l'un des deux termes n'implique pas l'affirmation de l'autre : *x n'est pas grand* n'implique pas *x est petit.*
 Si la langue affectionne la bipolarisation, il existe néanmoins quelques termes intermédiaires, comme *tiède* dans le triplet *chaud/ tiède/froid.* En outre, on parle de *neutralisation* de l'antonymie au profit d'un des deux termes, considéré dès lors comme *non marqué,* quand l'opposition est dépassée : ainsi ne dira-t-on pas *Quelle est la petitesse de cette chambre?* mais *Quelle est la grandeur de cette chambre?,*

126

même si la chambre est petite; *grandeur* neutralise l'opposition et constitue ici le terme non marqué (cf. *ce cheval a eu des poulains :* neutralisation par *cheval* de l'opposition mâle/femelle).

VALEUR ET CHAMP SÉMANTIQUE

La lexicologie structurale a essentiellement développé les implications du concept saussurien de **valeur,** dépassant donc la conception d'une langue nomenclature de signes au profit de la notion de *sens structurel.* Désormais on cherche à intégrer les mots dans un ensemble de relations à d'autres mots, sur les deux axes, paradigmatique et syntagmatique. C'est seulement par l'étude de ces interrelations que l'on espère dégager le sens de telle ou telle unité lexicale. Au centre de ces perspectives, la notion de **champ sémantique** fonde ces deux procédures d'analyse sémantique, l'analyse distributionnelle et l'analyse sémique.

Les champs linguistiques que la lexicologie cherche à structurer recouvrent des réalités très diverses; dans tous les cas, il s'agit d'un ensemble de monèmes formant un micro-système dans lequel les éléments tirent leur valeur de leurs relations à tous les autres. Ce sont là des champs sémantiques puisque leur découpage s'inscrit dans le cadre d'une étude du sens, mais il faut bien distinguer *champs sémantiques* **conceptuels** et *champs sémantiques* **linguistiques,** selon que leur découpage se fait sur la base de critères linguistiques ou en se fondant sur le référent. Si, par exemple, on étudie les mots servant en français à désigner des habitations, on a affaire à un *champ conceptuel* : en effet, on a choisi une catégorie extralinguistique (l'habitat), et on cherche ensuite ce qui, dans la langue, s'y rapporte. En revanche, un *champ linguistique,* au sens strict, est fondé sur la langue : les substantifs ayant le suffixe *-age,* les mots composés de tel type, etc. Toutefois, beaucoup d'analyses portant initialement sur des champs conceptuels utilisent ensuite des procédures proprement linguistiques telles que la dérivation, pour structurer les relations découvertes entre les termes. On rencontre également la démarche inverse.

— Un **champ conceptuel** présente en général les caractéristiques suivantes : a) les unités le composant recouvrent un domaine conceptuel dans lequel le signifié de chacune est limité par celui de tous les autres; b) elles appartiennent à la même catégorie syntaxique (nom, verbe...), sont substituables paradigmatiquement; c) leur valeur se définit par les oppositions entre les éléments du champ.

Sur une telle base, un nombre considérable de champs peuvent être théoriquement découpés : tel ensemble de verbes *(pleurer, gémir, se plaindre...),* tel ensemble d'adjectifs *(noble, racé, distingué...),* de noms *(aquarelle, eau-forte, lavis...).* C'est en raison de leur nature que certains champs « pré-structurés » ont été étudiés plus fréquemment que d'autres :

couleurs, grades militaires, termes de parenté, etc. L'étude de tels champs présente cependant l'inconvénient de masquer la réalité du fonctionnement de la langue, dont la cohérence n'a pas pour finalité de reproduire les classifications des sciences, des techniques, qui obéissent à leurs critères propres : les chevauchements, les lacunes, les imprécisions sont partie intégrante de sa systématique. D'ailleurs, d'une langue à une autre, les champs conceptuels ne se superposent pas, dans la mesure où chaque langue opère un découpage spécifique de l'univers des significations : comme Saussure le montrait, la valeur de *sheep* en anglais n'est pas la même que celle de *mouton* en français, puisque *sheep* (« mouton sur pied ») s'oppose à *mutton* (« viande de mouton »), alors que *mouton* recouvre les deux signifiés.

On construit également des champs conceptuels fondés sur des *associations* de mots autour de termes privilégiés : ainsi les mots associés à *boucher* (les diverses viandes, les outils, les gestes...). Les linguistes structuralistes ne se préoccupent guère de ces « champs associatifs », dans la mesure où les considérations proprement linguistiques y sont très réduites et où la démarche y est difficilement rigoureuse. Ces travaux ont de l'importance en psycholinguistique (tests d'association) et en pédagogie des langues, où ils ont longtemps constitué la base de l'apprentissage du vocabulaire.

— Les **champs linguistiques,** eux, se fondent essentiellement sur une similarité formelle. Ces champs sont de divers types.

● On parlera de *champ dérivationnel* si on étudie les mots formés par l'adjonction de préfixes et suffixes à un même lexème *(enseigner, enseignant, enseignement, préenseignement...)*.

● On utilise le terme de *famille de mots* lorsqu'on étudie en diachronie l'ensemble des mots provenant d'un même étymon ; ainsi, le mot latin *schola* est à la source d'*école, écolier, scolaire, scolastique,* etc. Il ne faut pas mêler synchronie et diachronie : le champ dérivationnel est synchronique alors que la famille de mots est proprement diachronique. L'adjectif *souffreteux* est rattaché en français contemporain au champ dérivationnel de *souffrir* (étymologie populaire), alors que d'un point de vue diachronique, il provient de l'Ancien Français *soufraite,* mot aujourd'hui disparu qui avait pour étymon le latin **suffrangere.* (L'étymon de *souffrir* est **sufferire,* l'astérisque indiquant qu'il s'agit de verbes non attestés, reconstitués.)

● L'affixe recouvrant les notions de préfixe et de suffixe, on parlera donc de *champs affixaux* si l'on s'intéresse aux classes de lexèmes formés à l'aide de tel (s) affixe (s) : les lexèmes suffixés par *-isme,* préfixés par *auto-,* etc.

● Les propriétés syntaxiques permettent également de construire des champs sémantiques linguistiques : c'est en particulier le cas des verbes présentant telles ou telles caractéristiques syntaxiques communes *(champs syntaxico-sémantiques)*. Le linguiste russe J. Apresjan en particulier (cf. *Langages* n° 1, 1966), posant qu'il y a une correspondance entre les propriétés syntaxiques des verbes et leur sens, rassemble ceux qui ont la même « formule distributionnelle ». Ainsi, pour l'anglais, la formule syntaxique du type [Sujet + Verbe + Adjectif] (exemple : *do not get your clothes dirty, ne salis pas tes vêtements)* lui permet de définir un champ sémantique « Force physique agissant sur un objet et accompagnée du changement de son état ». De telles études sont en cours pour le français (travaux de M. Gross et de son équipe ; cf. *Méthodes en syntaxe,* 1975, Hermann).

La notion de champ est également employée pour l'étude de la polysémie, quand on veut caractériser l'« aire » des significations d'une même unité lexicale. C'est ainsi qu'étudier les diverses acceptions d'un lexème comme *idée* en les reliant systématiquement, c'est constituer un *champ* que nous appellerons « *lexématique* ».

Cette présentation ne prétend pas être exhaustive ; d'ailleurs, comme on l'a dit, l'opposition champ sémantique conceptuel/champ sémantique linguistique ne peut être absolue : dans la pratique, les deux perspectives s'interpénètrent nécessairement.

Considérons maintenant les deux principaux appareils méthodologiques utilisés par la lexicologie structurale : l'analyse distributionnelle et l'analyse sémique.

L'ANALYSE DISTRIBUTIONNELLE

On en a déjà tracé les grandes lignes : appliquée à la lexicologie, elle doit permettre de caractériser les unités lexicales sur la base de leur comportement distributionnel (de leurs co-occurrents). Si on veut étudier des verbes, on s'intéressera à leurs sujets, aux compléments, directs et indirects, qu'ils admettent ou non... ; s'il s'agit d'adjectifs qualificatifs, on s'occupera essentiellement des substantifs qu'ils peuvent accompagner, et ainsi de suite. A la racine de cette méthode, il y a le postulat de Z. Harris (cf. *Écoles et domaines*) selon lequel « deux morphèmes qui ont des significations différentes diffèrent aussi quelque part dans leur distribution » ; une forme « affaiblie » de ce postulat consiste à dire que si toute différence sémantique n'est pas manifestée par une différence syntaxique, à chaque différence syntaxique correspond une différence sémantique importante.

● Essayons d'appliquer ce postulat à une *levée de synonymie.* On dispose au départ de plusieurs termes apparemment synonymes et l'on cherche si l'analyse de leurs distributions ne permettrait pas de les distinguer. Pour dégager des régularités, on se donne un corpus représentatif des environnements dans lesquels les unités étudiées apparaissent. Supposons (exemple inspiré de J. Dubois, *Cahiers de lexicolo-*

gie, n° 4, 1964, pp. 5-16) que l'on veuille étudier comparativement *aigu* et *pointu*, adjectifs apparemment de sens très voisin.

— Dans un premier temps, on constate que lorsqu'*aigu* suit des substantifs désignant des inanimés, il peut commuter avec *effilé* ou *arrondi* et peut être remplacé par *pointu*.

$$bec, toit \left\{ \begin{array}{l} \textbf{aigu} \\ \textbf{effilé/arrondi} \end{array} \right\} \Rightarrow bec, toit \quad \{ \textbf{pointu} \}$$

Dans ce cas la distribution de *aigu* est incluse dans celle de *pointu*. Ce dernier, beaucoup plus fréquent d'ailleurs, apparaît comme le terme non marqué alors que *aigu* est marqué stylistiquement.

— On constate ensuite que les substantifs admettant *sourd, perçant*, etc., et pouvant être précédés du verbe *entendre* exigent *aigu* (*son, timbre, cri...*), *pointu* n'étant possible qu'après *voix. Aigu* est ici le terme non marqué, et *pointu* le terme marqué.

$$Paul \ entend \ un \left\{ \begin{array}{l} cri \\ son \\ ... \end{array} \right\} \begin{array}{l} \textbf{aigu} \\ \textbf{perçant/sourd} \end{array}$$

— Si les substantifs admettent les adjectifs *chronique, grave*, ainsi que le verbe *guérir*, seul *aigu* est possible ; il en va de même lorsque *aigu* commute avec *vif* (*intelligence, compréhension... vive*).

- *Le médecin guérit une bronchite* $\left\{ \begin{array}{l} \textbf{grave} \\ \textbf{aiguë/bénigne} \end{array} \right\} \not\Rightarrow$ *une bronchite* **pointue**

- *Paul est doué d'une intelligence* $\left\{ \begin{array}{l} \textbf{aiguë} \\ \textbf{vive} \end{array} \right\} \not\Rightarrow$ *une intelligence* **pointue**

En conclusion, on dira que ces deux adjectifs sont marqués ou non selon les substantifs qu'ils qualifient ; *pointu* apparaît toutefois comme plus spécialisé dans ses emplois que *aigu*, ce qui montre qu'il ne suffit pas de proposer *aigu* comme un « intensif » (= terme plus fort) de *pointu*.

● Au lieu d'étudier des synonymes, on peut s'intéresser à un lexème polysémique afin de distinguer ses diverses acceptions, ou, éventuellement, conclure à un cas d'homonymie. Comme pour la levée de synonymie, il faut insérer l'unité considérée dans un réseau de relations paradigmatiques (ses substituts et contraires) et syntagmatiques (ses co-occurrents). En outre, une étude du champ dérivationnel est souvent fructueuse : ainsi l'homonyme *obliger*₁ signifiant « forcer à » est dans le même champ dérivationnel que *obligatoire, obligation...*, alors que l'homonyme *obliger*₂ signifiant « rendre service par pure complaisance » est en relation avec *obligeant, obligeance...* En ce qui concerne les verbes, leur comportement syntaxique est une excellente approche des phénomènes de polysémie et d'homonymie. Considérons par exemple le verbe *reposer :*

A. Construction intransitive

● I a) Sujet humain + Verbe (V) (emploi vieilli).

Monsieur repose. Commute avec : *se reposer, se délasser.*

    b) Sujet humain + Verbe + Complément de lieu.

Léon repose au cimetière de Lyon. Commute avec : *est enterré.*
Discours répété : *Ici repose Léon.*

    c) $\begin{Bmatrix} La\ terre \\ Le\ vin \end{Bmatrix}$ *repose.*

●II Sujet non-animé + V + *sur...*

    a) Objet concret ; *Le palais repose sur des fondations solides.*
Commute avec : *est appuyé sur, est posé sur...*

    b) Objet abstrait : *Cette histoire repose sur des données solides.*
Commute avec : *est fondée sur...*
Discours répété : *Ceci ne repose sur rien, aucun fondement, rien de* + Adjectif
(sérieux).

B. Construction transitive

Sujet + V + $\begin{Bmatrix} \text{Nom animé} \\ \text{Partie du corps} \end{Bmatrix}$

Ce paysage repose $\begin{Bmatrix} Paul \\ mes\ yeux \end{Bmatrix}$

Commute avec : *délasse, fatigue...*

C. Construction pronominale

Sujet animé + se V
Paul se repose. Commute avec : *se délasse/se fatigue...*

Discours répété : *Paul se repose sur ses lauriers.*

Cas particulier : Sujet animé + *se* V + *sur* + animé + *de, pour...*
Jean se repose sur Pierre pour la bonne marche de l'hôtel.

On n'a pas tenu compte ici de l'homonymie évidente entre *reposer*
et *re-poser* (poser à nouveau). Il semble que l'on soit en droit de distinguer nettement deux usages distributionnels essentiels du verbe *reposer :*
une construction [V + *sur* + Groupe Nominal], et une construction
[*Se* + V], constructions qui divergent également par les contraintes
portant sur les sujets, non animés dans le premier cas, animés dans le
second. Sur ce critère et celui des antonymes et synonymes *(délasser/
fatiguer)*, on pourrait rattacher la forme transitive à *se reposer*, car elle
n'admet qu'un complément d'objet direct animé (si l'on intègre à cette
catégorie les termes de ce paradigme très particulier des parties du
corps). On notera que la construction intransitive avec sujet humain est
réservée à un contexte très limité (funéraire) ou relève d'un usage archaï-
sant *(Monsieur repose).* Quant à *le vin repose,* et à *la terre repose,* ce
sont des emplois réservés à ces seuls noms. Remarquons enfin que, si

l'on distingue ainsi deux formes homonymes essentielles, la construction [*se reposer sur quelqu'un* + *de, pour*...]... apparaît comme un croisement de ces deux formules distributionnelles usuelles.

L'analyse distributionnelle rend de grands services à la sémantique, mais elle a également ses limites ; elle ne peut être utilisée « en vrac », sans tenir compte de la fréquence des mots considérés, des niveaux de langue, etc. (cf. tome 2, 2ᵉ partie). La distribution est une approche, certes nécessaire, mais qui ne donne pas accès à la structure sémantique des mots étudiés. Outre qu'elle ne permet pas de lever toutes les homonymies et synonymies, on a fait remarquer qu'elle ne saurait mettre en relation des mots liés sémantiquement, mais de classes différentes (cf. *fin, dernier, achever*...).

L'ANALYSE SÉMIQUE (OU ANALYSE COMPONENTIELLE)

A la différence de l'analyse distributionnelle, qui constitue une approche « externe » de la signification, l'analyse sémique vise directement à l'étude du sens d'un ensemble de lexèmes d'un même champ conceptuel. Cette méthode est empruntée à l'analyse en *traits distinctifs*, courante en phonologie. On se rappelle que l'on parvient ainsi à caractériser chacun des éléments d'un ensemble choisi pour son homogénéité par la présence (+) ou l'absence (—) d'un certain nombre de traits appelés *distinctifs* s'ils participent à la différenciation dans un corpus donné (cf. *supra*, p. 97). On appellera **sème** l'équivalent en lexicologic du trait distinctif. Dans l'analyse de la substance du signifié le terme **sémème** (équivalent donc du phonème) désignera alors l'ensemble des sèmes caractérisant une unité lexicale et le terme **archisémème** l'ensemble des sèmes communs à plusieurs sémèmes, c'est-à-dire leur intersection.

Certains linguistes (en particulier B. Pottier) utilisent aussi le terme de *classème* pour désigner l'ensemble des sèmes montrant la participation d'un léxème à différentes catégories générales : catégorie /objet discontinu/, /objet matériel/... Ces derniers sèmes sont dits *génériques* parce qu'ils mettent en relation deux sémèmes voisins par référence à une classe de hiérarchie supérieure. Ils s'opposent aux sèmes dits *spécifiques* qui composent le *sémantème* et contribuent, eux, à établir des oppositions entre deux lexèmes dont les contenus sémantiques sont proches l'un de l'autre. (Par exemple, le sème spécifique/intra-urbain/, dans la grille donnée ci-dessous, permet d'opposer les lexèmes *autobus* et *autocar*, et le sème spécifique /payant/ les lexèmes *taxi* et *voiture*.)

L'analyse sémique repose sur le postulat que le signifié d'un lexème est décomposable en unités de sens plus réduites et que ces mêmes unités de sens se retrouvent dans tout le lexique, c'est-à-dire que les divers lexèmes du lexique combinent différemment les mêmes atomes de signification. Pour certains, les sèmes constituent les données ultimes de la signification, alors que pour d'autres, ce ne sont que des éléments opératoires permettant une structuration économique du lexique.

Concrètement, l'analyse sémique se donne donc au départ un « ensemble d'expérience » et dégage les sèmes en comparant systématiquement entre eux les lexèmes appartenant à cet ensemble : seront *sèmes* les traits de signification servant à distinguer deux lexèmes. Prenons un exemple, emprunté à B. Pottier (1974, p. 63) : il s'agit d'un champ d'expérience, celui d'un « citadin voyageur », (champ conceptuel, par conséquent, cf. *supra*, p. 127) composé des unités : *voiture, taxi, autobus, autocar, métro, train, avion, moto, bicyclette*. On construit une matrice de traits en inscrivant + ou — selon que le lexème en question possède le trait ou non, et ~ si le lexème est indifférent au trait.

	sur terre	sur rail	deux roues	individuel	payant	4 à 6 personnes	intra-urbain	destiné au transport de personnes
voiture	+	—	—	+	—	+	~	+
taxi	+	—	—	~	+	+	~	+
autobus	+	—	—	—	+	—	+	+
autocar	+	—	—	—	+	—	—	+
métro	+	+	—	—	+	—	+	+
train	+	+	—	—	+	—	—	+
avion	—	—	—	~	+	~	—	+
moto	+	—	+	+	—	—	~	+
bicyclette	+	—	+	+	—	—	~	+

Dans ce tableau, chaque ligne horizontale constitue un sémème, c'est-à-dire une conjonction de sèmes : /sur terre/ + /sur rail/ + /payant/ + /intra-urbain/ + /destiné au transport de personnes/ définit le sémème correspondant au lexème *métro* dans ce champ. L'archisémème est ici /destiné au transport de personnes/, car c'est l'intersection de tous les sémèmes (le seul sème commun à tous). On remarquera qu'il n'existe pas de lexème correspondant à l'archisémème : en effet, *véhicule* ne permet pas de préciser qu'il s'agit du transport de personnes. (La langue a cherché à remédier à cette lacune en créant le *paralexème* (mot composé) *véhicules utilitaires*, opposé au paralexème *véhicules de tourisme*, mais cette nouvelle opposition ne vaut nullement pour le train ou l'avion !) De plus, on constate que *moto* et *bicyclette* ne sont pas encore distingués à cette étape de l'analyse, puisque les sèmes choisis sont marqués des mêmes traits pour l'un et l'autre terme.

Nous avons présenté cette grille telle que la donne B. Pottier : il faut noter qu'il est possible de contester sa validité sur plusieurs points. Quels taxis transportent six personnes ? Peut-on dire que le métro est

« sur terre » ? Posera-t-on que la moto est un véhicule individuel alors que la plupart ont deux places, sans parler des side-cars...? etc. Une telle matrice de traits distinctifs ne peut donc apparaître comme « évidente » ; c'est que la constitution de tels champs ainsi que leur analyse suscitent bien des difficultés, dans la mesure où ils sont étroitement liés à l'état des techniques ou des idées d'une époque donnée ; la stabilité des contenus sémantiques dans le temps et dans l'espace s'en ressent. Les problèmes traditionnels posés en linguistique structurale par la délimitation de champs réellement synchroniques sont ici amplifiés par le fait que l'analyse sémique est particulièrement sensible aux modifications du référent. Peut-on réaliser la même analyse sémique du lexème *pilote* dès lors que ce terme, réservé d'abord au domaine maritime, s'applique aussi bien au « conducteur » d'un avion, voire à celui d'un « vaisseau » aérospatial ?

Quant aux variations dues aux individus ou aux groupes (classes sociales, niveaux culturels, « circuits éducationnels », profession...), elles imposent de définir explicitement le *point de vue* à partir duquel on découpera le champ envisagé : pour quels usagers l'avion peut-il apparaître comme un moyen de transport « individuel » ? L'analyse sémique ne peut pas prétendre structurer « scientifiquement » l'univers des significations à l'aide d'une grille unique. Pour être efficace, elle devrait confronter plusieurs organisations concurrentes d'un même domaine conceptuel. Par exemple, du point de vue du géographe, *fleuve* se définit comme un cours d'eau se jetant dans la mer, *rivière* comme un cours d'eau se jetant dans un autre cours d'eau ; en revanche *ruisseau* ne sera qu'un cours d'eau de petite dimension, dont le signifié s'oppose donc simultanément à celui des deux autres, de dimensions plus vastes. Ce n'est pas là le point de vue de la plupart des locuteurs, pour lesquels les trois lexèmes se situent sur le même axe d'opposition, celui de la /dimensionnalité/, sans prendre en considération les sèmes précisant le lieu d'aboutissement.

1. Analyse selon le point de vue du géographe

	cours d'eau	de petite taille	se jetant dans la mer	se jetant dans un autre cours d'eau
fleuve	+	−	+	−
rivière	+	−	−	+
ruisseau	+	+	~	~

2. Analyse selon le point de vue du locuteur courant

	cours d'eau	de petite taille	de taille moyenne	de grande taille
fleuve	+	−	−	+
rivière	+	−	+	−
ruisseau	+	+	−	−

134

Ces deux grilles concurrentes sont en réalité parfaitement pertinentes et complémentaires, chacune dans son ordre.

De même, le champ conceptuel des « sièges » comprend pour la plupart des francophones l'ensemble { *chaise, fauteuil, tabouret, canapé, chaise longue...* } alors qu'un nombre restreint d'entre eux disposent d'autres lexèmes tels *méridienne, causeuse, bergère*, etc., savent distinguer *ottomane, berceuse, club...* Les points de vue de l'antiquaire, du marchand de meubles modernes, du connaisseur cultivé, du consommateur courant sont autant de découpages originaux qui ne se recoupent que partiellement. Autrement dit, il n'y a pas de « lexique en soi » pas plus que de « champ sémantique en soi ».

Signalons enfin que, même pour des locuteurs appartenant à la même strate socioculturelle, les choix opérés dans le lexique au sein d'une situation de communication déterminée ne peuvent se fonder sur une prise en considération de la *totalité* des sèmes qu'une analyse sémique dégagerait. On est désormais certain que la « capacité d'assimilation » du cerveau, dans un temps donné, est fort limitée et que le principe d'économie est à l'œuvre en permanence dans le discours. Par exemple, l'**archilexème** (lexème correspondant à l'archisémème) est substituable à tous les lexèmes dont il est l'archilexème quand le contexte n'exige pas que le locuteur fournisse plus de précisions sémantiques qu'il n'est nécessaire. Toutefois, il n'existe pas, dans de nombreux cas, d'archilexèmes correspondant aux archisémèmes (cf. *supra*, l'exemple de *véhicule*). Ces « lacunes » et « chevauchements » lexicaux n'en sont que si l'on cherche à mesurer le fonctionnement de la langue à l'aune d'un modèle de vocabulaire technique ou scientifique.

De toute façon, l'analyse sémique ne doit pas être coupée de l'approche distributionnelle, et réciproquement, si l'on ne veut pas aboutir à des inconséquences. On ne peut dissocier un signifié des possibilités combinatoires du signe. Vouloir faire, par exemple, l'analyse sémique d'*ancien* et *antique* sans s'intéresser à leur distribution est non pertinent : selon les substantifs qu'ils accompagnent et leur position, leurs valeurs peuvent se modifier considérablement. Comparons *un outillage ancien* (= désuet) à *un livre, un meuble... ancien*, ou encore *un antique vase* à *un vase antique, une antique coutume* (littéraire et plutôt laudatif) à *une antique voiture* (iconique et dépréciatif)... Une perspective à la fois syntaxique et sociolinguistique doit donc doubler l'analyse sémique.

Les perspectives offertes ici à l'analyse sémique se trouvent « décalées » par rapport au modèle traditionnel proposé par la sémantique structurale qui véhicule des présupposés théoriques contestables : illusion d'un référent stable indépendant du fonctionnement linguistique, illusion d'un locuteur « idéal » déterminant les lexèmes composant les champs et leurs traits distinctifs comme des données *a*

135

priori. Située en dehors de l'univers du discours, donc de l'histoire et du social, la sémantique structurale court toujours le risque d'être seulement une linguistique du mot ou même simplement du nom.

- Le concept de noyau sémique

A.J. Greimas (*Sémantique structurale,* Larousse, 1966) a essayé d'affiner l'analyse sémique en construisant le concept de *noyau sémique.* Un sémème est défini comme la conjonction d'un *noyau sémique* (Ns) et d'un ou plusieurs *sèmes contextuels* (Cs). Le Ns est l'invariant de sens d'un lexème, qui, selon les contextes, prend des acceptions différentes : c'est ainsi qu'on rend compte de la polysémie d'un lexème.

Greimas prend l'exemple du lexème *tête* : il a de multiples acceptions en français, mais derrière ce foisonnement apparent, on peut dégager un premier Ns composé du seul sème /sphéroïdité/ (= « le fait d'avoir la forme d'une sphère »). Si on adjoint à ce Ns un sème contextuel /solidité/, on peut rendre compte d'expressions comme *se casser la tête, avoir la tête dure,* etc.

Si maintenant on adjoint le sème contextuel /contenant/ au Ns, on rendra compte de *se creuser la tête, avoir une tête bien pleine,* etc.

Comme ce premier Ns n'épuise pas le corpus, on en dégage un second composé de deux sèmes [/extrémité/ + /supérativité/]; le sème /supérativité/ recouvre à la fois le sème /antériorité/ (le fait qu'une chose soit placée avant une autre) et le sème /supériorité/ (le fait d'être au-dessus) : ainsi pourra-t-on rendre compte de *la tête d'un arbre, la tête d'un cortège,...* Si on ajoute à ce Ns le Cs /continuité/ (comme dans *tête de ligne*), on l'opposera au Cs /discontinuité/ (qu'on trouve par exemple dans *fourgon de tête*).

L'auteur cherche finalement à montrer que les deux Ns n'en font qu'un (sinon il y aurait eu homonymie), dans la mesure où l'on peut considérer l'« extrémité » comme un volume (d'où le sème /sphéroïdité/), ou comme un point par rapport à une ligne. *Tête* est donc un polysème qui s'actualise en différents sémèmes selon les sèmes contextuels qui s'adjoignent à cette unité abstraite qu'est le noyau sémique.

Cette distinction Ns/Cs est féconde : elle permet essentiellement de rendre compte des multiples acceptions d'un lexème. On peut, de même, réinterpréter restriction et extension de sens en termes de supression ou d'adjonction de sème (s) : tel sème contextuel entre dans le noyau sémique, ou, inversement, tel sème du noyau devient sème contextuel. Pour reprendre les exemples donnés plus haut, dans le cas de *traire* c'est le sème contextuel propre à la traite des animaux qui s'est agrégé au sème du noyau sémique, alors que pour *arriver,* c'est un des sèmes du noyau qui est devenu sème contextuel, permettant dès lors de dire *arriver au rivage* sans, pour autant, user de redondance.

- **Connotation/dénotation**

L'opposition entre *connotation* et *dénotation* d'un signe linguistique a été largement vulgarisée par la linguistique structurale mais reste très confuse. La *dénotation* est habituellement définie comme l'aspect sémantiquement stable du signifié, tout ce qui, dans la signification d'un terme, est l'objet du consensus de la communauté parlante, tandis que la *connotation* est censée désigner ce qu'il y a de variable, de contingent dans ce même signifié : ainsi *fleur* serait en dénotation un végétal présentant tels caractères spécifiques et susciterait éventuellement des connotations de /fraîcheur/, /grâce/...; on dit également que *bagnole*, outre sa dénotation, a une connotation /populaire/, etc. Mais est-on en droit de dire qu'*acier*, par exemple, a une connotation de /dureté/ (connotation inscrite dans le fonctionnement sémantique habituel de ce lexème : *Paul a des nerfs d'acier, Jacques est en acier*...) de la même manière que *gueule* ou *bagnole* ont une connotation /populaire/? Non, car l'une est inscrite nécessairement dans l'analyse sémantique alors que l'autre relève d'une problématique sociolinguistique des niveaux de langue.

B. Pottier a essayé d'intégrer les connotations dans le sémème sous la forme de *sèmes connotatifs* présents virtuellement « dans la mémoire associative du sujet parlant » (*op. cit.*, p. 74). Seront donc sèmes connotatifs aussi bien le sème /en bois/ pour le lexème *armoire*, que le sème /être secoué/ pour *autobus*, que la « résonance particulière » du nom propre *Verdun* pour un ancien combattant. Les sèmes connotatifs risquent donc de devenir le « fourre-tout », le « débarras » de ce que l'étude de la dénotation ne peut intégrer; l'analyse sémique, qui rencontre déjà bien des difficultés quand elle traite de la dénotation, tend à devenir alors un modèle non pas plus puissant mais peu opérant.

Il faut rappeler que les problèmes de sens ne sont pas l'apanage des linguistes. Depuis longtemps, les philosophes et les logiciens ont réfléchi sur la signification. Aujourd'hui les psycholinguistes et les sociolinguistes abordent ce domaine avec d'autres outils méthodologiques. Indiquer cette multiplicité d'approches, c'est souligner que l'exportation en sémantique des concepts et méthodes utilisés en phonologie et en syntaxe est à considérer avec le recul critique nécessaire : suffit-elle à fonder l'*autonomie* d'une sémantique linguistique?

LECTURES

P. GUIRAUD : *La Sémantique,* Que sais-je? P.U.F. 1955, rééd. mise à jour en 1975.

Livre d'initiation très clair, bien documenté. Ses perspectives sont à la fois traditionnelles et structuralistes.

- J. PICOCHE : *Précis de lexicologie française* (Nathan, 1977).

Excellent ouvrage didactique sur les diverses problématiques de la lexicologie contemporaine, considérées à travers une optique structuraliste.

B. POTTIER : *Linguistique générale,* Klincksieck, 1974.

Exposé systématique des principes de l'analyse sémique par un de ses principaux promoteurs; on lira surtout les pp. 26 à 31 et 61 à 105.

A. REY : *La lexicologie. Lectures,* Klincksieck, 1970.

Recueil de textes traitant des problèmes de la lexicologie du XXᵉ siècle. Ouvrage utile, mais dont les commentaires ne sont pas très fournis.

P. GUIRAUD : *Structures étymologiques du lexique français,* Larousse, 1967.

Livre enrichissant pour ceux qui s'intéressent à la création lexicale.

A.J. GREIMAS : *Sémantique structurale,* Larousse, 1966.

Un des ouvrages importants de la sémantique structuraliste. Les premiers chapitres ont des préoccupations strictement linguistiques, même si l'auteur aborde ensuite des problèmes très divers. La lecture en est ardue.

M. TUTESCU : *Précis de sémantique française,* Klincksieck, 1975.

A consulter pour un tour d'horizon des plus récentes problématiques.

On consultera avec profit divers numéros de revues : *Langue Française* n° 2 (« Le lexique »); n° 4 (« La sémantique »); n° 30 (« Lexique et Syntaxe); *Langages* n° 1 (« Recherches sémantiques »). De nombreux articles sont dispersés dans les *Cahiers de Lexicologie* (Didier-Larousse), dirigés par B. QUEMADA.

3. LEXICOGRAPHIE ET PRATIQUE DU DICTIONNAIRE

Depuis longtemps, le lecteur est familiarisé avec l'objet dictionnaire. Il a pris l'habitude de le consulter dès l'école primaire, pour chercher un renseignement sur une *chose* ignorée ou la définition d'un *mot* inconnu. Cette manipulation a pu lui permettre d'accroître ses connaissances sur le monde et d'améliorer la maîtrise de sa langue maternelle ou d'une langue étrangère. La visée des dictionnaires est donc essentiellement pédagogique et didactique. Parce qu'ils parlent de la langue à l'aide de la langue, les dictionnaires constituent certes des objets linguistiques, mais plus largement encore, des **objets culturels,** lieux privilégiés de référence pour la communauté nationale.

Cette familiarité avec le dictionnaire, avec *un* dictionnaire, celui de la famille ou de la bibliothèque scolaire, va de pair avec une méconnaissance des dictionnaires en général, de leur histoire, de leur fonctionnement, de leurs méthodes d'analyse. Une approche, même schématique, de la lexicographie doit inciter les usagers à réfléchir sur ce geste apparemment anodin qu'est la consultation d'un dictionnaire.

La lexicographie est une **science** en même temps qu'une **pratique :** une *pratique* fort ancienne dont on peut fixer l'acte de naissance en France au XVIe siècle, et qui consiste dans la mise en œuvre de techniques pour confectionner des dictionnaires; une *science* récente, tributaire du développement de la linguistique moderne, qui analyse cette technique et permet, à son tour, d'aboutir à la production de nouveaux dictionnaires. Les acquis de la lexicologie conditionnent, de plus en plus, la lexicographie et la constitution des dictionnaires.

Depuis leur origine, les dictionnaires répondent implicitement à tous les problèmes du vocabulaire : homonymie, polysémie, synonymie, figures de rhétorique, niveaux de langue. En ce sens, le dictionnaire fournit des éléments irremplaçables pour juger du fonctionnement lexical de la langue à un moment donné. C'est donc tout naturellement que nous allons privilégier les dictionnaires de langue et présenter leurs principes et leurs méthodes, avant d'analyser les contenus de leurs articles. Le problème de la définition sera notre préoccupation majeure, comme il est celle du lexicographe.

QU'EST-CE QU'UN DICTIONNAIRE DE LANGUE?

Les dictionnaires présentent des caractères communs. Nous avons évoqué leur visée didactique; nous aurions pu souligner les constantes de leur présentation matérielle : une suite d'*entrées* disposées selon l'ordre alphabétique. Mais la réalité de ces données communes ne doit pas masquer la très grande diversité des instruments que l'on regroupe sous le vocable de « dictionnaire ».

- Les différents types de dictionnaires

Nous reprendrons ici la classification, désormais classique, proposée par B. Quemada et reprise par R.L. Wagner et J. et Cl. Dubois (cf. bibl.), qui nous permettra de distinguer successivement :

— les dictionnaires **bilingues** des dictionnaires **monolingues** : le rôle d'un dictionnaire bilingue est d'être un instrument de traduction (les premiers dictionnaires en France sont des dictionnaires latin-français).

Le *bilinguisme* est la différence entre deux idiomes nationaux, mais pourquoi ne pas l'étendre au rapport entre une langue nationale et un dialecte, entre langue écrite et langue parlée, et, à la limite, entre une norme-standard de la langue et un niveau de langue déterminé? Dira-t-on qu'un dictionnaire picard-français ou un dictionnaire des argots sont des dictionnaires bilingues? Et pourquoi ne pas faire la même remarque à propos d'un dictionnaire de l'ancien français ou du français classique? On voit que cette distinction monolingue/bilingue, évidente au premier abord, dissimule en fait des difficultés considérables.

— Les dictionnaires **extensifs** des dictionnaires **sélectifs** : les dictionnaires *extensifs* ont pour ambition d'être des répertoires exhaustifs de tous les mots de la langue, alors que les dictionnaires *sélectifs* circonscrivent leur nomenclature, soit par souci normatif, soit par vœu de spécialisation. Ainsi, on peut considérer le *Dictionnaire de l'Académie française* (1694), dont la neuvième édition est en cours de préparation, comme un ouvrage sélectif, puisqu'au nom d'une « certaine idée de la langue », à caractère élitiste, il exclut d'autres usages, des termes techniques, etc. Il serait fastidieux de passer en revue la masse des dictionnaires spécialisés : notons simplement l'existence de dictionnaires et de *lexiques* scientifiques et techniques, d'*index* qui fournissent la liste des mots d'une œuvre, de *glossaires* et de *nomenclatures* en tous genres.

— Les **dictionnaires de choses** des **dictionnaires de mots** : la distinction porte ici sur la nature des informations données. Alors que les *dictionnaires de choses* consacrent leurs développements aux réalités nommées par le signe, les *dictionnaires de mots* s'intéressent prioritairement au fonctionnement linguistique du terme.

Les premiers donnent sur les « objets » dénotés par les signes le maximum d'informations historiques, techniques, etc. Certains d'entre eux abandonnent l'ordre alphabétique de présentation pour une confi-guration méthodique des connaissances par matières : il s'agit des *encyclopédies*. Ainsi, l'*Encyclopédie ou Dictionnaire raisonné des sciences, des arts et des métiers* (1751-1780), dont le maître d'œuvre fut Diderot, constitue un véritable miroir du « siècle des Lumières ». Aujourd'hui, on peut considérer le *Grand Larousse Encyclopédique* (dix volumes) comme un représentant caractéristique d'un type de diction-naires qui privilégient plus le « monde des hommes » ou « l'univers des choses » que le lexique de la langue.

Les dictionnaires de mots, ou dictionnaires de langue, énumèrent, au contraire, les particularités linguistiques du signe : sens, emplois, catégorie grammaticale, prononciation, etc. Avant d'examiner plus en détail certains dictionnaires représentatifs de cette catégorie, on doit dire un mot des dictionnaires de langue spécialisés, qui, dans leur domaine, peuvent être classés comme des dictionnaires sélectifs. A l'heure actuelle, les grandes maisons d'édition françaises possèdent une collection de ces instruments : dictionnaires des synonymes, dictionnaires des difficultés de la langue française, dictionnaires des mots nouveaux, dictionnaires de citations, etc. Insistons sur deux ou trois variétés moins connues du grand public, et intéressantes d'un point de vue linguistique : les *diction-naires analogiques* donnent pour chaque terme l'ensemble des mots qui lui sont proches par le sens. Ce principe de « l'analogie » se retrouve dans un grand dictionnaire de langue comme le *Robert*. Les *dictionnaires étymologiques* illustrent une orientation importante de la lexicographie : il s'agit de noter les liens entre formes issues d'un même radical, en don-nant toute l'information historique possible sur chaque mot.

L'information étymologique pose un problème au lexicographe : certains l'excluent dans le souci de ne présenter qu'une vue synchronique de la langue, ainsi le *Dictionnaire du français contemporain*. Ce rapport de la synchronie et de l'his-toire en lexicographie est traité par A. Rey (op. cit. en bibl.).

Enfin, nous mentionnerons l'existence de *dictionnaires fondamen-taux* de la langue, qui, dans une synchronie donnée, essaient de définir les mots les plus fréquemment utilisés dans des corpus oraux ou écrits, en recourant à ces seuls mots. Ces recherches sur le vocabulaire fonda-mental sont fécondes pour la pédagogie du français (cf. bibl.).

- Les grands dictionnaires de langue aujourd'hui

Nous retiendrons le *Littré,* les trois *Robert,* le *Dictionnaire du Français Contemporain (DFC),* le *Lexis,* le *Grand Larousse de la Langue Française (GLLF)* et le *Trésor de la Langue Française (T.L.F.).* Ce choix repose d'abord sur un argument sociologique : ces dictionnaires, à l'exception du dernier dont l'achèvement est encore lointain, ont acquis une audience certaine; ils font partie de notre environnement scolaire et culturel. Un autre critère, de nature linguistique, est plus déterminant : ces dictionnaires se revendiquent comme des descriptions objectives de la langue; ils prétendent entériner des usages, en refusant la normativité avouée, celle du *Dictionnaire de l'Académie*. Surtout, certains de ces dictionnaires ont été influencés par les recherches de la linguistique structurale, et ont même intégré ses acquis à leurs développements.

Présentons-les, suivant l'ordre chronologique de leur apparition :

— Le *Littré* ou *Dictionnaire de la langue française* (1863-1873) d'Émile Littré, réédité plus ou moins intégralement à plusieurs reprises depuis sa parution et sous forme condensée *(Le Petit Littré)*. Considéré longtemps comme le modèle des dictionnaires de langue française, cet ouvrage s'inspire des principes de la linguistique du XIXe siècle, à dominante historique : il privilégie l'évolution du mot, accorde une place importante à l'étymologie; il contient presque exclusivement des citations empruntées à la langue classique. Aujourd'hui, il est plus considéré comme un « monument culturel » que comme un instrument de connaissance de la langue contemporaine.

— Le *Robert* ou *Dictionnaire alphabétique et analogique de la langue française* de Paul Robert (édité en 6 volumes en 1953), puis en 7 en 1970 par la « Société du Nouveau Littré ». Un abrégé, informé des travaux récents en linguistique, a paru en 1967, sous le titre *Petit Robert*. Un *Dictionnaire du Français Primordial* ou *Micro-Robert* a fait son apparition en 1974. Les *Robert* affirment leur spécificité de dictionnaires de langue, à la fois descriptifs, historiques et analogiques.

La nomenclature du *Petit Robert* dépasse le chiffre de cinquante mille mots; elle comprend tous les termes les plus courants de la langue, plus de très nombreux termes scientifiques ou techniques, des mots régionaux répandus, les néologismes « reçus » dans la langue; les mots très « vulgaires » ou les « créations de fantaisie » ont été écartés. Dans la tradition du *Littré*, le *Robert* appuie ses définitions sur une masse considérable d'exemples littéraires empruntés aux auteurs des XIXe et XXe siècles. Les deux ouvrages adoptent en général un plan historique au sein de leurs articles : ils donnent les acceptions des termes suivant l'ordre chronologique de leur apparition.

— Le *Dictionnaire du Français Contemporain* (Larousse, 1967, un volume). De tous les dictionnaires actuellement sur le marché, c'est le plus orienté vers les préoccupations pédagogiques : il se veut un outil destiné à l'apprentissage de la langue française, ici et maintenant. Le terme « contemporain » indique le parti pris de s'en tenir à la synchronie, ce qui entraîne l'élimination des informations historiques et étymologiques, et, naturellement, des mots vieillis et archaïques (ou des acceptions aujourd'hui inusitées). Cette limitation de la nomenclature se fait aussi au détriment des vocabulaires étroitement spécialisés. Le *DFC* refuse la primauté traditionnelle de l'écrit, du littéraire, pour s'en tenir à l'usage parlé de la langue, en intégrant les formes et les emplois familiers ou populaires. La caution que procure l'exemple emprunté aux « grands auteurs » est exclue. Ainsi, avec ses 25 000 termes, ce dictionnaire constitue le répertoire du vocabulaire usuel du français contemporain. Dans ce projet même, on aura reconnu certaines orientations de la linguistique. Il n'est donc pas étonnant qu'elles se retrouvent dans la méthode de description employée, qui accorde une grande importance au fonctionnement syntagmatique des termes ; d'où l'utilité d'indications sur les contraintes distributionnelles des unités étudiées : par exemple, pour le verbe, nature du sujet et/ou du complément — pour l'adjectif, place, et nom(s) co-occurrent(s), etc.

D'autre part, le *DFC* rompt souvent avec l'ordre alphabétique de la présentation, pour mettre en évidence des oppositions sémantiques et syntaxiques, sous la forme d'une multiplicité de tableaux : à l'article *assez,* tableau comparatif avec *trop* ; à l'article *entre,* tableau comparatif avec *parmi* ; de même pour *en* à l'article *dans* ; à l'article *tout,* différents tableaux, suivant la nature grammaticale de l'élément (adjectif, indéfini ou qualificatif, pronom indéfini et adverbe). D'une manière générale, tous les regroupements ont pour critères des rapports sémantiques ou grammaticaux : ainsi les éléments de composition et de dérivation sont réunis autour du terme de base (sous l'entrée *concorder* figurent *concordant, concordance, discordant, discordance*).

Le *DFC* peut donc revendiquer le titre de dictionnaire de grammaire, d'autant qu'il est complété par un appendice intitulé *Travaux pratiques,* portant sur les sens et emplois des noms, adjectifs et verbes, et sur le problème du rapport entre mot et phrase « transformée ». Enfin, le *DFC* met *systématiquement* en évidence les synonymes, avec leur degré d'intensité, et les réseaux complémentaires d'antonymes (*un homme pauvre,* syn. *nécessiteux, indigent ;* contr. *riche, aisé. Un sol pauvre,* syn. *stérile, ingrat ;* contr. *fertile, généreux*). Des informations sur la prononciation des termes (transcription dans l'A.P.I.), et sur les niveaux de langue auxquels ils appartiennent, complètent l'enracinement linguistique du *DFC*.

— Le *Lexis, Dictionnaire de la Langue Française* (Larousse, 1975), réalisé comme le *DFC* sous la direction de J. Dubois, s'inscrit dans les mêmes orientations : même méthode des *regroupements* (appel à la notion de champ sémantique pour réunir les dérivés et composés autour du « terme vedette » choisi pour entrée) et des *dégroupements* (généralisation du traitement homonymique, cf. *infra*). On dégagera cependant les différences suivantes :

● Le lexique recensé est nettement plus vaste : avec ses 70 000 termes, la nomenclature du *Lexis* intègre le vocabulaire usuel du français contemporain mais aussi le vocabulaire moderne des sciences et techniques, des syntagmes figés et locutions en grand nombre, des néologismes (« franglais » par exemple), certains mots dialectaux (« belgicismes », « occitanismes »...). Contrairement au *DFC,* le *Lexis* retient, dans des développements particuliers, des termes, acceptions et exemples du français classique et littéraire ainsi que quelques noms propres et sigles qui ont donné lieu à des dérivations (O.N.U. - *Onusien*).

● Le *Lexis,* à la différence du *DFC,* précise l'étymologie du terme, sa date d'apparition et celle de ses acceptions actuelles.

● Autre originalité : un « dictionnaire alphabétique grammatical », au début de l'ouvrage, traite des catégories et phénomènes grammaticaux du français dans une perspective structurale.

Ces deux dictionnaires disposent d'une gamme très étendue de termes pour désigner différents **niveaux de langue** du français (soutenu, familier, populaire, argotique...) et diverses « aires d'utilisation » (littéraire, écrit...). Il ne peut être question, dans un exposé sur la lexicographie, d'aller au fond d'un problème complexe, déjà évoqué à propos de Saussure ou de la sociolinguistique et repris dans le second volume.

La constitution de tout dictionnaire implique la définition d'une norme indissolublement linguistique et culturelle. Celle-ci est forcément tributaire de la division de la société en classes sociales, et ne peut que se conformer à l'idéologie des classes sociales dominantes, s'exerçant à travers un certain nombre d'institutions. C'est donc en fonction de cette norme que s'ordonne la hiérarchie des niveaux de langue : les intégrer dans le dictionnaire constitue une nécessité, sous peine de donner l'illusion d'une langue homogène, ce qui ne correspondrait en rien à la réalité. Mais, ce faisant, le dictionnaire ne peut échapper au reproche d'entretenir les distinctions sociales à travers les distinctions linguistiques. Il n'est pas sans importance que les auteurs de dictionnaires explicitent le « modèle » de locuteur qu'ils se sont forgé (cf. *GLLF*) : déterminer le niveau socio-culturel d'un dictionnaire revient finalement à définir ses destinataires, ses usagers.

— *Le Grand Larousse de la Langue Française* (7 volumes, 1971, en cours de publication). Il s'agit d'une œuvre d'un grand intérêt par sa double perspective de dictionnaire aussi complet que possible de la langue et d'encyclopédie générale de grammaire et de linguistique. Les auteurs, dans la *Préface,* ont pris soin de définir explicitement un « modèle » de lecteur virtuel, celui du « francophone cultivé », et un corpus : le lexique décrit « comprend tous les mots qui peuvent être rencontrés dans la presse contemporaine non étroitement spécialisée, où sont dosés les vocabulaires techniques et le vocabulaire général ». Mais ce corpus s'étend aussi aux œuvres des écrivains des XIXe et XXe siècles; les termes étrangers vivant dans notre langue sont intégrés à la nomenclature, qui comprend plus de 70 000 termes. Toute la gamme des niveaux de langue y figure.

Le *GLLF* retient aussi bien les apports de la lexicologie structurale que les dernières recherches en matière d'étymologie et de linguistique historique : l'origine et l'évolution des mots et de leurs sens sont systématiquement signalées, mais ne constituent pas le point de départ de la description. L'histoire du mot n'est pas le fil directeur de l'article : la définition part, en général, de l'usage actuel, et « les emplois se distribuent à partir du premier selon un effort de classement logique ». La distinction entre le « propre » et le « figuré » domine la classification des emplois. Dans chaque article, outre l'étymologie et les datations, figurent la prononciation (transcrite en A.P.I.), la catégorie grammaticale du terme, les synonymes et antonymes, de très nombreux exemples du langage parlé ou de la langue littéraire. Ces exemples ne jouent pas un simple rôle illustratif : leur présence se justifie par l'argument linguistique selon lequel « le mot du dictionnaire n'a d'existence réelle qu'inséré dans une phrase de discours ». Si le *GLLF,* comme le *DFC,* peut se prévaloir du titre de « dictionnaire de phrases », c'est parce que le classement des sens d'un terme est lié à la distribution de ce terme dans la phrase. Notons toutefois que ce principe reçoit une grande limitation du fait du *traitement* en général *polysémique* du *GLLF* (cf. *infra*).

Enfin, l'originalité majeure du *GLLF* est son aspect d'encyclopédie de la grammaire et de la linguistique. Sous chaque terme nommant un concept utilisé dans l'étude de la langue, les étudiants trouveront des développements très élaborés qui intègrent les recherches récentes de la linguistique : ainsi, à titre d'exemple, un exposé de onze pages sur la grammaire générative.

- *Le Trésor de la Langue Française* (14 volumes, Klincksieck, 1972, en cours de publication). Il faut accorder une place particulière à ce dictionnaire qui se présente comme une œuvre monumentale et ambitieuse. Instrument irremplaçable pour une connaissance du lexique, sa visée n'est pas directement pédagogique. Il s'agit en effet d'un travail opéré à partir d'un relevé mécanographique systématique des mots attestés dans les textes des XIXe et XXe siècles.

L'établissement de la nomenclature se fait en puisant à divers fonds : d'abord le fonds littéraire où sont recensés tous les mots français, y compris les noms de pays, peuples, etc., et leurs dérivés, les mots du vocabulaire historique, voire des mots latins et étrangers, certains termes régionaux... S'y ajoutent les mots tirés du fonds scientifique et technique, des vocabulaires spécialisés (et même les termes de la métalangue lexicographique).

Les méthodes d'analyse se fondent dans la mesure du possible sur les procédures de l'analyse sémique et de l'analyse distributionnelle. Chaque acception ainsi définie est corroborée par une liste détaillée de ses contextes attestés. La présentation typographique reflète clairement la distinction entre la définition elle-même et la multiplicité des emplois de ces unités dans les discours; il est fait systématiquement mention du domaine d'utilisation de tels termes ou acceptions (domaines de la parapsychologie, du tissage, de la sculpture...).

Au terme de ce tour d'horizon de certains dictionnaires de langue, on espère avoir donné à l'usager les moyens de se repérer : c'est qu'au-delà des caractères communs inhérents à la nature de l'objet-dictionnaire, il existe, nous l'avons vu, une réelle diversité des orientations.

L'ARTICLE DE DICTIONNAIRE

Il est indispensable de consacrer quelques lignes à la présentation matérielle des articles du dictionnaire, en particulier au problème ardu, et diversement résolu, que constitue la définition de l'*entrée* lexicale (on emploie aussi le terme *adresse*), c'est-à-dire de l'élément qui fait l'objet de l'article.

- Les entrées et le contenu de l'article

La délimitation de l'entrée lexicale suppose une réponse implicite à tous les problèmes liés à la définition du mot (cf. chap. 1 de la 3ᵉ partie). En règle générale, les dictionnaires retiennent pour entrées les mots graphiques, à savoir les séquences de lettres séparées à gauche et à droite par un blanc; les mots composés, que leurs éléments soient séparés par un trait d'union *(compte-gouttes, coffre-fort)* ou pas *(gentilhomme)* sont en principe considérés comme des mots et constituent des entrées. Mais les lexicographes modernes, attentifs au fonctionnement linguistique des éléments, se doivent souvent de dépasser ces indices typographiques : ainsi, dans le *Petit Robert,* le *DFC* ou le *GLLF, pomme de terre* ou *chemin de fer* forment des entrées lexicales particulières, alors que d'autres dictionnaires les plaçaient sous l'entrée *pomme* ou *chemin.* Mais si l'unanimité se fait ici pour isoler ces syntagmes figés, il n'en va pas de même pour tous les dérivés et composés : par exemple, le *DFC,* qui pratique des regroupements autour d'un terme de base, range dans l'article **1. compter** (le verbe transitif), les termes *compte, compteur, comptable, comptabilité, comptant, comptage,* ainsi que *décompter, décompte, recompter, compte-gouttes.* En revanche, tous ces termes font l'objet d'entrées lexicales spécifiques dans le *GLLF* et le *Petit Robert.* D'autre part, les affixes ne sont pas répertoriés comme entrées dans les dictionnaires de langue; on peut justifier cette lacune d'un point de vue pratique en notant que la plupart des dictionnaires donnent en introduction ou appendice la liste des préfixes et suffixes. De même, l'exclusion de la nomenclature des flexions verbales explique la présence des tableaux de conjugaison en annexe au dictionnaire ; le fait de retenir comme entrée la forme infinitive des verbes *(aimer, chanter)* est une solution purement arbitraire. On pourrait aussi évoquer la question des formes élidées, des mots polymorphes (du type *cou/col, fou/fol*), etc.

De tous les problèmes liés à l'entrée lexicale, le plus délicat est sans conteste celui de la différenciation entre classement **homonymique** et classement **polysémique.** J. et Cl. Dubois donnent les définitions suivantes : « Lorsque deux entrées distinctes sémantiquement sont identiques graphiquement, on dit qu'elles sont homonymes. Lorsque la même entrée recouvre des sens différents, on dit que le mot est polysémique. » Naturellement, les cas de simples homonymies phoniques ne posent aucun problème : une entrée pour *poids,* une autre pour *pois,* une autre pour *poix* ; les homographes de catégories grammaticales différentes, non plus : il est impossible de faire figurer dans la même rubrique *boucher* (n. masc. « personne qui pratique le commerce de la viande ») et le verbe *boucher.* Dans ces cas-là, tous les dictionnaires seront d'accord : il s'agit bien de mots différents. Pour le reste, la question se complique considérablement et l'on s'en tiendra à dégager deux orientations possibles du lexicographe. Le *DFC,* qui recourt au traitement homonymique, procède d'une manière systématique aux dissociations et distingue par exemple deux entrées pour *aiguillon :*

1° *aiguillon :* Dard des abeilles, des guêpes.

2° *aiguillon :* Ce qui incite à l'action.

Le *GLLF,* exemple de traitement polysémique, ne retient, au contraire, qu'une seule entrée :

aiguillon :
1° Pointe de fer fixée au bout d'un long bâton, et qui sert à piquer les bœufs.
2° Dard des abeilles, des guêpes.
3° *Par anal.* Piquant épidermique qui adhère à l'écorce du rosier et de certaines plantes.
4° *Fig.* Excitant ou stimulant moral dont l'action est constante et répétée.

Cela suffit à nous indiquer que nous sommes en présence de deux conceptions différentes du mot : dans le traitement polysémique *(GLLF),* des sens distincts renvoient à une unité stable de la langue ; dans le traitement homonymique *(DFC),* à chaque sens correspond une unité spécifique, ce qui conduit à refuser la bipartition entre le sens « propre » et le sens « figuré ». D'autre part, ce classement homonymique repose nécessairement sur l'étude des contextes, de la distribution du terme dans le cadre de la phrase (cf. exercices).

Une fois le matériau déterminé (les entrées lexicales), le lexicographe doit s'atteler à la rédaction du contenu de l'article. Nous ne reviendrons pas sur l'introduction, dans l'article, de la prononciation du terme, de sa catégorie grammaticale, voire, dans certains cas, de son étymologie. C'est de la définition dont on s'occupera particulièrement, puisqu'elle constitue la pièce maîtresse de l'article : elle est en connexion avec d'autres problèmes, ceux des exemples et des synonymes.

- Les problèmes de la définition lexicographique

Quand on consulte un dictionnaire pour trouver le sens d'un mot, on attend une réponse toute prête, inattaquable, garantie par l'autorité dont le dictionnaire est investi. On ne pense guère au fait que la définition recherchée n'est pas une donnée brute, mais le résultat d'une activité extrêmement complexe du lexicographe qui rencontre sur son chemin tous les obstacles liés à l'univers de la signification.

Que cherchons-nous dans la définition? Une équivalence sémantique du terme ignoré, qui nous fasse comprendre sa signification, à l'aide de termes qui, eux, nous sont théoriquement déjà connus.

L'auteur de dictionnaires utilise pour rédiger les articles un *métalangage,* c'est-à-dire un langage dont l'objet est lui-même un langage, mais aussi un code particulier, une *métalangue,* c'est-à-dire une langue dont les éléments font partie de la langue elle-même ; ainsi le langage grammatical, comme le langage lexicographique sont-ils des métalangues. J. et Cl. Dubois soulignent les caractéristiques de cette métalangue lexicographique : elle possède son lexique (« espèce », « sorte », « manière », « qualité », etc.), ses symboles abréviatifs, ses opérations syntaxiques, ses caractères typographiques... Naturellement, cette utilisation nécessaire d'une métalangue est source de difficultés : les termes de la métalangue sont à leur tour passibles de définitions et sont donc eux-mêmes intégrés à la nomenclature du dictionnaire ; à l'aide de quelle autre métalangue les définira-t-on? En fait, en l'absence d'une formalisation de la signification, dont le code ne renverrait pas à la langue naturelle, toute définition possède un caractère circulaire.

Généralement, la définition du dictionnaire tient plus un discours sur la *chose* que sur le signe : en le consultant, nous obtenons des renseignements sur les « objets » nommés par les signes, mais seulement de maigres indices sur le fonctionnement linguistique des termes (des indications sur le signe en lui-même nous sont seulement données par la prononciation ou la catégorie grammaticale placée avant la définition). Or, il est évident que, pour affirmer leur spécificité de dictionnaires de langue, les instruments les plus récents s'orientent vers une description plus proprement linguistique. Avant d'en venir à l'examen de la définition « structurale », signalons les deux types classiques de définitions lexicographiques (cette classification est celle de B. Quemada reprise dans R.-L. Wagner, *op. cit.* en bibl.) :

— **La définition logique.** Elle repose sur la distinction, faite dans la logique classique, entre le *genre* et la *différence spécifique*. Le genre donne une première approche classificatoire du terme; les différences spécifiques précisent cette appartenance à un genre déterminé. Jusqu'à *Littré* inclus, le mot *homme* est défini comme *animal* (genre) *raisonnable* (différence spécifique); la *fonte* est un *alliage* (genre) *de fer et carbone* (différence spécifique avec les autres alliages). Ces définitions sont donc faites par compréhension (on énumère les propriétés de l'objet), mais, elles peuvent aussi être faites par extension (ce qui constitue un autre mode d'approche. Cf. *supra*, p. 122) : « rouge se dit de ce qui a la couleur du sang, du feu, etc. ».

— **La définition nominale.** Il ne s'agit pas à proprement parler d'une définition : elle cherche simplement à rapprocher des mots sémantiquement équivalents ou à délimiter le sens d'un terme par ses contraires; elle use donc des antonymes et synonymes. Définir *lourdeur* par *pesanteur* ou le verbe *laisser*, par *ne pas prendre*, ne nous apprend rien sur le contenu sémantique du terme. Cette procédure aboutit à la paraphrase parfaitement circulaire : *victoire = action de vaincre*; *vaincre = remporter la victoire*.

— **La définition structurale.** Naturellement, le rendement, l'efficacité *linguistiques* des types de définitions précédents sont très faibles. Aujourd'hui, les lexicographes essaient de substituer à la définition classique une description de la structure sémantique des termes par le recours à l'étude des champs sémantiques. En outre, cette structure est indissociable des emplois réels des mots dans les énoncés. La définition doit se présenter « comme une traduction explicite de tous les traits sémantiques distinctifs qui définissent le mot dans une structure donnée » (*avant-propos* du *DFC*). On comprend la nécessité pour les dictionnaires de langue d'être des dictionnaires de phrases, de noter les occurrences syntagmatiques des termes et de distribuer les entrées (ou sous-entrées) en fonction de critères syntaxiques. Mais si certains dictionnaires de langue ont essayé de fonder leurs définitions sur l'étude des contraintes syntaxiques, l'introduction systématique de l'analyse sémique en lexicographie est encore au stade de la recherche (certains linguistes, soviétiques en particulier, cherchent à élaborer dans cette optique un dictionnaire « explicatif et combinatoire »). Quant aux exemples qui tendaient trop souvent à compléter l'insuffisance des définitions, voire purement et simplement à les remplacer, ils peuvent avoir désormais une justification proprement linguistique (bien entendu, les exemples et les citations à caractère littéraire possèdent toujours un intérêt culturel de témoignages sur l'histoire, la société, etc.).

Toutes ces recherches menées pour parvenir à la constitution de dictionnaires plus rigoureux sont tributaires des développements de la lexicologie structurale. La pratique lexicographique reflète, avec retard, les avancées théoriques de la lexicologie. En attendant, les dictionnaires actuels du français continuent de mêler les différents types de définitions; ils ne peuvent être vraiment homogènes du point de vue de leurs méthodes linguistiques, et l'on doit surtout chercher en eux les perfectionnements qu'ils apportent à leur visée pédagogique. Ne l'oublions pas, le dictionnaire est un instrument pédagogique; il ne faut ni le dédaigner à cause de ses imperfections, ni en faire une panacée, mais simplement apprendre à le pratiquer, en ayant conscience de sa *relativité*.

LECTURES

J. et Cl. DUBOIS : *Introduction à la lexicographie : le dictionnaire*. Larousse. 1971.

Ouvrage de référence auquel nous avons emprunté de nombreux éléments.

On trouvera d'autres articles de J. DUBOIS dans les *Cahiers de lexicologie,* les *Études de Linguistique appliquée* et dans le n° 19 de la revue *Langages* consacré à la lexicographie.

A. REY : *Le Lexique : images et modèles* (A. Colin, 1978).

Excellente synthèse sur les problèmes lexicologiques posés par le dictionnaire.

J. REY-DEBOVE : *Étude linguistique et sémiotique des dictionnaires français contemporains*. Mouton. 1971.

Panorama bien documenté de la lexicographie contemporaine.

R.L. WAGNER : *Les vocabulaires français*, Didier. 1967.

Solide introduction aux problèmes généraux du lexique.

B. QUEMADA : *Les dictionnaires du français moderne (1539-1863)*, Didier, Paris, 1967.

Étude considérable, indispensable pour connaître l'histoire et les méthodes de la lexicographie classique.

G. GOUGENHEIM, R. MICHEA, P. RIVENC, A. SAUVAGEOT : *L'élaboration du français fondamental* (1er degré), Didier, 2e éd., 1964.

EXERCICES

1. Exercices d'analyse distributionnelle

1 *Soit les corpus suivants, forgés de toutes pièces : dégagez les éléments appartenant à une même classe distributionnelle et les « formules distributionnelles » (cf. l'exercice-modèle réalisé en l. 4 p. 59).*

- ECD, EFCD, EFHD, EHD, EHJ, GCD, GFCD, GHD
- AB, CB, CF, ABC, CBC, CBA, AGF, CEF, AGB, CEB, AGBA, CGBC, CEBA, AEBC, AGBAE, AGBCE, CEBAG, CEBAE

2 *Dans ce corpus extrait du swaheli, donnez les morphèmes (et leur signification).*

atanipenda	il m'aimera	*atakupenda*	il t'aimera
atampenda	il l'aimera	*atatupenda*	il nous aimera
atawapenda	il les aimera	*nitakupenda*	je t'aimerai
nitampenda	je l'aimerai	*nitawapenda*	je les aimerai
utanipenda	tu m'aimeras	*utampenda*	tu l'aimeras
tutampenda	nous l'aimerons	*watampenda*	ils l'aimeront
atakusumbua	il t'ennuiera	*unamsumbua*	tu l'ennuies
atanipiga	il me battra	*atakupiga*	il te battra
atampiga	il le battra	*ananipiga*	il me bat
anakupiga	il te bat	*anampiga*	il le bat
amenipiga	il m'a battu	*amekupiga*	il t'a battu
amempiga	il l'a battu	*alinipiga*	il me battait
alikupiga	il te battait	*alimpiga*	il le battait
wametulipa	ils nous ont payé	*tunakulipa*	nous te payons

Comment est formé un verbe dans ce corpus ?

3 *Dégagez les morphèmes (et leur signification) dans les corpus de langues imaginaires suivants : il est supposé que les lettres transcrivent les mêmes sons qu'en français. Tenez éventuellement compte des allomorphes (cf. p. 113) dus au contexte phonétique.*

- *tman :* j'achète, *akan :* tu veux, *man :* acheter, *slap :* il dort, *kan :* vouloir, *kil :* je vois, *awal :* tu dis, *il :* voir, *lap :* dormir, *ju :* il boit, *al :* dire, *u :* boire, *awu :* tu bois, *kal :* je dis, *tlap :* je dors.
- *sefameg :* tu prenais, *sekemul :* tu aimais, *snamirerop :* tu es entendu, *sakemuler :* tu aimes, *sopibi :* tu diras, *snasikoperop :* tu es laissé, *sanopir :* tu dis, *snanamegerop :* tu es pris, *sanever :* tu cries, *sesikop :* tu laissais, *sevebi :* tu crieras, *skemuli :* tu aimeras, *samegi :* tu prendras, *smiri :* tu entendras, *sefopi :* tu disais, *snefamegop :* tu étais pris, *snekemulop :* tu étais aimé.

2. Exercices de phonétique et phonologie

1 *Analysez et commentez les citations suivantes :*

1. « La résonance nasale rapproche les consonnes des voyelles et, d'autre part, si elle se superpose à un spectre vocalique, elle amortit les autres formants et fait dévier la voyelle de son modèle optimum » (R. JAKOBSON, in *Essais de Linguistique générale*, Éd. de Minuit, 1963).

2. « La phonétique expérimentale a tendance à faire croire que seule est « vraie » la réalisation révélée par les appareils. Comment fonder une science sur des descriptions d'événements qui ne se répètent jamais identiquement? Toute réalisation a une fin communicative et ce sont les valeurs distinctives qui doivent être retenues. Tout phonéticien doté de bon sens est phonologue » (B. POTTIER, « Du très général au trop particulier en analyse linguistique », in *Travaux de Linguistique et de Littérature*, publiés par le Centre de Philosophie et de Littératures Romanes de l'Université de Strasbourg, I, 1963).

3. « ... dire que l'accent appartient au groupe et non au mot ne signifie pas que les syllabes non finales de groupes soient toutes rigoureusement et également dépourvues d'accent » (P. DELATTRE, in *Studies in French and Comparative Phonetics*, Mouton, 1966).

4. « ... il semble ressortir qu'une classification générale et rationnelle des éléments prosodiques sur la base de leurs manifestations physiques... n'est pas possible... La fonction seule constitue ces divers phénomènes en unités linguistiquement identiques » (B. MALMBERG, in *Les Domaines de la Phonétique*, P.U.F., 1971).

2 *Répondez aux questions suivantes en faisant appel à votre propre expérience de la langue. Ce n'est qu'ensuite que vous consulterez l'ouvrage de* P.R. LÉON : Prononciation du français standard (Didier, 1966).

A *a)* Que peut-on dire de la distribution de [ø] et de [œ] en position accentuée? *(distribution complémentaire)*

b) Quels sont les cas où, dans cette position, [ø] et [œ] sont en opposition phonologique? *(constitution de paires minimales)*

c) Peut-on trouver des paires minimales fondées sur l'opposition [ø] - [œ] lorsque ces deux sons sont en position inaccentuée?

d) Que peut-on en déduire sur le rendement de l'opposition phonologique /ø/ - /œ/ et sur la prononciation de mots comme *malheureux*?

B *a)* Les oppositions /ɛ̃/ - /ɑ̃/, /ɛ̃/ - /œ̃/, /ɛ̃/ - /ɔ̃/, ont-elles le même rendement? *(nombre de paires minimales)*

b) Quels sont les différents rôles joués par l'opposition /ɛ̃/ - /ɛn/ dans le système oral du français? *(problème des « marques »)*

c) Existe-t-il des cas où /ɛ̃/ s'oppose à un groupe autre que /ɛn/?

d) Que peut-on en déduire pour la prononciation des voyelles nasales du français?

C *a)* Peut-on trouver des paires minimales où /w/ s'oppose à /ɥ/ ou à /j/?

b) Pourquoi l'examen des substitutions entre une semi-consonne et la voyelle orale correspondante permet-il de conclure que le yod ne peut être mis sur le même plan fonctionnel que le /w/ ou le /ɥ/? *(On élargira la réflexion jusqu'à la poésie en songeant au problème de la diérèse.)*

c) A-t-on le droit de dire que le groupe *ui* se prononce toujours [ɥi] quand on prend en compte les réalisations orales effectives?

d) Quelles sont les causes des glissements de prononciation que suggère la question précédente?

3   Nous ne pensons pas qu'il soit adéquat de proposer ici des exercices de transcription phonétique. S'il est indispensable d'apprendre à utiliser correctement les signes de l'A.P.I., il est tout aussi indispensable de se livrer à un entraînement systématique, que l'on pourra conduire en utilisant l'ouvrage de P.R. Léon cité à la page précédente. On y trouva un très grand nombre d'exercices ainsi que les « clés » correspondantes.

Nous tenons à préciser toutefois que cela ne saurait constituer qu'une première étape de l'apprentissage. Il convient ensuite de passer à la transcription de messages enregistrés au magnétophone, technique sûre (possibilités de retours en arrière) qui aboutit à une « éducation de l'oreille » que nous estimons fondamentale. Interviennent alors des interprétations sociolinguistiques des messages transcrits pour lesquelles le second volume apportera de nombreux matériaux.

Pour terminer ces quelques exercices, nous proposerons donc un petit corpus que l'on essaiera de classer en fonction de critères sociolinguistiques; dans un deuxième temps, on s'efforcera de repérer les faits qui caractérisent telle « langue » ou tel « style ».

- [sɥilavokatfrɑ̃]
- [ʒəpɑ̃skilɛʃelədɑ̃tist]
- [ilepartidpɥidizɑ̃]
- [ʒəndiʒamɛrjɛ̃]
- [imfodrɛynlivdəsyk]
- [sənəplyzasefɔːʀ]
- [ʒkɔnɛllɔkatɛʀdypʀəmje]
- [imadikivjɛ̃dra]
- [mɛkətabuʃɛbɛlɑ̃səmyɛblasfɛm!]
- [ilmuʀʀɛdəpœʀsilməvwajɛ]

153

3. Exercices de lexicologie

Les exercices sont de trois types :

1) La manipulation de quelques tests destinés à étudier le degré de cohésion de divers groupes de mots.
2) Application de l'analyse distributionnelle : levées d'homonymie et de synonymie.
3) La mise en œuvre des principes de l'analyse sémique.

1 Un seul mot ou plusieurs?

Comme on l'a vu, la notion de mot est difficile à cerner avec précision, et il n'est donc guère aisé de savoir dans bien des cas si l'on a affaire à un paralexème (bloc lexical totalement figé que l'on appelle traditionnellement *mot composé*), ou à un segment de discours répété (bloc lexical en voie de figement), ou à une suite de mots indépendants. Ce qu'il faut considérer essentiellement, c'est le degré de séparabilité des éléments du groupe étudié : les constituants de cette séquence peuvent-ils ou non se séparer sans altérer gravement leur sens? On peut recourir à divers tests pour tenter d'évaluer le degré d'autonomie de ces constituants : tests de commutation, de répétition partielle, d'insertion, de mise en facteur commun.

a) **commutation**

Dans la séquence *grenouille de bénitier,* on ne peut faire commuter *de bénitier* avec *d'église* sans altérer profondément le sens du groupe entier; il s'agit donc d'une séquence figée. Inversement, dans *fauteuil à roulettes,* on peut faire commuter *à roulettes* avec *d'infirme, à pédale,* etc.; dans cette séquence, *fauteuil* garde donc son autonomie et n'est pas constituant d'un paralexème.

b) **répétition partielle**

Ce test diffère peu du précédent; il consiste à reprendre un des éléments de la suite considérée. Ainsi dans *pomme de pin,* on ne peut dire : *je vois des pommes de pin (...) Ces pommes m'attirent,* car il y a un changement d'unité lexicale. En revanche, *permis de conduire* peut être repris par *permis* dans *je n'ai plus mon permis de conduire (...) J'ai perdu mon permis hier. Pomme de pin* est donc un groupe non dissociable, ce qui n'est pas le cas de *permis de conduire.*

c) **insertion**

Si on peut insérer quelque élément à l'intérieur d'une suite, c'est que cette dernière ne constitue pas un bloc figé. En effet, on admettra à la rigueur une séquence comme *un fauteuil rose à roulettes,* mais non la séquence* *une pomme brune de pin :* les constituants de *fauteuil à roulettes* sont bien séparables.

d) **mise en facteur commun**

Il n'est pas possible de dire* *pomme de pin et d'api* mais *robe de soirée* est moins figé puisque l'on peut avoir *robe de cocktail et de soirée.*

A vrai dire, ces tests valent surtout par la convergence de leurs résultats, car ils sont plus ou moins indépendants les uns des autres. De toute façon, un seul ne suffit pas pour conclure à la séparabilité des éléments d'une suite.

154

Mettez en œuvre ces tests de cohésion syntagmatique sur les groupes de mots :

fille de salle, fard à joues, valet de chambre, livret militaire, feu d'artifice, lampe de chevet, sac à main, robe de chambre, tableau de bord.

2 *a) Après avoir constitué un corpus adéquat (en vous servant de dictionnaires, ou de votre sentiment linguistique et de celui d'autres francophones), essayez d'opérer une levée d'homonymie sur les verbes suivants en recourant à l'analyse distributionnelle (une étude des dérivés peut être d'un grand profit).*

Adhérer, apprendre, confondre, déposer, poser, pousser, fumer, servir, jouer.

b) A l'aide également de la méthode distributionnelle, étudiez la synonymie des groupes de lexèmes suivants :
aisé/riche — fort/vigoureux — grave/sérieux/important — ancien/antique/vieux — briser/rompre/casser — percer/crever — brûler/flamber.·

3 *a) Soit la liste de lexèmes :*

appartement, maison, pavillon, chaumine, châlet, résidence, H.L.M., bicoque, palais, logis, demeure, château, propriété, hôtel particulier, villa, palais, maisonnette, maison de campagne, manoir, baraque, F3, ferme, taudis, gentilhommière, chaumière, studio, maison bourgeoise, deux-pièces, maison de maître, mas, hôtel, résidence secondaire.

Une telle liste définit-elle un champ conceptuel vraiment pertinent pour une analyse sémique ? Sinon, où réside la difficulté et comment faudrait-il « travailler » cette liste pour la rendre opératoire ? (Étudier en particulier les niveaux de langue, les « points de vue » des usagers, la diachronie, etc., pour définir des champs conceptuels cohérents.)

b) Choisissez un champ conceptuel et essayez de définir sur lui une pluralité de « points de vue » ainsi que leurs intersections.

c) Faites l'analyse sémique des lexèmes contenus dans les champs qui suivent :

- *Placard, armoire, buffet, commode, coffre, penderie, bibliothèque, vitrine.*
- *Tapis, natte, moquette, paillasson, descente de lit, tapis de bain.*
- *Lancer, donner, perdre, lâcher, abandonner, jeter. (Pour neutraliser la polysémie inhérente à ces verbes, on posera qu'ils commutent dans le contexte : Jules — sa valise.)*

d) L'analyse sémique peut être utilisée à des fins pédagogiques, sous la forme de « grilles sémiques », destinées en particulier à améliorer la comparaison entre lexèmes de signifiés voisins : il s'agit de repérer identités et différences. Une telle pratique pose des problèmes : instabilité du référent, interférence de « points de vue », nécessité de corriger l'analyse sémique par la méthode distributionnelle, etc. Aussi faut-il essayer d'établir ces grilles dans le cadre de contextes déterminés pris à des discours déterminés.

	produisent ou réfléchissent une lumière vive	sans arrêt	par intermittence	
briller	+	+		Les phares des voitures *brillent* dans la nuit.
scintiller	+		+	Des bijoux *scintillent* à ses doigts.

		étendue d'eau	généralement					parfois saumâtre
			vaste et profonde	moins vaste et profonde	stagnante	non stagnante	douce	
Le *lac* de Genève est une véritable petite mer intérieure	*lac*	+	+			+	+	
Des canards barbotent dans les roseaux de l'*étang*	*étang*	+		+	+		+	+

Exemple de M. GALISSON (*L'apprentissage systématique du vocabulaire*, I, p. 57, Larousse-Hachette).

Comparez de même, à l'aide de dictionnaires et en recourant si nécessaire à une réflexion critique :

bredouiller/bafouiller, dédaigner/négliger, oreiller/traversin, péniche/cargo, matelas/paillasse, roulotte/caravane, parc/jardin, boue/vase.

156

4. Exercices de lexicographie

Nous avons retenu trois types d'exercices :

1) Une comparaison entre articles apparaissant dans des dictionnaires d'orientations similaires mais de tailles différentes.
2) La mise en évidence d'une divergence dans le traitement d'un lexème à partir d'une comparaison entre deux dictionnaires d'orientations différentes.
3) Un apprentissage des problèmes posés par la fabrication d'un article de dictionnaire.

1 *Étudiez la présentation et la densité respectives des articles **Messager** du* Grand Robert *et du* Petit Robert *ainsi que de l'article **Message/Messager** du* Micro Robert : *nature et type des informations données, importance accordée à chacune d'elles. Quelles conclusions peut-on en tirer quant au public visé et aux modes d'utilisation de ces ouvrages? On renouvellera cet exercice en prenant comme corpus des dictionnaires de langue autres que ceux proposés ci-dessus (par exemple :* DFC, Lexis, GLLF*).*

2 *Consultez deux articles de dictionnaire traitant le terme **fil** : dans le* Petit Robert, *il s'agit du traitement dit **polysémique** par opposition au classement **homonymique** du* DFC. *Lequel de ces deux traitements vous semble le plus pertinent? Vous fonderez votre raisonnement sur une analyse comparative détaillée : en particulier, problème de la sélection de(s) entrée(s), présence ou non d'un noyau sémique organisateur, ordre d'apparition des rubriques, attention portée à la diachronie, aux aires d'utilisation, à l'opposition du propre et du figuré, etc.*

*Au terme de cette analyse, vous semble-t-il que nous ayons affaire dans ces deux cas à une organisation réellement linguistique de la signification? Ne pourrait-on pas proposer un autre traitement qui fasse appel d'une façon plus précise à certaines méthodes d'analyse exposées dans le chapitre consacré à la lexicologie structurale? Dans la même optique, comparez les articles **lumière, lustre, chasser, battre, cher, doux...** dans ces mêmes dictionnaires et d'autres (par exemple, le* GLLF*).*

3 *A partir du corpus suivant, essayez de construire l(es) article(s) de dictionnaire correspondant au verbe **appliquer** en déterminant les modalités de classement qui vous semblent les plus pertinentes : traitement homonymique ou polysémique? Qu'en est-il de l'opposition entre le sens propre et le sens figuré? Problème des niveaux de langue et des aires d'utilisation, structuration des champs dérivationnels, mise en place du réseau des synonymes et contraires. Un tel classement présuppose naturellement une analyse des contraintes distributionnelles syntaxiques et sémantiques.*

1. Pierre applique dans ses études des principes efficaces.
2. « Les citoyens s'appliquent au commerce. » (Fénelon).
3. J'appliquerai mon salaire à l'achat d'un réfrigérateur.
4. Pierre a appliqué une couche de vernis sur la porte.
5. On applique de plus en plus la linguistique à de nombreux domaines.
6. On lui a appliqué des ventouses sur le dos.
7. Ce proverbe s'applique bien à la situation.
8. Marie lui a appliqué un baiser sur la joue.
9. Appliquez, pour résoudre ce problème, le théorème de Thalès!
10. Léon s'applique à être gentil avec sa maman.
11. Le tribunal a appliqué une lourde peine à l'assassin.
12. « Un bon roi applique ses sujets à l'agriculture. » (Fénelon).
13. Le col applique sur la chemise.
14. Cette peinture s'applique bien sur le mur.
15. A l'école, Jules s'appliquait beaucoup.

Procédez de la même manière sur le corpus suivant, avec **familier.**

1. Il a des façons familières avec tout le monde.
2. Son style est émaillé de tours familiers.
3. L'argot m'est très familier.
4. J'aime beaucoup mes animaux familiers.
5. Il a une tête qui m'est familière.
6. C'est un familier de cette boîte de nuit.
7. Socrate avait un démon familier.
8. Le maniement de cette voiture m'est devenu familier.
9. Un bruit familier retentit à mes oreilles.
10. Il est familier avec ses chefs.

INDEX

L'index ci-dessous est essentiellement un index des mots clés autour desquels s'organisent certains paragraphes.

A abrégement 124
accent 100, 102 sq (- d'insistance) 104
acoustique (image -) 29
(classement -) 74, 87 sq
affriquée (consonne -) 85
allomorphe 113
allongement 83
allophone 96
alvéolaire (articulation -) 70
analyse sémique 132 sq
antonymie 126, 127
aperture 80, 84
apicale (articulation -) 70
arbitraire du signe 10, 20, 29 sq

archilexème 135
archiphonème 97
archisémème 132
articulation 70, 80, 84, 87
(double -) 56
articulatoire (classement -) 80 sq
assimilation 85

B bon usage, 7, 12, 16, 22
bruit, 50, 64, 73

C canal 49
cavité de résonance 68, 74
champ (affixal) 128 (conceptuel) 127,

158

128, 133 (dérivationnel) 128,
130 (lexématique) 129 (linguistique)
128, 129 (sémantique) 38, 109, 127 sq
classème 132
code (vs message) 49 (- écrit) 22
111, 112 (- oral) 22, 111, 112
communication 27, 49 (processus
de la -) 48 sq
commutation 48, 53, 94
comparatisme 13, 17
compétence (vs performance) 47
composition 37, 110
compréhension 113, 122
connotation 116, 137
consonne 64, 84 sq, 92, 93
constituants immédiats (analyse
en -) 45, 55, 56
constrictive (consonne -) 64, 84, 93
contiguïté 57, 123
corpus 52, 53

D débit 101, 103
décodage (vs encodage) 49
dénotation 116, 119, 137
dentale (articulation -) 70
dérivation 37, 110
désaccentuation 102, 103
destinateur (vs destinataire) 49
diachronie 24 sq
dialectologie 14, 38
diphtongaison 91
discours (univers du -) 49, 119
(analyse du -) 28, 40, 115 (- répété)
114 (technique du -) 114
distinctif, ive (fonction -) 53, 56, 61,
94, 101 (trait -) 97, 132
distribution 57, 58, 96, 130
(- complémentaire) 58, 96
distributionnelle (analyse -) 45,
56 sq, 129 sq, 151
dorsale (articulation -) 70 (r dorsal)
85

E économie 122, 125
émetteur (vs récepteur) 49
encodage (vs décodage) 49
énonciation 40, 52, 53, 115
entrée (lexicale) 140, 146
ethnolinguistique 39
étymologie 10, 123
extension 113, 122 (- de sens) 124

F famille de mots 128
fermée (voyelle -) 81 (syllabe -) 96
fonctionnalisme 42, 43
fondamental 74

formant 74, 88, 89
forme (vs substance) 31, 35, 44, 61,
113, 119, 120 (- du signifié) 120
fréquence 64, 67, 72, 76, 88
fricative (consonne -) 84

G générative (grammaire -) 37, 46, 47,
48, 115, 125
glossématique 44
glotte 66
groupe rythmique 102

H harmonique 74
hauteur 76, 91
homographe 120
homonymie 120, 121 (levée d'-) 120
(traitement homonymique) 147, 148
homophone 120
hyperonymie 126
hyponymie 126

I icône 30
identités (vs différences) 31
immanence 52, 53
immotivation 30
indice 30, 101
indo-européen 13
information (théorie de l'-) 50, 51
intensité 76, 88
intonation 100, 101, 104 sq
invariant 87

L labiale (articulation -) 70
langage 7, 23, 27
langue (vs parole) 7, 23, 26 sq,
112, 122
larynx (anatomie du -) 64 sq
latérale (consonne -) 85, 93
lexème 54, 112, 119
lexicographie 38, 139 sq, 157, 158
lexicologie 37, 38, 154, 155, 156
lexique 103, 109 sq, 116
lieu d'articulation 70, 80, 86
liquide (consonne -) 93
locus 92
locuteur 49

M mélodie 100, 101
mentalisme 12, 45
message (vs code) 28, 49, 51
métalangage 148
métalangue 148
métaphore 123
mi-occlusive (consonne -) 85
monosémie 121
morphe 112, 113

morphème 37, 54, 109, 112 (- lexical)
112, 119 (- grammatical) 112, 119
morphologie 11, 36
morphophonologie 36
morphosyntaxe 36, 37
mot 36, 54, 110 sq (- graphique) 111,
112 (- phonique) 111, 112 (- thème)
116 (- clé) 116, 117

N nasalisation 81, 82, 85
nasale (voyelle -) 73, 82, 91, 98
(consonne -) 73, 92
nasalisée (voyelle -) 82
néo-grammairien 14, 15
néologie 38, 125
neurolinguistique 39
neutralisation 97, 126
niveau de langue 137, 144
norme 7 sq, 21, 22

O occlusive (consonne -) 64, 84, 92
occurrence 57, co-occurrence 57, 117
opposition 48, 53, 58, 94
orale (voyelle -) 81, 82, 98
ouverte (voyelle -) 81 (syllabe -) 97

P paire minimale 96
palatale (articulation -) 70
paradigme 32, 33
paralexème 133
parole (vs langue) 19, 26 sq, 115
pathologie (du langage) 39
performance (vs compétence) 47
période 72 (son périodique) 73
permutation 94
pertinence 53
philologie 7 sq, 22
phonématique 36, 54, 95
phonème 35, 54, 70, 94
phonétique (vs phonologie) 35, 61
(- acoustique) 36, 71 sq
(- articulatoire) 36, 63 sq
(- descriptive) 36 (- fonctionnelle) 36,
61 (- générale) 36 (- historique) 14, 36
phonologie 35, 36, 61, 93, 94 sq,
152, 153
poétique 20, 40
polysémie 120, 121 sq (traitement
polysémique) 147, 148
prosodie 95, 100 sq
psycholinguistique 28, 39

R récepteur (vs émetteur) 49
redondance 50, 51
référent 29, 119
registre 104, 105

résonance 74, 87
r (apical) 85 (dorsal) 85 (roulé) 85
(uvulaire) 85
rythme 100

S segmentation 53 sq
sémantique 15, 38, 127 sq
sème 132 (- spécifique) 132
(- générique) 132 (- connotatif) 137
(- contextuel) 136
sémème 132
semi-consonne 86, 87, 93, 99
sémiologie 21, 23, 30
sémiotique (s) 30, 40
sémique (analyse -) 132 sq (noyau -)
136
sens 38, 94
signe 29 sq, 118
signifiant (vs signifié) 29, 118
signification 32, 119
signifié (vs signifiant) 29, 118
sociolinguistique 28, 39, 53, 125
sonante (consonne -) 84, 85, 93
sonore (consonne -) 64, 73, 85
sourde (consonne -) 64, 73, 85
spectrogramme 88
structuralisme 5, 19, 28, 42 sq
stylistique 40
substance (vs forme) 31, 35, 44, 61,
113, 119, 120
substitution 53 sq, 94
suprasegmental (facteur -) 95, 96
syllabe 93 (- ouverte) 97 (- fermée) 97
symbole 30 (fonction symbolique) 27
synchronie 21, 24 sq
synonymie 120, 125, 126 (levée de -)
129
syntagme 32, 33, 55, 113
syntaxe 27, 36, 37, 49, 103
système 20, 24, 26, 29 sq, 34

T tension (articulatoire) 83, 85, 91
timbre 76
trait distinctif 97, 132
transformation 37, 44, 46, 47
transition 92, 93
trope 123

U uvulaire (articulation -) 70

V valeur 20, 31, 32, 109, 127
variante (combinatoire) 96 (libre) 96
vibrante (consonne -) 84, 85
vélaire (articulation -) 70
voisement 64

Z zéro (degré -) 82

Imprimé en France par l'Imp. Hérissey, Évreux — Nº 27724
Dépôt légal 2623-3-1981 — Coll. nº 12 — Éd. nº 02

14/4509/7

LANGUE LINGUISTIQUE COMMUNICATION

Collection dirigée par Bernard Quemada

LINGUISTIQUE FRANÇAISE

initiation à la problématique structurale (2)

Syntaxe, communication, poétique

par

Jean-Louis CHISS
E.N. de Versailles

Jacques FILLIOLET
Université de Paris X

Dominique MAINGUENEAU
Université d'Amiens

CLASSIQUES HACHETTE

79, boulevard Saint-Germain, Paris 6ᵉ

Cet ouvrage constitue le second volume d'un manuel en deux tomes. Le premier comprend trois parties (Initiation à la problématique de la linguistique structurale; Phonétique et phonologie; Problèmes du lexique). Le tome 2 peut être lu séparément pour qui a une formation linguistique de base; toutefois, dans un souci d'efficacité, on ne peut que conseiller d'utiliser les deux volumes, qui ont été conçus comme un tout cohérent.

Nous remercions Messieurs les Éditeurs qui ont bien voulu nous autoriser à reproduire des extraits d'œuvres de leur fonds :

L'Arbalète : J. GENET (pp. 131-132), *Le Condamné à mort*.

Gallimard : APOLLINAIRE (pp. 151 et 154), *A la Santé* — *Ville et cœur*, in *Alcools*/R. CHAR (pp. 136 et 152), *Sept parcelles du Luberon* — *Le Village vertical*, in *Retour Amont* — (p. 157) *L'Amour*/R. CHAR et A. BRETON (p. 164), *Autour de l'Amour*, in *Ralentir travaux* (Pléiade, P. Éluard, tome 1)/M. DEGUY (p. 133), *Oui-dire*/P. ÉLUARD (p. 153), *Les Tours d'Éliane*, in *Les Mains libres* — (p. 156), *Couvre-feu*, dans *Poésie et Vérité* — (p. 158), *Bonnes et mauvaises langues*, in *La Rose publique*/J. FOLLAIN (p. 163), *L'Ile*, in *Exister*/M. FOMBEURE (p. 146), *Festins* in N.R.F./Ph. JACCOTTET (p. 119), *Fin d'hiver*/M. LEIRIS (pp. 118-135-140-148 et 165), *Marques* — *La Cambre* — *Au vif* — *Avare*, in *Autres Lancers* — (p. 134) *Tiers de la mort*, in *Haut-mal*/J. PREVERT (p. 165) *Poème*, in *Paroles*.

G.L.M. : R. CHAR (p. 164), *L'Alouette*, in *La Paroi et la Prairie*. F. MALLET-JORRIS et M. GRISOLIA (p. 141), deux refrains.

TABLE DES MATIÈRES

PREMIÈRE PARTIE : Éléments de syntaxe   5

1 Les principes de l'Analyse en Constituants Immédiats   7
- La procédure distributionnelle   7
- Les principaux constituants de la phrase   9
- Représentation graphique de l'A.C.I.   19

2 Analyse des constituants majeurs de la phrase   19
- Les marques dans la phrase : le genre et le nombre   19
- Dérivation et composition   25
- Le syntagme nominal   34
- Le syntagme verbal   44
- Le syntagme adjoint   52

3 La phrase complexe   55
- Problèmes de définition et de typologie   55
- La phrase-SN   57
- La phrase-SA   60
- La phrase SAdj   62

Lectures   65

DEUXIÈME PARTIE : Approches des problèmes de la communication linguistique   67

Introduction : Structuralisme et communication   67

1 Les situations de communication et le sujet dans la langue   70
- L'énonciation dans la langue   70
- Les situations de communication : oral/écrit   79

Lectures

2 La langue dans le temps et l'espace   86
- La variation spatiale : unité et différences   86
- La constitution du français langue nationale   92
- La variation linguistique et la langue fait social   94

Lectures

3 Des niveaux de langue aux pratiques linguistiques   98
- Le français : division technique et/ou division sociale   99
- Théories de la co-variance et nouvelles sociolinguistiques   106

Lectures   113

TROISIÈME PARTIE : Poétique   114

Introduction : La fonction poétique   115

1 Approches du signifiant   117
  - Homonymie, homographie et spatialisation   118
  - La structuration sonore   120
  - Structuration sonore et méthodologie du décodage   121
  - La structuration rythmique   127
  - Le vers libre   132

2 Approches du signifié   137
  - Le discours répété   139
  - Les interférences lexicales   142
  - La structuration du lexique   147
  - La structuration sémantique   149
  - Sémantisme et linéarité   150
  - Rhétorique et sémantique   152
  - Syntaxe et sémantique   155

  Lectures   158

Exercices   160
Index   166

4

PREMIÈRE PARTIE
Éléments de syntaxe

Au terme de leurs études secondaires, la très grande majorité des bacheliers a été habituée à des pratiques grammaticales peu cohérentes qui ne leur ont pas permis d'étudier concrètement quelles *propriétés linguistiques* fondent la pertinence de telle ou telle notion (« nom », « sujet », « complément d'objet »...). Par conséquent, donner un *cadre de réflexion* est la tâche primordiale à accomplir. Aussi est-ce à la fois dans le désir de maintenir une cohérence théorique par rapport au premier volume et dans une perspective pédagogique que notre démarche adoptera dans une large mesure l'analyse dite *en constituants immédiats* (A.C.I.), fondée sur la méthodologie distributionnaliste.

Nous n'ignorons pas que la stricte problématique distributionnaliste a été notablement remise en cause par le développement de syntaxes transformationnelles, comme celles de Harris et de Chomsky (cf. tome I, pp. 45 et 46). Toutefois, cette remise en cause n'atteint pas la plupart des acquis de l'analyse structurale; la « phrase-noyau » de Harris comme la « structure profonde » de Chomsky restent liées à l'A.C.I. A vrai dire, les recherches syntaxiques récentes ont essentiellement montré l'incroyable complexité des langues naturelles, surtout si l'on veut insérer dans la réflexion l'étude des relations qui se tissent à travers le discours entre émetteur, récepteur et situation de communication. Il ne suffit pas de maîtriser le fonctionnement d'un modèle grammatical : l'important est de mesurer son adéquation aux faits de langue. Sinon, on risque de tomber dans la tautologie: on découpe la langue suivant les catégories *a priori* posées au départ et on élimine tout ce qui n'y entre pas. Loin de stimuler la réflexion linguistique, cette démarche est stérile, puisque seul le va-et-vient du modèle proposé aux faits et des faits au modèle est fructueux. En particulier, l'usage de schémas appelés « arbres » (cf. *infra* p. 14) ne doit pas donner l'impression que par ce moyen l'on dégage une quelconque « essence » de la phrase étudiée. Tout schéma ne fait que résumer visuellement une analyse qui renvoie elle-même à une certaine conception de la syntaxe, donc de la langue : il ne vaut que ce que vaut cette conception.

C'est ce qui explique que les linguistes qui travaillent dans le cadre de la grammaire générative sont souvent en désaccord avec les applications pédagogiques hâtives qui en sont faites. Faute de mettre en place cette théorie dans toute sa rigueur, on voit des démarches traditionnelles dans le fond user d'une terminologie et/ou d'un formalisme générativistes qui ont perdu tout sens une fois séparés de leur contexte épistémologique.

L'analyse structurale en syntaxe, au-delà du simple fait de renforcer la cohérence de ce manuel, a d'autres avantages : procédure simple et rigoureuse, elle constitue un moyen privilégié pour se libérer des notions trop facilement admises de la grammaire traditionnelle. Au lieu de manier des catégories sémantiques floues, on est amené à se préoccuper du fonctionnement effectif des unités linguistiques, appréhendé à travers leurs propriétés distributionnelles. En outre, c'est là une base qu'il est absolument nécessaire de posséder si l'on veut manipuler ensuite des syntaxes transformationnelles.

Notre recours à l'analyse distributionnelle ne doit cependant pas faire illusion : cherchant surtout à rendre accessibles quelques-uns des principes de la syntaxe du français, nous suivrons une démarche assez libre sans nous astreindre à une « orthodoxie » distributionnaliste. C'est ainsi que nous ferons un usage fréquent de la notion de *propriété syntaxique*, notion qui déborde le strict domaine des propriétés distributionnelles. En fait, il s'agit de prendre au structuralisme ce qu'il a de meilleur dans le domaine de la syntaxe, à savoir une mise en place des catégories et fonctions syntaxiques essentielles.

1. LES PRINCIPES DE L'ANALYSE EN CONSTITUANTS IMMÉDIATS

LA PROCÉDURE DISTRIBUTIONNELLE

Le linguiste se fonde sur un ensemble d'énoncés réalisés : le corpus. A partir de là, il essaie de construire une *grammaire* de ce corpus en faisant apparaître les régularités distributionnelles de ses éléments constitutifs. La langue, en effet, est formée d'éléments discrets qui se combinent entre eux, à divers niveaux, pour constituer des unités de niveau supérieur : niveau phonématique, morphématique, syntagmatique, phrastique. Ces unités, arbitraires et en nombre fini, ne se combinent pas n'importe comment : toute langue spécifie à chaque niveau un système de contraintes, de restrictions à ces possibilités combinatoires.

- La notion de classe distributionnelle

Ces contraintes qui gouvernent la position respective des unités linguistiques sur la chaîne parlée sont des contraintes *distributionnelles*. On appelle *distribution* d'un élément l'ensemble des positions qu'il peut occuper, des *contextes* dans lesquels il peut figurer. Des éléments pouvant figurer dans les mêmes contextes sont dits appartenir à la même **classe distributionnelle**. On appelle *co-occurents* les éléments figurant avec l'unité dont on cherche à étudier la distribution; ainsi dans le contexte (ou *environnement*) : # *les loups chassent* _____ # peuvent figurer aussi bien *sauvagement* que *les agneaux* (# indique la frontière du contexte, et _____ la place occupée par les éléments dont on cherche à étudier la distribution). Dira-t-on que *les agneaux* et *sauvagement* appartiennent à la même classe distributionnelle? Cela ne serait possible que si ces deux éléments commutaient dans une multitude d'environnements; or, ce n'est pas le cas, comme le montre d'ailleurs le fait que ceux-ci peuvent se succéder sur l'axe syntagmatique :

Les loups chassent les agneaux sauvagement

En revanche, dans l'environnement # les loups chassent _____ sauvagement #, on peut faire figurer *un cheval, les hommes* etc., éléments qui peuvent par ailleurs commuter dans de nombreux autres contextes.

On ne devrait <u>théoriquement</u> pas poser des étiquettes comme *nom* et *verbe*... sans avoir auparavant défini de telles classes par un ensemble délimité de *propriétés distributionnelles* spécifiques et avoir conventionnellement choisi d'affecter ces étiquettes aux éléments figurant dans ces classes. On ne dira donc pas que tel mot est un « nom » parce qu'il désigne une « personne » ou une « chose », un adjectif parce qu'il désigne une « qualité » attribuée à un substantif, etc. comme le fait la grammaire traditionnelle. En effet, ces définitions sémantiques (on dit aussi « notionnelles ») ne constituent nullement des critères rigoureux et explicites permettant de savoir si tel élément est un « nom » ou un « adjectif ».

La perspective distributionnelle a le mérite de faire provisoirement table rase de ces notions vagues pour ne prendre en considération que le comportement effectif des unités linguistiques. C'est ainsi que l'on pourra dire que la sous-classe des « noms masculins singuliers » est la classe des mots pouvant être suivis de *merveilleux, vert,* etc., précédés de *ce, mon* etc. mais qui ne peuvent précéder *font, dorment,* etc. Chaque classe distributionnelle a donc des propriétés combinatoires spécifiques permettant de la définir : c'est sur la diversité et la complémentarité des relations syntaxiques qu'est fondée la cohérence structurale d'une phrase.

Toute l'analyse distributionnelle repose donc sur la notion de **classe**, d'ensemble de substitutions (paradigmatiques), c'est-à-dire en dernier ressort sur le test de commutation. Deux éléments qui ont exactement la même distribution sont dits *en variation libre*; ils peuvent également avoir leurs distributions en *intersection,* ou l'une *incluse* dans l'autre (cf. tome 1, p. 58). En syntaxe, la notion de *distribution complémentaire* est intéressante : la classe des noms et celle des articles, par exemple, sont en distribution complémentaire, parce qu'elles ne figurent jamais dans les mêmes contextes et se succèdent sur la chaîne parlée.

Toute phrase est le résultat de la combinaison d'éléments appartenant à des classes différentes : une phrase, ce n'est pas tant l'association de « mots » en fonction de leur sens que le choix d'éléments de diverses classes complémentaires et leur agencement sur l'axe syntagmatique selon l'ordre imposé par les contraintes distributionnelles propres au français. Une grammaire de type distributionnel prend donc finalement la forme d'un ensemble de *listes* d'éléments appartenant à des *classes* distributionnelles, et d'un ensemble de *formules distributionnelles* définissant les relations syntaxiques entre ces classes (formule [Article + Nom + Verbe] par exemple).

8

- L'analyse en constituants immédiats

La méthode distributionnelle permet surtout de considérer les phrases comme une *hiérarchie de niveaux* d'analyse (cf. tome I, p. 54) et un système de dépendances syntaxiques entre diverses catégories : c'est la finalité même de la procédure d'**analyse en constituants immédiats**.

Le but de l'A.C.I. est de décomposer toute phrase jusqu'aux unités minimales de signification en dégageant des hiérarchies d'éléments emboîtés les uns dans les autres. On aboutit ainsi à une *description structurale* des phrases, qui permet de déterminer à quelles *catégories* (noms, adjectifs, morphèmes de nombre, etc.) appartiennent les constituants, quelles *relations* entretiennent ces catégories, mais aussi quelles sont leurs *fonctions*. L'on doit ainsi mieux percevoir le système des dépendances entre les constituants à l'intérieur du cadre global de la phrase.

Fondée sur la problématique distributionnaliste, l'A.C.I. range dans une même classe les unités pouvant figurer dans les mêmes environnements : ces substitutions (paradigmatiques) qui visent au repérage d'équivalences syntaxiques ne doivent pas altérer le statut syntaxique de l'environnement. Ainsi, si l'on remplace *noire* par *de ma sœur* dans *L'ombre noire me fait peur*, la nouvelle suite (*l'ombre de ma sœur me fait peur*) est aussi une phrase. Analyser un groupement syntaxique en ses « constituants immédiats », c'est montrer quels sont les constituants de niveau *immédiatement* inférieur dont il est fait, ces constituants étant eux-mêmes passibles d'une nouvelle analyse, et ainsi de suite, jusqu'à l'ultime niveau, celui des morphèmes. Une telle procédure est très différente de l'« analyse grammaticale » traditionnelle. Celle-ci découpe les phrases en mots qu'elle étiquette, en définissant leur « nature » et leur « fonction »; la phrase est ainsi atomisée sans que soient réellement mis en valeur les principaux *groupes fonctionnels*. Il est non pertinent, en effet, de manipuler des « mots » en dehors de cette unité structurale qu'est la phrase, ou même de définir les groupes fonctionnels (groupes du nom, du verbe...) par la nature des mots qu'ils contiennent, au détriment de leur statut de *constituant de la phrase*.

LES PRINCIPAUX CONSTITUANTS DE LA PHRASE

- Syntagme nominal et syntagme verbal

Prenons la phrase (P) comme cadre d'analyse et cherchons à dégager ses constituants immédiats.

Prendre la *phrase* pour unité ultime de l'analyse linguistique n'est pas en réalité un choix qui va de soi. Les structuralistes (sauf Z. Harris, qui a appliqué l'analyse distributionnelle à des discours) justifient ce choix en montrant, en particulier, qu'on ne saurait faire commuter des phrases entre elles, qu'elles ne peuvent donc constituer des classes (cf. E. Benveniste. *Problèmes de linguistique générale* pp. 128 à 131). Les générativistes n'ont pas discuté cette prise de position et ont fait de la phrase un axiome (P) de leur théorie (cf. *infra* p. 16). Depuis quelques années, certains linguistes, dans le cadre de la « grammaire de texte », cherchent à montrer que la linguistique, sans sortir de son domaine, a besoin de prendre en compte des unités dépassant les limites de la phrase. L'étude des reprises pronominales ou des temps, par exemple, ne saurait être menée à bien que dans le cadre de l'unité « Texte ».

Dans *un papillon vole dans le jardin*, il est possible de substituer à *vole dans le jardin* la suite *se pose sur une fleur*, ou simplement *se pose*, ou encore *est visible dans le soleil* en produisant chaque fois une phrase française « bien formée ». Dès lors, on considérera toutes ces suites substituables comme équivalentes syntaxiquement et formant de ce fait une unité syntaxique. Cela ne signifie pas que *se, pose, sur, une, fleur* soient identiques à *vole, dans, le, jardin* mais qu'ils sont équivalents syntaxiquement à un certain niveau, celui de la phrase. La longueur des séquences qui commutent importe peu : c'est l'équivalence de leur *rôle syntaxique* qui compte seule.

Nous avons ainsi dégagé les deux constituants immédiats de la phrase, respectivement nommés **syntagme nominal** (SN) et **syntagme verbal** (SV). *Un-papillon, un-oiseau-étrange* forment des groupes syntaxiques, des unités cohérentes, comme le confirme d'ailleurs la plus élémentaire intuition linguistique, alors que ce n'est pas le cas de *papillon-dans*, ou *le-vole*, par exemple. On retrouve ici le concept d'**expansion** introduit par A. Martinet (*Éléments de linguistique générale*, p. 128), qui le définit comme « tout ce qui n'est pas indispensable », c'est-à-dire « tout élément ajouté à un énoncé qui ne modifie pas les rapports mutuels et la fonction des éléments préexistants » ; ainsi dans *Un oiseau (étrange) se pose (sur une fleur)*, les séquences entre parenthèses constituent des expansions de l'énoncé, et le reste le **noyau** de la phrase.

Pour aller plus vite, nous avons tout de suite coupé la phrase *Un papillon vole dans le jardin* entre *papillon* et *vole*, découpage que nous savions être opératoire. Cependant, en toute rigueur, nous aurions dû faire d'autres tentatives : par exemple, séparer *le papillon vole dans* et *le jardin* amènerait, par commutation, des énoncés irrecevables comme **le papillon vole dans et se pose* (l'astérisque indique que la phrase qui suit n'est pas recevable).

Nous avons dénommé **syntagmes** les deux constituants dégagés. Un syntagme est une suite de morphèmes liés entre eux par des relations de dépendance, et formant de ce fait une unité syntaxique. L'un est dit « nominal » parce que le *nom* en est l'élément central, la « *tête* », et l'autre *verbal* parce que ce rôle y est dévolu au *verbe*. Ces deux syntagmes sont les constituants fondamentaux de la très grande majorité des phrases françaises.

10

Certains retrouveront dans cette opposition syntagme nominal/syntagme verbal la vieille distinction entre « sujet » et « prédicat », c'est-à-dire entre ce dont on parle et ce qui en est dit. La linguistique générative de N. Chomsky, entre autres, a repris cette opposition, ce qui n'est pas sans faire difficulté pour les linguistes soucieux de bien démarquer grammaire et logique et de ne pas découper toutes les langues sur le modèle des langues indo-européennes. L. Tesnière, par exemple, pensait que « dans aucune langue, aucun fait proprement linguistique n'invite à opposer le sujet au prédicat » et que ce n'était là qu'un héritage de la logique antique (*Éléments de syntaxe structurale*, p. 103); pour lui le prédicat est le terme de la phrase qui ne dépend d'aucun autre (le verbe, en français), alors que les *actants* (sujet et complément d'objet en particulier) sont sur le même plan, sans prédominance du « sujet ». De son côté, A. Martinet met également au centre de son analyse de la phrase le *syntagme prédicatif* (le verbe), seul élément indépendant (par exemple, *il y avait fête* dans *hier il y avait fête au village*). Le couple sujet/prédicat n'est pas universel mais caractérise certaines langues : c'est ainsi qu'en français il se trouve que le noyau doit comporter le plus souvent non seulement un syntagme prédicatif mais aussi un élément qui l'accompagne obligatoirement (le « sujet »). En ce sens, il y a quand même prééminence du sujet sur les autres fonctions (*Éléments de linguistique générale*, chap. IV). La pertinence de ces objections montre que c'est là un problème ouvert.

C'est pourtant un choix théorique important : il s'agit de savoir si l'on fait ou non du verbe le centre de la phrase et si l'on met ou non le sujet à part.

- Le syntagme nominal

Le syntagme nominal (SN) se compose de deux éléments, dont la présence est nécessaire, le **déterminant** et le **nom**. La classe des déterminants est la classe des éléments placés à gauche du nom, qui s'accordent avec lui et ont pour fonction de le « déterminer », de l'« actualiser ». Il s'agit aussi bien des « articles » que des « adjectifs possessifs, indéfinis... », etc.

A ces deux constituants, Det et N, s'en ajoute souvent un troisième, mais facultatif, que nous appellerons **Modifieur** (Mod). Il s'agit surtout des **adjectifs** (*un gentil garçon, un chat souple...*), des **relatives** (*le livre que j'ai lu*), de certains **syntagmes prépositionnels** (SP), en entendant par là tout modifieur ayant la forme Préposition-Syntagme nominal (*le livre de mon ami, l'homme au visage pâle...*). Ces trois types de constructions dépendantes de Det-N peuvent commuter dans le même environnement :

un gars $\begin{cases} \text{qui court vite} \\ \text{sympathique} \\ \text{de la ville} \end{cases}$ *m'a dit...*

L'adjectif (A) est lui-même susceptible d'avoir des expansions, car il peut être la tête d'un groupe dit **syntagme adjectival** (SA) de complexité variable, selon les adjectifs : *un livre (très épais); un livre (utile aux enfants); un livre (plus utile que celui de Paul)* etc.

- Le syntagme verbal

Le verbe (abrégé en V) est la tête du syntagme verbal (SV); il peut figurer seul ou avoir des expansions de divers types (SN et/ou SP) selon les verbes : *Le cheval dort* : SN + (V); *Les Phéniciens voient la mer* : SN + (V + SN); *Catherine pense à son chat* : SN + (V + SP) etc.

Le SN en position d'expansion de V, (SN_2), s'analyse de la même manière que le SN constituant immédiat de la phrase, (SN_1) : ce groupe syntaxique présente en effet la même organisation (Det + N + (Mod)) quelle que soit sa place dans la phrase. Comme on le verra (cf. *infra* p. 47), la structure de l'expansion de V dépend directement des contraintes syntaxiques propres à chaque verbe.

En réalité, il existe deux types de SV (voir *infra* p. 46): nous venons d'en voir le premier, il reste à considérer les phrases à **copule**, c'est-à-dire celles dont le verbe est *être*, mais aussi *paraître, devenir...* Ces copules sont nécessairement suivies d'un élément sur leur droite (* *Luc semble, est...*) qui peut être un SA, un SN ou un SP (*Luc est gentil, un ingénieur, dans le parc...*); cette propriété distingue cette classe de verbes de la plupart des autres, dont le SN est souvent facultatif (*Luc chasse/chasse un faisan*).

- Le syntagme adjoint

Si l'on considère la phrase *Des enfants ont regardé les fleurs de la fenêtre*, on constate qu'elle est **ambiguë**, puisqu'elle peut recevoir deux interprétations selon l'analyse syntaxique qui en est faite. Il est en effet possible de faire de *de la fenêtre* un SP dépendant de *les fleurs* (les fleurs qui se trouvent sur la fenêtre), ou d'en faire un groupe dépendant de l'ensemble SN + SV (les enfants ont regardé les fleurs en se mettant à la fenêtre); dans ce dernier cas il est impossible de rattacher *de la fenêtre* à SN ou à SV. On fera de ce groupe au même titre que SN et SV un **constituant de la phrase**, le **syntagme adjoint** (SAdj).

Le terme de « syntagme adjoint » n'est pas le seul utilisé : on trouve aussi « syntagme circonstanciel », ou, le plus souvent « syntagme prépositionnel ». L'étiquette « syntagme adjoint » a l'avantage d'être neutre. En effet, la dénomination « syntagme prépositionnel » (SP) pose problème : elle oblige à traiter comme des « syntagmes prépositionnels » non seulement *chaque jour* ou *la semaine dernière* mais encore *ici* ou *hier*, autant d'éléments sans préposition; en outre, le terme SP ne permet pas de préciser en quoi ces derniers SP ont un statut syntaxique très éloigné de celui de SP modifieurs tels de *ma sœur* dans *le chat de ma sœur*; nous verrons que ces groupes prépositionnels opèrent à des *niveaux* différents. L'étiquette « syntagme circonstanciel », elle, a l'inconvénient de rejeter au second plan les adverbes et de rappeler inutilement le traditionnel « complément circonstanciel », notion qui ne repose que sur des critères sémantiques flous.

On retient habituellement deux critères pour définir le syntagme adjoint : la *facultativité* et la *mobilité*. La première propriété revient à dire qu'une phrase reste bien formée une fois que le SAdj a commuté avec ϕ, c'est-à-dire a été supprimé. Ainsi dans *René se promène à Paris*, le groupe *à Paris* peut être enlevé, alors que cette opération est impossible pour *Je vais à Paris* (*Je vais à...*) ; dans ce dernier cas, *à Paris* ne peut être un SAdj. La facultativité du complément renvoie en fait à un classement des verbes selon qu'ils doivent ou non être accompagnés d'une expansion pour avoir un sens complet (cf. *infra*, p. 47).

Le deuxième critère est donc utile ; comment distinguer syntaxiquement *toute la journée* et *toute la cigarette* dans *Gilles a fumé*

toute la $\left\{ \begin{array}{l} journée \\ cigarette \end{array} \right\}$? *Toute la journée* est déplaçable dans la

phrase : $\left\{ \begin{array}{l} \textit{Toute la journée Gilles a fumé.} \\ \textit{Gilles, toute la journée, a fumé.} \end{array} \right\}$ Ces déplacements sont

impossibles pour *toute la cigarette*. Ce critère de la mobilité est moins rigoureux que le précédent car bien des SAdj sont en réalité difficilement déplaçables pour diverses raisons (cf. le caractère peu naturel dans la langue usuelle de *Sans son chien la concierge est sortie*) ; en outre un tel déplacement peut changer le sens de la phrase. Comparons *A Marseille il fait ses courses* et *Il fait ses courses à Marseille* ; la première phrase répond à la question : *Que fait-il à Marseille ?* et la seconde à : *Où fait-il ses courses ?* (Le « thème » (cf. *infra* p. 43) de la phrase n'est pas le même.)

Cette analyse de la phrase ne peut prétendre être exhaustive : outre qu'il existe des phrases rentrant difficilement dans ce schéma SN-SV, il faut aussi considérer la variété des types de phrase (affirmative, interrogative, impérative). Pour des raisons pédagogiques nous ferons l'économie de ce problème en travaillant sur des phrases *neutralisées* : phrases sans modalisation expressive, sans négation, sans pronoms, sans passivation, extraposition (cf. *Des gens viennent/Il vient des gens*) ou dislocation (*Pierre aime Marie/Il l'aime Marie, Pierre...*) etc. Ce choix ne doit cependant pas donner à penser que ces énoncés neutralisés soient essentiels, et que ceux qui n'obéissent pas à ce schéma canonique élémentaire soient le résultat de perturbations contingentes et superficielles. L'analyse distributionnelle a une prédilection pour ces phrases neutralisées, facilement décomposables en classes, mais cela ne doit pas pour autant induire une vision réductrice du langage. Ces phrases neutralisées sont donc des objets *abstraits*, construits pour isoler certains phénomènes linguistiques, et non des « modèles » que le locuteur devrait imiter.

REPRÉSENTATION GRAPHIQUE DE L'A.C.I.

L'A.C.I. permet de dégager une **hiérarchie** de constituants : ainsi SN, SV, SAdj sont les constituants immédiats de P et se trouvent de ce fait au même niveau d'analyse. De même, Det et N sont les C.I. de SN et sont donc situés au même niveau que (V + SN), par exemple, qui sont les C.I. du SV dans une phrase comme *le joueur renvoie le ballon*.

- Les arbres

Pour représenter cette succession de niveaux hiérarchisés, plusieurs types de schémas ont été éprouvés (parenthèses, « boîtes »...), mais un consensus s'est progressivement établi pour utiliser des graphes arborescents communément appelés **arbres.** Le principe en est simple : tout constituant (à l'exception de P) est rattaché par une *branche* à l'élément dont il est un constituant. Ainsi, la phrase et ses trois constituants se représentent par un diagramme à trois branches :

Cette première couche de constituants est analysée à son tour, et ainsi de suite. La phrase *Le juge condamne le voleur pour son délit* correspondrait donc à l'arbre suivant :

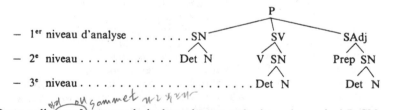

On appelle **nœud** tout symbole duquel partent des branches : ainsi P, SN, SAdj sont des nœuds dans cet arbre. Chaque nœud porte une *étiquette*, qui est le symbole d'une catégorie syntaxique : déterminant, verbe... Tel qu'il se présente pour le moment, cet arbre n'a pas d'« interprétation », c'est-à-dire qu'il est constitué d'un ensemble de symboles abstraits représentant des classes distributionnelles et qu'il constitue l'arbre de toutes les phrases possédant cette structure syntaxique. Pour donner une interprétation à cet arbre, il faut assigner aux « variables » (les symboles) des constantes (des mots du français : *mon, le, rit...*). C'est ce que nous allons faire en associant à chaque symbole un « mot », pour obtenir une phrase concrète (en fait, on manipule des morphèmes et non des mots, comme on le verra). On relie ces mots aux symboles des catégories par un trait vertical pointillé, pour réserver le trait plein aux branches. Ainsi, en reprenant l'exemple *supra* :

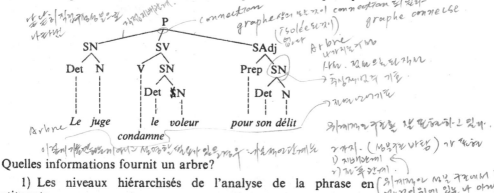

Quelles informations fournit un arbre?

    1) Les niveaux hiérarchisés de l'analyse de la phrase en constituants.

    2) Les catégories auxquelles appartiennent les divers composants de la phrase; on voit que *jury* est un nom, *condamne* un verbe, etc.

    3) Une représentation des fonctions syntaxiques occupées par ces éléments et donc de leurs relations avec les autres constituants : par exemple *voleur* (en position de SN à droite de V) apparaît dès lors comme un complément du verbe, déterminé par *le*, etc. Cette notion de *fonction* est centrale en syntaxe; elle suppose qu'une phrase forme un tout structuré dans lequel chaque constituant a un rôle à jouer. Ces fonctions sont en nombre limité pour une langue donnée (sujet, attribut...). En aucun cas, *il ne faut confondre les fonctions avec les catégories* : la même fonction peut être assumée par diverses catégories (ainsi peuvent être sujet grammatical aussi bien un nom qu'un verbe à l'infinitif) et la même catégorie peut avoir diverses fonctions (un SN peut être sujet, complément d'un verbe, d'un autre SN, etc.).

    Si on lit un arbre de haut en bas, on saisit la hiérarchie des constituants, de l'unité supérieure (P) aux plus petites. Si on lit de bas en haut, on dégage progressivement les relations syntagmatiques entre les éléments, c'est-à-dire les groupes d'éléments formant des unités syntaxiques. La phrase n'apparaît pas comme une simple suite linéaire de mots, mais comme une *hiérarchie de groupes syntaxiques* s'emboîtant les uns dans les autres pour former des unités de plus en plus vastes convergeant vers P.

    D'un point de vue strictement formel, une telle analyse syntaxique se présente comme une liste de paires ordonnées d'éléments, où l'élément de gauche, nécessairement unique, est une catégorie, et l'élément de droite une suite ordonnée de constituants: P se compose de SN + SV + (SAdj)

SN se compose de Det + N etc.

- A propos du modèle syntagmatique

Nous aurions pu introduire un appareil formel nouveau, celui des « règles de réécriture ». Cette présentation poserait cependant un problème théorique de fond : en effet, les règles de réécriture ne sauraient être définies dans le cadre de l'A.C.I., mais caractérisent les *grammaires syntagmatiques* qu'a élaborées N. Chomsky pour formaliser l'A.C.I. et chercher un modèle plus puissant. Beaucoup manient l'A.C.I. à l'intérieur du formalisme de ces grammaires syntagmatiques, mais le modèle syntagmatique n'est pas une simple variante notationnelle de l'A.C.I.; c'est le passage d'une syntaxe structuraliste à une syntaxe « générative » (cf. tome I, p. 46).

Une grammaire syntagmatique G se présente comme un quadruplet $\langle$ P, X_A, X_T, R $\rangle$. P est dit « symbole initial » et a le statut d'un axiome : il s'agit du symbole « Phrase ». Quant à X_A, il représente le *vocabulaire auxiliaire*, c'est-à-dire les symboles des catégories syntaxiques (SN, SA...), alors que X_T est l'ensemble du *vocabulaire terminal*, à savoir des « mots » français. R, enfin, constitue les *règles de réécriture*. Une telle grammaire G permet de produire un ensemble de phrases appelé un *langage*, noté L(G), c'est-à-dire la totalité des séquences que l'on peut produire grâce à G. Si l'A.C.I. correspond à l'établissement d'une liste ordonnée de paires d'éléments liés par la relation « être composé de », la grammaire syntagmatique substitue à cette relation « statique » une perspective *dynamique*, celle d'une « instruction » : « l'élément de gauche doit être réécrit de telle manière, A $\rightarrow$ B ». La règle de réécriture prend un élément à gauche et le convertit en une suite d'autres à droite de la flèche.

On appelle *dérivation* une séquence ordonnée de règles de réécriture telle que la première réécrit P et que chacune découle de la précédente en analysant un symbole auxiliaire qui s'y trouve. Au terme de la dérivation tous les symboles auxiliaires doivent avoir disparu au profit du vocabulaire terminal. La dérivation fournit une *description structurale* de la phrase : les règles de réécriture peuvent être considérées comme des règles de formation d'arbre; à chaque symbole auxiliaire correspond un nœud de l'arbre, tandis que les branches partant des nœuds représentent la réécriture de ces symboles auxiliaires. Si on la sépare de son cadre théorique strict, la « description » d'une phrase en termes de dérivation a une valeur pédagogique très inférieure à celle que peut présenter la construction d'un arbre, où les notions de totalité structurale et de hiérarchie de constituants passent au premier plan. Au caractère « linéaire » de la dérivation s'oppose donc la double dimension de l'arbre.

- Les ambiguïtés

Dans la mesure où les arbres assignent une description structurale à chaque phrase, il est possible d'expliquer dans cette perspective bon nombre d'ambiguïtés d'ordre syntaxique (dites aussi *homonymies de construction*). Une phrase ambiguë est une phrase qui offre plusieurs interprétations. A une phrase ambiguë syntaxiquement correspondent plusieurs descriptions structurales, c'est-à-dire plusieurs arbres. Ainsi, *Des enfants ont regardé les fleurs du balcon* requiert deux interprétations, ce que montrent les deux arbres suivants (simplifiés)

16

I)

II)

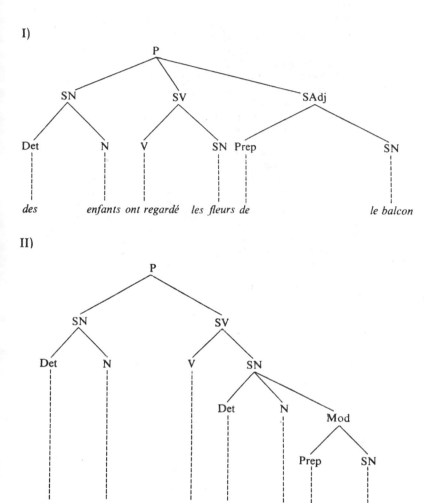

1re interprétation : c'est du balcon que des enfants ont regardé...

2e interprétation : les fleurs sont sur le balcon.

Dans l'arbre I, nous avons affaire à un SAdj constituant immédiat de P, alors que dans II, c'est un Mod. de SN.

Dans l'exemple précédent nous avons analysé *du balcon* en *de + le balcon*; on retrouve ici le délicat problème de la distinction entre *morphe* et

17

morphème (cf. tome I, p. 112). Cette analyse a décomposé l'unité de surface, directement observable (*du*), en deux unités abstraites, deux morphèmes. En effet, dans la construction des arbres, c'est au niveau des *morphèmes* qu'il faut opérer : l'A.C.I. est donc censée descendre aux unités ultimes de l'analyse de la première articulation. Aussi, par exemple, est-ce une simplification que de considérer *le* comme un morphème puisqu'on peut l'analyser plus avant en *le + singulier* : dans ce cas, il est bien évident que ce dernier *le* est un élément abstrait, construit, et qu'il n'est pas identique au *le* morphe directement observable.

En réalité, l'A.C.I. résoud difficilement ce type de problèmes. Dans la mesure où elle s'en tient à une description syntaxique assez superficielle, elle oscille sans cesse entre un effort d'abstraction et la nécessité de rester en contact avec la phrase telle qu'elle est réalisée. Dans la pratique, on s'est en effet rendu compte que l'A.C.I., outre qu'elle suit de très près l'agencement superficiel des éléments de la phrase, analyse très difficilement des énoncés dont la structure syntaxique n'est pas normalisée (tours « expressifs », emphase etc.). Cela dit, à l'intérieur d'un cadre plus « simple », son intérêt reste indéniable. Par contre, une grammaire générative et transformationnelle offre plus de ressources : elle distingue le niveau syntaxique des relations fondamentales (*structure profonde*) de celui de la *structure de surface* des phrases, et cette dernière de sa réalisation phonétique, produite grâce à un « composant morphophonologique » ; dans notre exemple il convertirait *de-le* en *du* (cf. tome I, p. 47).

18

2. ANALYSE DES CONSTITUANTS MAJEURS DE LA PHRASE

Dans cette partie, nous allons aborder l'étude des trois constituants immédiats de la phrase, SN, SV, SAdj. Mais auparavant, il nous faut considérer deux ordres de problèmes qui concernent au même titre plusieurs de ces constituants : d'une part, le rôle des marques de *genre* et de *nombre*, de l'autre, les questions relatives à l'*affixation* (préfixation et suffixation) et à la *composition* (les « mots composés »), qui concernent aussi bien les noms que les verbes, les adjectifs ou les adverbes.

LES MARQUES DANS LA PHRASE : LE GENRE ET LE NOMBRE

Genre et nombre sont des marques définies par des oppositions binaires : *masculin* vs *féminin*, d'une part, *singulier* vs *pluriel*, de l'autre. Tout nom possède nécessairement une des marques de ces oppositions. L'un des termes de l'opposition est dit **non-marqué** (le masculin et le singulier), et l'autre **marqué** (le féminin et le pluriel), caractérisé le plus souvent par l'adjonction d'un élément au terme non-marqué : c'est ainsi que dans le code graphique *le*, terme non-marqué, s'oppose au pluriel (*le* + *s*), et, dans le code oral, le terme non-marqué, le masculin *chat*, [ʃa], se voit ajouter le morphe [t] pour produire le terme marqué, le féminin *chatte*, [ʃat]. La distinction que nous faisons entre « code oral » et « code graphique » est ici essentielle; le français est caractérisé par une dissymétrie importante entre oral et graphique : on prononce en général moins de marques qu'on peut en lire.

- Le genre

Il existe toutefois une différence radicale entre le genre et le nombre : pour chaque nom on peut choisir entre singulier et pluriel, tandis que son genre nous est la plupart du temps imposé. Si certains noms sont affectés par une variation de genre (*le président/la présidente*), la grande majorité ne connaissent aucune variation liée à une prise en considération du sexe (*un bureau, une table*...). Constatons encore une fois que la langue ne reflète pas le réel : théoriquement basée sur l'opposition mâle vs femelle, la dualité masculin/féminin apparaît en fait comme un système hétérogène et complexe.

- *Fonction sémantique du genre*

a) L'opposition mâle/femelle

C'est ici que l'analogie avec le nombre est la plus nette, puisqu'il y a choix, et variation concommittante du signifiant. Cette variation peut être manifestée par des moyens très divers : 1) par le déterminant (*le/la concierge*); 2) l'adjonction d'une consonne (*chat/chatte*, [ʃa]/[ʃat]), ou la variation de la consonne finale (*veuf/veuve*, [vœf]/[vœv]). Il existe aussi des ressources moins grammaticalisées : 3) la variation d'un suffixe (*acteur/actrice*); 4) la préfixation et/ou la suffixation d'un morphème (**femme** *ingénieur* et *castor* **mâle/femelle**; 5) un changement de lexème (*un cheval/une jument*).

La plupart de ces variations sont perceptibles à l'oral; certaines ne le sont qu'à la lecture (*employé/employée*, [ɑ̃plwaje]). L'opposition de genre peut faire l'objet d'une *neutralisation* au profit du terme non-marqué : dans *l'homme est mortel*, le lexème *homme* n'est plus un terme de l'opposition, mais il désigne l'humanité en général, hommes et femmes. Cette opposition mâle/femelle, on a pu le voir, est mal généralisée dans le lexique, même quand il s'agit d'animaux relativement familiers : le *castor*, la *colombe* ou la *girafe* ne sont pas plus « masculin » que « féminin », d'où des tours comme *colombe mâle/femelle*. Ceci est lié le plus souvent à des contraintes socio-culturelles, susceptibles de varier; c'est la promotion de la femme moderne qui amène à parler de *doctoresse* ou de *femme ingénieur*...

b) L'absence de variation en genre

Il est impossible de justifier sémantiquement la très grande majorité des masculins et féminins, dans la mesure où c'est l'évolution phonétique essentiellement qui en a décidé. Cela ne facilite pas l'apprentissage. Certains mots ont changé de genre au cours de l'histoire (*épithète*, était masculin au XVIᵉ) et un certain nombre restent d'un genre indécis pour beaucoup de locuteurs, malgré les efforts des puristes, surtout lorsque le mot commence par une voyelle et/ou finit par un ə instable.

c) Le genre, facteur de structuration du lexique

Le genre peut contribuer à renforcer la différenciation des homonymes (**un** *moule*/**une** *moule*); il joue aussi un rôle important dans le classement des unités lexicales. Il y a en effet le plus souvent une corrélation entre la terminaison d'un mot et son genre : par exemple les mots suffixés par *-ie* sont au féminin (*fourberie*, *drôlerie*...). Le genre apparaît dans ce cas comme une marque redondante de la suffixation, mais dont l'utilité est loin d'être négligeable si l'on considère que chaque locuteur manie un stock considérable de lexèmes. Or une proportion importante de ce stock (63 % des entrées d'un dictionnaire d'usage de 40 000 termes d'après J. Dubois) est constituée de mots à suffixes. La marque de genre renforce la cohésion des classes de mots possédant le même suffixe : ainsi les termes suffixés en *-isme*, *-ment*... sont au masculin, ceux en *-té*, *-tion*... au féminin.

● *Fonction syntaxique du genre; la distribution des marques*

Le traditionnel phénomène « d'accord en genre » qui répartit les marques de genre en certains points de la phrase a deux fonctions : conserver l'information que constitue le genre lui-même, mais aussi renforcer la cohésion à l'intérieur du SN et, dans une moindre mesure, entre le SN et le SV. Le nombre des marques d'accord est beaucoup moins grand dans le code oral que dans le code graphique. De ce fait, le code oral tend à assurer le peu de marques qu'il possède. Par exemple, si l'on note par (+) la présence d'une marque et par (o) son absence, on peut comparer des phrases simples d'un code à l'autre :

Code oral

(2 marques)   (0 marque)
[lakɔ̃sjɛʀʒɛʒɑ̃tij]   [mɔ̃namiɛpaʀti]

Code graphique

(2 marques)   (2 marques)
la concierge est gentille   mon amie est partie

Autrement dit, le nombre de marques du code graphique est toujours ≥ à celui des marques du code oral. Mais quelles catégories syntaxiques sont susceptibles de varier en genre? Déterminants, noms, adjectifs et participes passés. C'est dire que ce phénomène concerne surtout le SN et ne touche le SV que dans le cas de phrases à copule :

$$\text{SN} + \text{Cop} + \left\{ \begin{array}{l} \text{Adjectif} \\ \text{Participe passé} \end{array} \right\} . \text{Cette marque est donc assez fragile.}$$

Les déterminants : *Dans le code oral*, la variation est perceptible au singulier (*le/la, un/une*...), mais s'efface toujours au pluriel (*les, des, mes*...). En outre, elle n'est jamais assurée pour *leur/leurs*, [lœʀ] et les déterminants précédant un mot commençant par une voyelle (*mon/amie, cet/cette élève*...), sauf pour *un/une*, [œ̃]/[yn]. *Dans le code graphique* il en va de même, excepté en ce qui concerne *ce (cet/cette amie)*.

21

Les noms : *Dans le code oral*, seuls peuvent varier les animés; les marques correspondant au signe graphique -*e* après voyelle (*ami/amie*) ne sont pas perceptibles. *Dans le code graphique*, si l'on excepte les exemples du type *concierge*, les marques sont toujours perceptibles.

Les participes passés et les adjectifs : *Dans le code oral*, beaucoup d'adjectifs varient en genre (*heureux/heureuse*); sont exclus de cette variation ceux qui sont terminés par un ə (*noble*). Parmi les participes, c'est principalement ceux qui finissent par -*is* ou -*it* qui sont susceptibles de varier (*mis/mise*, *confit/confite*). Dans *le code graphique*, les adjectifs connaissent les mêmes restrictions qu'à l'oral. Quant aux participes, le genre y est toujours marqué (*raté/ratée*, *fleuri/fleurie*).

A l'oral l'opposition masculin/féminin se manifeste essentiellement sous deux formes : *variation de la consonne finale* et *variation de la voyelle*. On mentionnera surtout : la variation zéro/consonne (*creux/creuse* : [ɸ]/[ɸz]); la variation voyelle nasale/voyelle orale + consonne nasale (*chien/chienne* : [ɛ̃]/[ɛn]); la variation consonantique, avec changement de timbre vocalique (*vendeur/vendeuse* : [œʀ]/[ɸz]), ou sans changement de timbre (*sec/sèche* : [ɛk]/[ɛʃ]); la variation vocalique + variation zéro/consonne (*fou/folle* : [u]/[ɔl]).

- Le nombre

Si le genre, du fait de sa fragilité, n'est qu'un facteur secondaire de cohésion syntagmatique, les marques du nombre constituent un système plus efficace entrant partiellement en concurrence avec celui du genre. Le nom est la seule catégorie syntaxique dont le signifié varie en nombre; toutefois, grâce aux phénomènes d'accord, le nombre possède aussi une fonction syntaxique.

• *Fonction sémantique du nombre*

La distinction singulier/pluriel n'est pas si évidente qu'on pourrait le penser. Le français oppose l'unicité à la pluralité; or la pluralité se présente comme une *addition d'éléments discontinus* (on dit aussi « sécables ») : *un livre/des livres*. En revanche, les objets continus non sécables ne sont pas susceptibles d'être mis au pluriel : ceci concerne d'une part *les notions abstraites (la haine, la joie)* et d'autre part *les substances continues (le beurre, le pain)*. La présence d'un article au singulier devant ces noms non numérables ne doit pas induire en erreur : *le bonheur* n'est pas le singulier de *les bonheurs*, ce dernier n'ayant pas le même sens (les bonheurs = « les moments (ou événements) heureux »).

● *Fonction syntaxique du nombre. La distribution des marques*

L'accord en nombre renforce la redondance en préservant l'information que constitue la marque du pluriel, contribuant du même coup à accroître la cohésion des relations syntaxiques entre les constituants de la phrase, en particulier entre le SN et le SV. Ici encore, il y a dissymétrie entre le code oral et le code graphique, ce dernier possédant une autonomie relative. Les catégories pouvant varier en nombre sont le déterminant, le nom, l'adjectif, le participe passé et le verbe. En fait, à l'oral, noms, adjectifs et verbes présentent rarement des marques perceptibles.

Les déterminants : *Dans le code oral,* il s'agit d'une variation vocalique (*mon/mes* : [$\tilde{o}$]/[e]), sauf pour *un/des*; à l'exception de *leurs* + consonne (*leurs fleurs*), le déterminant a toujours une marque de pluriel. C'est là un trait caractéristique du français : dans la mesure où on ne prononce plus, depuis l'Ancien Français, les marques du pluriel des noms, c'est au déterminant qu'il revient de porter cette marque. *Dans le code graphique* le pluriel est toujours marqué.

Les noms : *Dans le code oral,* très peu de noms varient au pluriel. C'est le fait de quelques classes fermées (cf. *cheval/chevaux, vitrail/vitraux, œuf/œufs...*). D'ailleurs, malgré les puristes, certains locuteurs tendent à régulariser ces exceptions (*un vitrail/des vitrails...*). *Dans le code graphique,* presque tous les noms sont affectés d'une marque de pluriel (-*s* ou -*x* le plus souvent; *chats, choux...*).

Les participes passés et les adjectifs : Comme dans le cas du nom, on constate une totale divergence entre les deux codes. La classe des adjectifs en -*al/-aux* est toutefois plus importante que celle des noms correspondants. En outre, dans le code graphique, les termes en -*x* ou -*s* au singulier ne sauraient varier au pluriel (*heureux, compromis...*).

Les verbes : (seule la « 3ᵉ personne » nous retiendra ici; en effet la présence de *nous/vous* déclenche automatiquement l'apparition des morphèmes -*ons/-ez* sur le verbe). *Dans le code oral,* l'opposition singulier/pluriel est en général marquée, mais connaît de notables exceptions selon le verbe et le paradigme de conjugaison considéré. Ainsi, au présent, à l'imparfait de l'indicatif, au conditionnel, au présent du subjonctif des verbes des 1ᵉʳ et 3ᵉ groupes (en -*ir*), la marque n'est pas perceptible (*mange/mangent* : [mãʒ]; *posait/posaient* : [poze]...). *Dans le code graphique,* le pluriel est toujours marqué, par -*nt,* unique marque du pluriel des verbes.

En règle générale, on constate donc qu'à l'oral le nombre porte essentiellement sur le déterminant et le verbe, alors que dans le code graphique le pluriel est très marqué. Cette marque du nombre apparaît comme beaucoup plus solide que celle du genre, avec deux points de fixation privilégiés, un dans le SN, l'autre dans le SV. La cohésion de la phrase s'en trouve renforcée puisque la marque est fréquemment transmise au SV.

Code oral

(1) Les fleurs sont belles
   [leflœʀsɔ̃bɛl]
   ⁺ ∘ ⁺ ∘

(2) Les ouvriers construisent les hangars
   [lezuvʀijekɔ̃stʀɥizleɑ̃gaʀ]
   ⁺   ∘   ⁺ ⁺   ∘

Code graphique

(1) Les fleurs sont belles
   ⁺   ⁺   ⁺   ⁺

(2) Les ouvriers construisent les hangars
   ⁺   ⁺   ⁺   ⁺   ⁺

La redondance de cette marque peut donc être maximale dans le code graphique, puisqu'en (1) comme en (2), *tous* les constituants en sont porteurs.

Si le nombre, dans le code oral, porte surtout sur le déterminant et le verbe, le genre est essentiellement le fait du nom et de l'adjectif. On peut donc considérer qu'il s'instaure une espèce de complémentarité entre ces deux marques. Ce n'est là qu'une tendance statistique, car la répartition peut être moins optimale. On constate de toute façon que les marques de genre et de nombre s'excluent à l'oral : *chattes* ([ʃat]) ne porte que la marque du féminin et *les* que celle du pluriel. En revanche, dans le code graphique, il y a *juxtaposition* des graphèmes représentant les marques : *chattes* possède la marque du féminin (-*e*-) et celle du pluriel (-*s*) juxtaposées. Il y a donc très peu de risques d'équivoque dans le code graphique, et beaucoup plus à l'oral, où, au pluriel, le nombre masque souvent le genre.

Pour des raisons de clarté pédagogique, nous n'aborderons pas les très complexes problèmes de la représentation du genre, du nombre et des accords dans les indicateurs syntagmatiques (arbres). Cela nous aurait obligés à dépasser de loin le cadre de l'arrangement superficiel des phrases, à reposer la question du rapport mot-morphème (cf. tome I, p. 112) et donc à faire intervenir l'appareil formel de la grammaire générative.

DÉRIVATION ET COMPOSITION

Comme le genre et le nombre, les phénomènes de dérivation et de composition affectent les catégories majeures de la phrase. Il s'en faut de beaucoup qu'à chaque nom ou adjectif corresponde un monème et un seul; *timbre-poste*, signe unique, est constitué de deux unités, autonomes par ailleurs, douées d'un Sa et d'un Sé (phénomène de **composition**), tandis qu'*inutile* est constitué de deux monèmes (*in-* et *utile*) dont l'un est un *affixe* et l'autre un *monème radical* (phénomène d'**affixation** ou **dérivation**). On appelle souvent *parasynthétique* les morphèmes radicaux qui ont reçu à la fois un préfixe et un suffixe (*in-achève-ment*, par exemple). En d'autres termes, toute unité lexicale est soit un monème radical (non analysable plus avant), soit un terme composé (juxtaposition de monèmes susceptibles par ailleurs d'un usage autonome), soit un terme affixé (constitué d'un monème radical auquel est adjoint un ou plus d'un affixe, qu'ils soient préfixes ou suffixes).

Dans la linguistique moderne, ces problèmes peuvent être abordés de deux points de vue : dans une perspective *distributionnelle* (ou structurale), ou dans une perspective *transformationnelle*. La première option rejette au second plan les relations syntaxiques entre les monèmes constitutifs des termes dérivés ou composés et centre son intérêt sur le mot : la dérivation et la composition y sont *concaténation* de monèmes, qu'il s'agisse d'unités autonomes (mots composés) ou d'affixes. En revanche, pour une perspective transformationnelle, l'affixation et la composition constituent des processus d'ordre syntaxique, des transformations opérant sur des phrases de base. Par exemple, la suffixation *conclure → conclusion* dans *la conclusion du traité* proviendrait de la transformation en SN de *le traité est conclu*.

Dans ces quelques pages nous n'adopterons pas la démarche transformationnelle et resterons dans le cadre distributionnel (ou structural).

- L'affixation (ou dérivation)

Commençons par définir les notions de **terme de base** et de **monème** (ou *morphème*) **radical**. Un monème radical est une unité à laquelle on ne peut rien enlever par commutation (ex. : *fleur, laid*), alors qu'un terme de base, c'est toute unité à laquelle est adjoint un affixe : ce peut donc être un monème radical ou non (*fleur* comme *variable* sont termes de base par rapport à *fleuriste* et *invariable*). A la différence des monèmes radicaux, les mots affixés ou composés ne sont pas totalement immotivés, puisque leur forme obéit partiellement à une motivation intralinguistique : si *fleuriste* ou *va-et-vient* désignent un marchand de fleurs ou tel mouvement, c'est à cause du sens de leurs éléments constitutifs.

Ici, il faut encore mettre au premier plan la distinction entre *synchronie* et *diachronie*; la méconnaissance de cette distinction a conduit la grammaire historique à se fier à l'étymologie pour savoir si tel ou tel élément était ou non un affixe. Au contraire, la linguistique structurale ne considère un élément comme affixe que s'il permet de constituer des oppositions, c'est-à-dire des commutations. De ce fait, seule la synchronie sera pertinente pour le repérage des morphèmes radicaux. Ainsi *remuer* sera considéré comme un monème radical même si l'étymologie montre qu'il dérive de *muer* par préfixation. En effet, outre leur différence de fréquence, les signifiés de *muer* et *remuer* sont maintenant trop distants pour permettre d'analyser en deux monèmes *remuer* (ainsi **dé-**-*faire*/*faire*, et non ***dé**-pêcher/?).

La distinction préfixe/suffixe repose théoriquement sur leur seule position par rapport au terme de base : les préfixes sont placés avant, les suffixes après; mais il faut ajouter que les préfixes ne changent jamais la catégorie syntaxique du terme de base, alors que la plupart des suffixes le font (*électoral* et *postélectoral* sont des adjectifs, *bleu* est un adjectif et *bleuir* un verbe). Si la grande majorité des suffixes sont dépendants du terme de base et ne sauraient en être dissociés (qu'est-ce qu'-*ir* en dehors de la suffixation ?), un grand nombre de préfixes, eux, sont susceptibles d'un autre fonctionnement : *sur* est à la fois préfixe (*surestimer*) et préposition (*sur la table*), de même que *sous*, *entre*...

La distinction déjà faite (tome I, p. 112) entre *morphes* (unités de surface) et *morphèmes* (unités abstraites) est importante en matière d'affixation. En effet, il est fréquent que la préfixation et la suffixation amènent des modifications phonétiques dans le terme de base et/ou l'affixe. Ce phénomène est rendu encore plus patent en français du fait de l'existence d'affixations *savantes*, c'est-à-dire fondées sur la nature de l'étymon latin; ainsi *concevoir* → *conception* par référence au mot latin *conceptio*. Il arrive même qu'il existe deux dérivés suffixaux, l'un savant l'autre « populaire » (*légal*/*loyal*). De même, le morphème préfixe *in*- se réalise sous la forme de divers allomorphes (*il-*, *ir-*, *im-*) selon la consonne initiale du terme de base : *illettré* est constitué de deux morphes *il* + *lettré*, qui correspondent à deux morphèmes *in* + *lettré*.

• *La préfixation*

A la différence des suffixes, beaucoup de préfixes sont polyvalents, c'est-à-dire qu'ils servent indistinctement à former noms, verbes, adjectifs (*surproduction*, *surestimer*, *surabondant*). Cela n'exclut pas toutefois une certaine spécialisation : ainsi *anti-*, *pro-*, parmi bien d'autres, sont plutôt réservés aux noms et aux adjectifs; quant aux préfixes verbaux, les plus utilisés sont essentiellement les micro-systèmes *dé-*/*re-* (*gonfler*/*dégonfler*/*regonfler*) et *en-*/*dé-* (*emménager*/*déménager*).

Il n'est pas facile d'énumérer les préfixes et de les classer : les grammaires traditionnelles se fondaient sur l'étymologie pour les reconnaître et distinguaient préfixes d'origine grecque et d'origine latine. Dans une perspective structurale, il convient de ne retenir que ceux qui sont suffisamment productifs en français contemporain. De même, on fait souvent une distinction entre préfixes savants (provenant du grec ou du latin) tardivement introduits et préfixes populaires; cela ne se justifie que partiellement en français contemporain : *anti-*, qui est d'origine savante, est plus disponible pour les locuteurs que *contre-*, qui n'est pas d'origine savante. On assiste à une pénétration massive dans la langue usuelle de préfixes jugés auparavant savants, du fait de l'importance croissante des techniques, des débats d'idées, de la publicité : c'est ainsi qu'*archi-*, *extra-*... ont perdu leur caractère spécialisé, tout en continuant de fonctionner par ailleurs dans les vocabulaires techniques.

On pourrait établir une répartition intéressante des préfixes en tenant compte de leur productivité et de leur « perceptibilité » : *a)* préfixes perceptibles et productifs (*anti-*, *re-*...); *b)* préfixes perceptibles mais peu productifs (*outre-*, *mé-*...); *c)* préfixes perçus par la seule analyse diachronique et non productifs (*tres-* dans *tressaillir*...). En fait, il n'est pas aisé, bien souvent, de savoir si un préfixe est perçu comme tel ou non : ce phénomène est lié au degré d'acculturation des locuteurs (en particulier au fait qu'ils ont étudié ou non le latin); le francophone cultivé percevra un suffixe *di-* signifiant l'« éloignement » et le supin du latin *gredior* dans le lexème *digression*, mais c'est là le fait d'une minorité. Il faut enfin tenir compte de l'*usure* des préfixes : *re-* dans *remplir* ou *rentrer* a progressivement perdu de sa signification (d'où des formes parlées comme *rerentrer*).

De toute façon, il est impossible d'étudier les préfixes un à un : il faut étudier les commutations qu'ils rendent possibles (non seulement le nombre de mots qu'ils permettent d'opposer, mais aussi la fréquence de ces mots), les concurrences éventuelles (*dia-* et *trans-*, par exemple), les micro-systèmes de préfixes (*sur-* et *sous-* s'opposent, comme *pré-* et *post-* etc.), les contraintes dans leur usage liées aux situations de communication et aux niveaux de langue, ainsi qu'aux types de discours.

● *La suffixation*

La plupart des suffixes, sauf ceux qui ont valeur diminutive ou péjorative (*maison* (Nom) → *maisonnette* (Nom), *rêver* (Verbe) → *rêvasser* (Verbe)), servent à faire passer un mot d'une catégorie syntaxique à une autre : *manger* (Verbe) → *mangeur* (Nom), « celui qui mange ». Leur nombre est très variable selon les linguistes : d'une cinquantaine à cent cinquante! Alors que certains répertorient en synchronie tous les suffixes attestés par commutation, d'autres ne retiennent que ceux qui sont encore productifs ou permettent un nombre suffisamment élevé de commutations.

Pour les problèmes que pose l'évaluation de la productivité d'un suffixe, voir en particulier l'ouvrage de C. et J. Dubois, *Introduction à la lexicographie : le dictionnaire* (Larousse, 1971), pp. 133-197.

Le système suffixal du français apparaît peu économique, même si l'on élimine beaucoup de suffixes vieillis; on constate que plusieurs suffixes ont le même signifié et s'appliquent aux mêmes catégories. En fait, comme tout ce qui participe de la structuration du lexique, les suffixes ne sauraient constituer un système stable et totalement homogène, dans la mesure où, précisément, *le* lexique ne constitue pas une structure monolithique mais un ensemble de micro-systèmes en interaction, constamment en prise sur l'évolution de la société. C'est dire qu'il n'est pas possible d'étudier chaque suffixe isolément : il faut le rapporter aussi bien aux lexèmes auxquels il est affixé qu'aux autres suffixes (concurrents, complémentaires...).

Pour être *productif*, c'est-à-dire disponible pour les énoncés toujours nouveaux des locuteurs, un suffixe doit être perçu comme tel, nettement distinct des termes de base auxquels il est adjoint, et ces termes doivent être en assez grand nombre et assez fréquemment utilisés pour rendre possibles de nouvelles suffixations. Si le suffixe se soude progressivement au terme de base, la commutation devient difficile, et si le mot disparaît, la vitalité du suffixe s'en trouve affaiblie. La récession d'un suffixe est souvent favorisée par l'apparition ou l'expansion d'autres : ainsi *-on*, *-ard*, *-oir*(e) qui servaient à nommer les instruments ont été concurrencés par **-eur/ euse**, liés au développement du machinisme. Ce phénomène est donc dépendant de l'évolution sociale; encore faudrait-il pouvoir expliquer quelle motivation « psycho-socio-linguistique » empêchait d'appeler *moissonnoire* ce qu'on a appelé *moisonneuse*. On constate de même la récession des suffixes diminutifs; cette fois, l'explication est peut-être d'ordre linguistique, à savoir la tendance à antéposer des adjectifs comme *petit* ou des préfixes comme *mini-*.

Peut-on même parler de suffixe *vivant*, *vieilli* ou *mort*? Les métaphores vitalistes sont fallacieuses, dans la mesure où elles escamotent le caractère **pluriel** de la communication linguistique. Un suffixe devenu peu productif peut *prendre de nouvelles valeurs* (archaïsante, littéraire, péjorative...) et fonctionner dans des discours définis (poésie, publicité...) ou des situations d'échange linguistique particulières (conversation snob, propos amoureux...). Il peut également se faire qu'un suffixe *change d'aire d'emploi* et retrouve une nouvelle productivité : ainsi *-ence* est redevenu productif dans certains lexiques scientifiques (*sénescence*, *arborescence*...).

Il faut enfin faire la part de l'influence des langues étrangères, de plus en plus grande depuis que les sociétés vivent de moins en moins en vase clos : ainsi l'anglais *-er* a une influence sur les noms d'agent ou d'instrument, de même qu'*-ing* sur les noms d'activité, du fait de la pénétration du « franglais ».

D'un point de vue strictement lexicologique, rappelons que la suffixation entretient des relations étroites avec la polysémie et l'homonymie (cf. tome I, pp. 130 et 146); les dérivés suffixaux renforcent et affinent la variété des usages sémantiques des lexèmes : un *passant* et un *passeur* correspondent à des emplois bien distincts de *passer*. De même, *passage* et *passation* relèvent l'un du lexique usuel, l'autre du discours juridico-politique et possèdent des sens très éloignés. La suffixation n'a donc rien d'un procédé purement mécanique d'enrichissement du stock lexical; elle informe dans le détail les réseaux du lexique. C'est d'ailleurs là un trait du français que tout dérivé tende à entrer dans le dictionnaire et possède une aire d'usage très spécifique.

Il faut encore une fois donner au concept saussurien de *valeur* sa pleine efficience et inscrire les suffixes dans des systèmes d'oppositions qui tiennent compte de la diversité des facteurs linguistiques et sociolinguistiques, indissolublement liés.

On classe les suffixes en fonction de deux critères étroitement associés : la *catégorie syntaxique* dans laquelle entre le terme suffixé (suffixes nominaux, adjectivaux, adverbiaux, verbaux) et leur *sens*.

- Suffixes nominaux :
    — **De noms d'action ou de résultat d'action** (la plupart issus de verbes) *-age* (levage), *-tion* (création) etc.
    — **De noms d'agent.** Issus de verbes : *-ant* (commerçant), *-eur* (travailleur). Issus de noms : *-iste* (téléphoniste)...
    — **De noms d'instrument** : *-eur/-euse* (décapsuleur, moissonneuse), *-oir/-oire* (séchoir, passoire)...
    — **De lieu d'action** : *-erie* (droguerie), *-oir* (lavoir)...
    — **De noms d'état ou de qualité** (souvent issus d'adjectifs) : *-isme* (féminisme), *-ité* (salubrité), *-erie* (sauvagerie)...
    — **De noms d'origine** : *-ain* (lorrain), *-ais* (landais)...
    — **De noms de mesure ou à valeur collective** : *-ée* (bolée), *-aie* (chênaie)...
    — **Diminutifs ou péjoratifs.** Diminutifs : *-eau* (chevreau), *-et* (livret)... Péjoratifs : *-ard* (soûlard), *-asse* (vinasse)...
    — **De lexiques techniques et scientifiques** : en médecine par exemple : *-ose* (= « affection non inflammatoire » : scoliose), *-ite* (= « affection inflamma - toire » : névrite)...

Parmi les noms d'action, les suffixes les plus fréquents sont **-age, -ment, -tion**, mais ce dernier est le seul en pleine expansion. Cette concurrence peut devenir complémentarité : **-age** se spécialise en particulier dans les opérations concrètes (*affichage*) et **-ment** dans les termes abstraits désignant le résultat de l'action (*achèvement*). Le suffixe **-tion** comme la double suffixation **-isation** sont très productifs dans le vocabulaire abstrait (politique, philosophie... : *colonisation, idéation*).

Si **-euse** a tendance à désigner des machines (*sulfateuse*), le masculin **-eur** est plutôt réservé aux agents humains. Le suffixe anglais **-er**, de plus en plus productif (*bulldozer*), selon les locuteurs est assimilé à **-eur** ou prononcé [-εR].

-isme est le plus productif des suffixes de qualité grâce au couple **-isme/-iste** qui permet d'opposer doctrines et opinions à ceux qui en sont partisans (*socialisme/socialiste*). Si **-ité** recule depuis le XIXᵉ siècle devant **-isme**, il reste productif dans les lexiques abstraits spécialisés (*transitivité*).

Signalons enfin que la langue contemporaine a développé un mode de « suffixation » original qui pose un problème délicat puisqu'il s'agit de la juxtaposition de deux noms, dont le second, très appauvri sémantiquement, fonctionne pour certains comme un suffixe : **choc** (*prix choc*), **clé** (*homme clé*), etc. **Clé** est-il un suffixe, alors qu'il est par ailleurs susceptible d'un usage autonome? Ou le constituant d'un mot composé ayant un statut d'« adjectif » aux propriétés combinatoires très restrictives?

● Suffixes adjectivaux :
— **Adjectifs issus de verbes**. Ils équivalent à une proposition contenant ce verbe : ce sont surtout les trois suffixes, *-able*, *-ible*, *-uble* (effritable, descriptible, dissoluble) signifiant « qui peut être », ou plus rarement « qui peut faire l'action de » (secourable); mais aussi *-ant* (étonnant), *-eur* (charmeur), « qui fait l'action de ».
— **Adjectifs issus de noms** : *-ique* (démocratique); *-el/-al* (culturel); *-aire* (polaire)...
— **Adjectifs issus d'adjectifs**. Diminutifs et péjoratifs : *-ard* (faiblard), *-âtre* (bleuâtre)...

● Suffixes adverbiaux :
Le seul productif en français contemporain est *-ment*, qui s'ajoute à un terme de base adjectival (adroit → adroitement).

● Suffixes verbaux :
— **Verbes issus d'adjectifs** : *-er* (calmer); *-iser* (scolariser)...
— **Verbes issus de noms** : *-er* (grouper); *-ifier* (momifier)...
— **Verbes issus de verbes** : Valeurs diminutive, péjorative, fréquentative : *-ailler* (criailler); *-ouiller* (mâchouiller)...

- La composition

Comme on l'a vu, un « mot composé » est un segment du discours qui se comporte syntaxiquement comme un simple mot, mais susceptible d'être analysé en plusieurs unités significatives pouvant fonctionner ailleurs comme unités autonomes. La préfixation, par certaines propriétés, ressemble à la composition et s'oppose avec cette dernière à la suffixation. En effet, si les *suffixes* sont des morphèmes sans autonomie qui marquent surtout la catégorie syntaxique des termes de base (nom, verbe, adjectif, adverbe) et leur genre, en revanche beaucoup de *préfixes* (non savants) peuvent fonctionner comme unités autonomes (prépositions ou adverbes surtout), n'ont que peu d'incidence sur la catégorie syntaxique du terme de base et pas du tout sur son genre. De même, les éléments constitutifs d'un mot composé sont toujours doués d'autonomie dans d'autres contextes; toutefois il s'agit essentiellement de noms, d'adjectifs ou de verbes, et non de prépositions ou d'adverbes.

Toute composition suppose une relation syntaxique régulière entre les éléments ainsi associés; de ce fait, un choix méthodologique s'impose entre deux perspectives : va-t-on privilégier cette relation ou, au contraire, la nature des constituants ? Ainsi un *tue-insectes* et un *insecticide* reposent sur la même **relation** syntaxique (« qch. qui tue les insectes »), mais, dans *tue-insectes* les éléments *tue* et *insectes* sont des unités autonomes, alors que dans *insecticide* l'élément *-cide* n'en est pas une, tandis qu'*insectes* a été modifié en *insecti-*. Ces deux séquences de monèmes ont donc des constituants de **nature** différente; on appellera les lexèmes du type d'*insecticide* des **recomposés**. Dans les pages qui suivent nous étudierons séparément mots composés et recomposés, mettant donc au premier plan la différence de nature des constituants (démarche structuraliste) et non l'identité de leurs relations syntaxiques (démarche transformationnaliste).

● *Les mots composés*

Il n'existe pas de terme unique pour les dénommer : *paralexème* est très employé, mais certains linguistes préfèrent parler de « synapsies » (E. Benveniste), de « lexies complexes » (B. Pottier), de « synthèmes » (A. Martinet)... Pour simplifier nous continuerons à utiliser *mot composé*, en faisant les réserves que l'on sait sur la notion de « mot » (cf. tome I, pp. 110-115).

Mais comment reconnaître un mot composé? En principe, ce qui le distingue d'une suite quelconque de mots (ce qui différencie par exemple *chemin de fer* et *chemin de cailloux*), c'est sa **cohésion** interne. C'est elle qu'il faut pouvoir évaluer. Malheureusement, des critères traditionnels comme les **règles d'accord**, la présence d'**un trait d'union** ou la **coalescence** des constituants s'avèrent insuffisants :

— L'accord des mots composés est une source constante de décisions souvent arbitraires des grammairiens et de doutes pour les usagers, qui les ignorent pour la plupart : faut-il dire, selon le sens, des *timbres-poste*, ou, selon la cohésion des constituants, des *timbre-poste*s? La grammaire traditionnelle distingue des *gardes-malade*s (où *garde* est censé être un nom) et des *garde-robe*s (où *garde* est censé être un verbe)! Ce n'est donc pas là un critère efficace.

— L'Académie Française distribue assez aléatoirement les traits d'union : pourquoi *eau-de-vie*, avec traits d'union, et *pomme de terre*, sans traits d'union?

—. La coalescence totale est aussi aléatoire : pourquoi *portefeuille* et *porte-monnaie*?

On est donc obligé de recourir à divers tests pour évaluer le degré de cohésion d'une séquence. Ces tests se fondent sur deux principes : *a)* dans un mot composé, il est difficile de remplacer chaque partie sans changer le sens du reste; *b)* les constituants d'un mot composé ne peuvent subir les mêmes modifications et expansions que s'ils étaient libres. Nous avons présenté quelques-uns de ces tests dans le tome I (p. 154) : *insertion* (*pomme grise de terre), *commutation* (pomme de terre/*de bois), *coordination* (*pomme de terre et d'eau), *reprise partielle* (Je vois une pomme de terre. *Cette pomme...). Il est impossible bien souvent de classer tous les groupements de monèmes en deux classes : ceux qui constituent des mots composés et ceux qui n'en sont pas; on rencontre une graduation continue qui va des groupes les plus figés (*gentilhomme*) aux groupes en voie de figement (*produit d'entretien*), et c'est là un phénomène inéluctable, lié au fonctionnement normal de la langue; c'est à force d'être associées à la désignation d'un référent fréquemment évoqué que certaines suites de monèmes se soudent progressivement, et ceci dans tous les types de discours : politique (*la lutte des classes*), économique (*l'indice des prix*), technique (*une scie à métaux*), etc.

Sur le plan syntaxique, une distinction importante est à faire entre les mots composés **endocentriques** et **exocentriques**. Ainsi *eau-de-vie* ou *bleu roi*, qui ont les mêmes possibilités syntaxiques que *eau* et *bleu*, correspondent à des constructions *endocentriques*, tandis que *chauffe-eau* ou *porte-drapeau* sont dits exocentriques, parce que *chauffe* et *porte* ont changé de statut syntaxique, devenant constituant d'un nom. Dans cette perspective, pour classer les mots composés, on tient compte à la fois de leur propre catégorie syntaxique, de celle de leurs constituants, mais aussi de la relation syntaxique entre ces constituants : ainsi *chauffe-eau* est-il un nom, à *base verbale*, dont les constituants sont liés par la relation $V + SN_2$.

— Pour les **noms** on distingue essentiellement deux types : *a)* ceux qui mettent en œuvre une relation syntaxique à l'intérieur du SN (*composés à base nominale*); par exemple N + N coordonnés (ville-dortoir) ou SN + Prep + SN (pomme de terre); *b)* ceux qui reposent sur une relation entre le SN et le SV ou à l'intérieur du SV (*composés à base verbale*) : ainsi $V + SN_2$ (un lance-pierres).
— Les mots composés **adjectifs** sont peu nombreux : SA + SA (*aigre-doux*); SA + Part. passé (*nouveau-né*).
— Quant aux **verbes**, un seul type y est attesté en français contemporain, les « locutions verbales », segments de discours répété (cf. tome 1, p. 114) : *faire peur; prendre la mouche.*

● *Les recomposés*

Ce mode de formation savante produit surtout des noms, et, dans une moindre mesure, des adjectifs. Les constituants de ces recomposés possèdent diverses caractéristiques :

— Ils sont produits et fonctionnent presque uniquement dans des vocabulaires techniques et scientifiques.

— Ils proviennent du grec (*hippodrome*), du latin (*apiculture*) ou des deux (*automobile*).

— Ils ne jouissent pas d'autonomie dans la langue : s'il existe *capilliculteur*, on ne rencontre ni *capilli-* ni-*culteur* isolément. Toutefois, certains sont devenus autonomes (*phobie*), mais cela reste très limité. En outre, en passant dans la langue usuelle, quelques-uns, par *abrègement*, deviennent des noms comme les autres : *l'auto, la télé*...

— Le premier de leurs constituants subit une modification; en général, les éléments provenant du grec se terminent par un -o- (*astronomie*) et ceux provenant du latin par un -i- (*carnivore*). Le second constituant n'a pas de marque spécifique.

— L'ordre des catégories syntaxiques est le plus souvent l'inverse de l'ordre usuel du français : par exemple, là où le français produirait « porte-chaleur » (V + SN$_2$), la recomposition produit *calorifère* (SN$_2$ + V). Cette séquence dite « régressive » accentue le caractère artificiel de ces vocabulaires spécialisés.

Certains éléments constitutifs des recomposés ne sont utilisés qu'en position initiale (démo- : *démocrate*), d'autres seulement en position finale (-cide : *bactéricide*), d'autres enfin acceptent les deux positions (grapho- : *démographe/graphologie*). Ce type de mots est surtout suffixé par un morphème zéro (*carnivore*) et -ie (*téléonomie*).

Quant aux relations syntaxiques entre les constituants de ces recomposés, ce sont les mêmes que celles à l'œuvre à l'intérieur des mots composés; aussi retrouve-t-on la distinction entre les composés à base verbale et les composés à base nominale : par exemple *anthropophage* (V + SN$_2$), « qui mange les humains », pour le premier type et *lexicologie* (SN + Prep + SN), « science du lexique » pour le second.

En dépit de leur caractère très spécialisé, ces recomposés envahissent de plus en plus le lexique usuel, au prix d'altérations quelquefois. On voit même apparaître des greffes de recomposés sur des formes françaises (*bureaucrate*).

LE SYNTAGME NOMINAL

- Nom et verbe

La grammaire antique, et par la suite toute la grammaire traditionnelle étaient surtout préoccupées de classer les mots en « parties du discours », le plus souvent définies sur une base sémantique. L'opposition entre **nom** et **verbe** est la première historiquement mais aussi la plus importante. Telle grammaire scolaire définit le nom comme « le terme de la proposition qui sert à *nommer* c'est-à-dire à désigner par un mot qui les caractérise, les *êtres* et les *choses* » (Grammaire Martin et Lecomte, 1962) et telle autre le verbe comme « un mot variable qui, en règle générale, exprime une *action* faite ou subie par le sujet » (Grammaire G. Cayrou, 1948).

De telles définitions ne sont pas tant « vraies » ou « fausses » qu'inefficientes : permettent-elles de distinguer noms et verbes de façon suffisamment rigoureuse ? Il y a longtemps que l'on a remarqué que *départ* ou *agitation*, bien qu'étant des noms, expriment une « action » au même titre que *part* ou *agite*. Il y a même un risque de cercle vicieux dans le recours au seul critère de l'intuition sémantique : dans la mesure où nous sommes conduits à penser à travers la grille que nous impose la langue, on a tendance à voir des « choses » et des « êtres » chaque fois qu'on a affaire à un nom et une « action » quand il s'agit d'un verbe.

La notion d'« action » a d'ailleurs un faux caractère d'évidence : est-on en droit d'y recourir pour des verbes comme *agiter* ou *courir* au même titre qu'*appartenir, concerner, aimer*... ?

Voulant rompre avec toute définition notionnelle, la linguistique distributionnelle a préféré s'en tenir aux seules propriétés syntaxico-morphologiques du nom et du verbe. Elle considère comme **noms** les éléments précédés d'un *déterminant*, pouvant être suivis d'un *modifieur*; les noms sont en outre la seule catégorie possédant un *genre* et une variation en *nombre* de leur référent, marques qu'ils ne tirent que d'eux-mêmes et non de l'accord. Le **verbe**, comme le nom, appartient à une classe lexicale ouverte (cf. tome I, p. 119) mais se combine avec des morphèmes dits de conjugaison : il possède en effet des marques spécifiques de *temps* et de *mode*; il est également porteur de marques de *personne* et de *nombre* mais c'est là un phénomène résultant de l'accord avec son sujet grammatical. De plus, il est susceptible d'une variation morphologique entre *forme simple* et *forme composée* et, si le verbe le permet, de *passivation*. Comme le nom, il possède le plus souvent des expansions à sa suite, selon la tendance du français qui exige en général que le terme régi suive celui qui le régit; en l'occurrence, il s'agit d'adverbes, de SN, de SP, et même de SA si le verbe est copulatif.

Ces deux constituants fondamentaux, nom et verbe, sont donc en distribution complémentaire (cf. tome I, p. 58) et possèdent un ensemble

34

de marques spécifiques. Dans le cadre de la phrase minimale, N et V apparaissent comme les **pivots** des deux constituants immédiats majeurs de P, le SN et le SV.

- Le déterminant

La grammaire traditionnelle parle peu de « déterminant »; en fait, elle distingue surtout diverses « espèces de mots » (articles définis, indéfinis, adjectifs possessifs...) sur des critères morphologico-sémantiques, négligeant en particulier leurs propriétés distributionnelles. L'analyse distributionnelle, en revanche, amène à poser un constituant unique du SN, le **Déterminant** (Dét). Ce constituant regroupe les éléments directement dépendants du nom placés à sa gauche qui ont pour fonction de l'**actualiser**. En effet, en dehors d'un emploi effectif un nom ne peut avoir qu'une référence **virtuelle** (= son sens, tel qu'essaie de le définir le dictionnaire); seul le SN pris dans son ensemble, et non le seul nom par conséquent, peut avoir une référence **actuelle**, être associé à un segment de réalité : *chat* n'a qu'une référence virtuelle, tandis que *dix chats* ou *ces quelques chats* seuls ont un référent actuel.

En français contemporain, le déterminant est pratiquement devenu la marque même du nom : il suffit qu'une unité soit précédée par lui pour qu'elle ait un statut de nom (cf. *un antinucléaire, le pourquoi...*).

Il faut considérer à part le cas des **noms personnels** (*je, tu, nous, vous, on*), qu'il ne faut pas confondre avec les substituts pronominaux (*il, le, ceci...*); s'ils ont dans l'arbre le rôle d'un constituant SN, ils n'ont pas besoin pour autant d'être précédés d'un déterminant. Ils sont en effet totalement définis par et dans la situation d'énonciation. A ce sujet on consultera les articles fondamentaux d'E. Benveniste (*Problèmes de linguistique générale*, V^e partie, Gallimard) et de R. Jakobson (*Essais de linguistique générale*, collec. « Points », chap. 9). C'est là un problème qui relève d'une théorie de l'énonciation cf. *infra*, p. 70 sq.).

Les **noms propres** ne sont pas habituellement précédés d'un déterminant. Cette « exception » s'explique par leur nature : référant à des objets uniques et parfaitement définis, ils ne sauraient être spécifiés par un déterminant. Toutefois, ils sont accompagnés par un déterminant, outre quelques cas bien connus (familles : *les Dupont*; métonymies : *un Picasso...*), quand il ne s'agit plus d'un individu pris dans son unicité mais qu'on oppose plusieurs de ses aspects (le *Paul que j'ai connu... J'ai vu* **un** *Paris maussade*) ou que l'on fait du nom propre une classe (les *Césars ne courent pas les rues*); dans le premier cas, le nom propre est suivi d'un modifieur. Pour les linguistes cette question soulève un problème théorique de fond : faut-il considérer qu'il y a deux classes de noms

(« noms communs » et « noms propres »), les uns précédés d'un déterminant, les autres non? Ou va-t-on postuler que les noms propres sont en fait toujours accompagnés d'un déterminant abstrait qui ne devient morphe (cf. tome I, p. 112) que sous l'effet de certaines contraintes linguistiques? A notre niveau on se contentera d'être conscients de cette difficulté.

Le constituant Det s'analyse en une suite de trois classes distributionnelles; Det : (PréAct) + Act + (PostAct); *Act* est l'abréviation d'**Actualisateur**, *PréAct* celle de **Préactualisateur** et *PostAct* celle de **Postactualisateur,** tandis que les parenthèses indiquent que ces deux derniers constituants sont facultatifs. En fait, d'un point de vue distributionnel, on peut distinguer deux ensembles d'actualisateurs : a) ceux qui se combinent avec PréAct et PostAct (Ils correspondent à la colonne A-(III) dans le tableau de la p. 39); b) ceux qui ne se combinent pas avec le PréAct, et peu avec le PostAct (cf. colonne B-(III) du tableau).

● *Le premier groupe d'actualisateurs*

Par définition tous les actualisateurs appartiennent à la même classe, puisqu'ils commutent dans le même environnement; *Act* : {Article, Démonstratif, Possessif, *Tel* }.

— L'**article** a trois réalisations possibles : **zéro** (ϕ), **un** et **le,** ainsi que leurs pluriels. L'actualisateur ϕ est peu usité en français contemporain, relevant surtout du discours répété (ϕ *pauvreté n'est pas* ϕ *vice; avoir* ϕ *peur...*) ou d'un niveau de langue recherché : ceci est logique dès lors que le déterminant tend à devenir la marque même de la catégorie nominale. En principe, cet actualisateur permet de saisir le nom comme *virtuel* : par exemple *chance et courage vont souvent de pair* opposé à *la chance au jeu* ou *le courage de Pierre.*

En réalité, la seule opposition actuel/virtuel est une explication insuffisante de l'apparition de ϕ, qui peut être liée à des facteurs assez divers. Les grammaires donnent des listes de cas où le nom « n'a pas d'article » (en fait l'article ϕ s'oppose aux autres) mais s'en tiennent le plus souvent au simple constat. N est précédé de ϕ surtout en position d'attribut ou d'apposition du SN, après préposition et dans des structures du type SN + *de* + ϕ + N (*un toit de maison, un chapeau de paille...*). Tout cela mériterait une analyse détaillée.

Pour *un* et *le*, on ne doit pas parler de « défini » ou d'« indéfini » dans l'absolu, dans la mesure où tous deux peuvent faire coïncider le virtuel et l'actuel (valeur *générique*) $\left\{ \begin{array}{c} un \\ le \end{array} \right\}$ *soldat est toujours discipliné.* Cette distinction reste pertinente quand ces articles ont valeur particularisante : *un* détermine un nom mentionné pour la première fois, alors que *le* précède un nom déjà évoqué ou supposé connu par l'interlocuteur (emploi *anaphorique*) ou alors annonce un modifieur (emploi *cataphorique*).

— L'actualisateur **démonstratif** détermine N dans deux cas essentiellement : pour accompagner un geste dirigé vers un objet perceptible à l'intérieur d'une situation de communication : *regarde ce cheval!* (fonction *déictique*); pour reprendre un SN déjà énoncé dans le discours (*Il était une fois un roi... Ce roi...*) : fonction *anaphorique*.

— L'actualisateur **possessif** à la 1re et 2e personne est l'équivalent de la relation syntaxique *le N de moi/toi* et à la 3e combine étroitement une reprise pronominale et la relation *le N de SN* (*Le frère de Charles est ici; son costume... = le costume de lui*). La notion de « possession » est vague et trompeuse : elle laisse penser qu'il s'agit d'un lien purement sémantique, alors qu'il s'agit essentiellement d'une relation *syntaxique* (la structure *le N de SN*), certes limitée par des contraintes sémantiques, mais qui sont très lâches. Aussi cette construction recouvre-t-elle de multiples relations sémantiques (*son train, son père, son absence...*) où la notion de « possession » paraît bien inopérante.

— **Tel** (ne pas confondre avec *un + tel + N*) procure une identité « vide » au N qui le suit : *Je connais* **telle** *personne qui ne voyage jamais*.

• *Le Préactualisateur*

Ce constituant recouvre pratiquement les **quantifieurs** de N; c'est là une classe nombreuse et assez instable. La plupart sont suivis par *de* (*beaucoup, tant... de*); seuls les quantifieurs absolus (*tout le/tout livre*) sont placés directement devant *Act*.

On distinguera d'abord les quantifieurs appartenant à une classe relativement fermée (cf. tome I, p. 119) : *beaucoup/peu-un peu, énormément, quantité... de*. Certains supposent une norme (*trop, assez...*) ou une comparaison (*plus, moins...*). Il faut tenir compte des **niveaux de langue** : *vachement* est familier tandis que *nombre de* est plutôt recherché.

Quant à la structure [*un + nom de quantité* (= N_q) + *de*], elle fournit une liste très ouverte de nouveaux quantifieurs; ces « noms de quantité » sont de divers types : noms « de mesure » (*mètre, tonne...*), « de nombre » (*centaine, millier...*), « collectifs » (*série, rangée...*), « de quantité indéterminée » (*tapée, abondance...*), « de parties » (*fragment, majorité...*)... Si la structure [*un* + N_q + *de*] est stable, le nombre de N pouvant figurer à l'intérieur est très élevé, surtout si l'on tient compte des métaphores (cf. *faire face à* **une armée de** *problèmes*). Ces PréAct ne doivent pas être confondus avec la structure habituelle SN_1 de SN_2 (*un ami de Paul, un crayon de bois...*).

Le traditionnel article partitif peut être considéré comme la combinaison d'un quantifieur ϕ suivi par *de + Act + N* (*du beurre, de la chance*). D'un point de vue sémantique, cela se comprend bien : *manger du pain* comme *manger beaucoup de pain* c'est prélever une quantité, indéterminée dans un cas et importante dans l'autre, dans une substance non comptable.

● *Le Postactualiseur*

Ce constituant recouvre une suite de quatre classes distributionnelles facultatives :

a) La première recouvre quatre ensembles différents : 1) Les traditionnels « adjectifs numéraux cardinaux » (*deux, trois...*); 2) *quelques, divers, différents* (pluralité réduite). Ces deux premiers ensembles ne sont pas compatibles avec l'Act. *des*; 3) *nombreux, multiples* (pluralité forte); 4) *tel, certain, quelconque*, qui ne peuvent être combinés qu'avec *un*; sur le plan sémantique ils sont tous associés à une détermination qualitative.

b) La classe postposable à cette première comprend trois éléments fortement liés sémantiquement (pluralité restrictive) : *seul, rare, unique* (cf. *quelques rares amis de Paul; les deux seuls (uniques) arbres de la maison*).

c) Dans le groupe suivant sont associés *même/autre* et *propre*. Ce dernier ne peut se combiner qu'avec l'Act possessif.

d) Il faut enfin faire une place à des unités du type Act + (*espèce, sorte...*) + *de* + N, qui ont valeur qualitative (*J'ai aperçu une espèce de potiche en entrant*).

● *Le second groupe d'actualisateurs*

Considérons le tableau ci-après; il résume les combinaisons distributionnelles des constituants de Det autour des deux groupes d'actualisateurs. Nous venons de voir le premier, le second se dégage aisément. En effet, à la lecture de ce tableau, il apparaît qu'un ensemble de morphèmes ne se comportent pas comme les autres : en effet, ceux de la ligne B ne sont compatibles qu'avec (VI) et (VII). (Pour V, on ne trouve que la combinaison *pas un seul*). On voit que ces éléments correspondent tous à des quantifieurs déjà présents en A-(I) et répartis en trois groupes sémantiquement homogènes (totalité distributive, pluralité réduite, nullité); à *chaque* correspond *chacun de*, à *plusieurs plusieurs de* et ainsi de suite. Or les éléments de A-(I) correspondant à ceux de B-(III) ne sont pas compatibles avec *un/des* : c'est que les membres de B-(III) fonctionnent comme le cumul d'un quantifieur de A-(I) et de *un/des*; *aucun (certains, chacun, trois) de ces (mes, les) cadres* réfère à un ensemble défini d'objets de par l'actualisateur, tandis qu'*aucun (certains, chaque) cadre(s)* renvoie à un ensemble non défini (même s'il l'est par ailleurs, grâce au contexte).

	Déterminant						
	PréAct		Act	PostAct			
	I	II	III	IV	V	VI	VII
A	- *beaucoup, peu...* - *un, deux, trois...* - *certains, plusieurs,* - *aucun, pas un...* - *chacun, n'importe lequel...* - *trop, assez...* - *autant, plus...* - *une (tonne, masse...)*	*de*	*le* *ce* *mon* *un* *ø* *tel*	- *quelques divers différents* - *deux...* - *tel...* - *nombreux multiples*	- *unique rare seul*	- *même autre propre*	- { *sorte* / *espèce* } *de*
	tout	(hachuré)					
B	(hachuré)	(hachuré)	- *chaque, n'importe quel* - *pas un, aucun* - *certains, plusieurs*	(hachuré)	(hachuré)		

Comme on le voit, une approche distributionnelle, même si elle reste élémentaire, n'est pas en conflit avec une catégorisation sémantique. Cette première approche exigerait d'être approfondie. Il faudrait, par exemple, rendre compte du comportement remarquable de l'Act *un* et des cardinaux, qui sont pronominalisés par *en...X* (*Je veux un (deux, trois...) livres* ⇒ *J'en veux un (deux, trois...)*); ce qui semble indiquer qu'il faut postuler un *de* sous-jacent. De même, le partitif peut difficilement être sujet d'une passive (**Du beurre a été mangé par Louis*). Signalons encore le cas de *tous* et *chacun* qui sont mobiles (*Tous ces mots ont un sens* ⇒ *Ces mots ont tous un sens*). Plus largement, il faudrait pouvoir répondre à la question : y a-t-il des propriétés spécifiques des constituants du Det? On trouvera une présentation structuraliste des éléments du Det dans *Les modalités nominales en français* (P.U.F. 1970, pp. 147-275) de M. Mahmoudian, une présentation transformationnaliste dans *Éléments de linguistique française : syntaxe* (Larousse, 1970) par J. et F. Dubois et, au début de *Syntaxe et interprétation*, par J.-C. Milner (Seuil, 1978) une analyse de l'Act plus récente et très stimulante. L'analyse la plus riche est celle de M. Gross dont la *Grammaire transformationnelle du français : syntaxe du nom* (Larousse, 1977) est consacrée aux propriétés des seuls déterminants.

- Le syntagme adjectival

L'adjectif est une catégorie « secondaire », dépendante de cette catégorie « primaire » qu'est le nom; c'est ainsi que l'adjectif *blond*, bien qu'il ait un signifié, n'a pas de référent, tandis que le SN *le blond* en a un parce qu'il y a un nom sous-entendu. L'adjectif se trouve cependant lui aussi à la tête d'un groupe syntaxique, le **syntagme adjectival.**

En effet, il peut souvent recevoir des compléments : SP, infinitifs ou P. On dénommera adjectifs **simples** ceux qui n'acceptent pas ces compléments (*blanc, gai*) et adjectifs **complexes** ceux qui les reçoivent, obligatoirement (*susceptible de, enclin à*) ou facultativement (*content/content de son sort/content de partir/content qu'il fasse beau*).

● *Adjectifs et pseudo-adjectifs*

Dans son étude de la catégorie adjectivale, la grammaire traditionnelle se préoccupait surtout de morphologie; aussi mettait-elle peu en valeur le fait que la classe des adjectifs, d'un point de vue syntaxique, est hétérogène. En particulier, on ne saurait confondre l'adjectif dit « qualificatif » avec celui qui sert à exprimer une *relation* et que l'on appellera **Pseudo-adjectifs** (PsA). Ce dernier est d'ailleurs de plus en plus répandu en français contemporain (*la police **mexicaine**, le cabinet **ministériel***) et possède des propriétés bien caractéristiques :

— Le PsA est l'équivalent d'un SP modifieur de N : *la voiture présidentielle = la voiture du président.*
— Le PsA, de ce fait, n'est pas antéposable à N : **une thoracique cage.*
— Le PsA ne peut être attribut : **le rayon est solaire.*
— Le PsA n'est pas susceptible de degré : **une réaction très chimique.*
— Le PsA ne peut être coordonné avec un qualificatif : **une décision préfectorale et raisonnable.*

Cependant, un PsA peut fort bien, en apparence, fonctionner comme un qualificatif : c'est que dans ce cas il ne s'agit plus d'un PsA. Ainsi dans *Martin a une allure très présidentielle*, le terme *présidentiel* est un qualificatif signifiant « caractéristique d'un président ».

● *Épithète et apposition*

En position de modifieur de N, l'adjectif peut remplir deux fonctions : **épithète** et **apposition.** C'est là une distinction très importante; soit :

1) *Les soldats, fatigués, font la sieste.*
2) *Les soldats fatigués font la sieste.*

En (1), l'adjectif *fatigués* est en fonction d'apposition, et en (2), d'épithète. L'épithète a une valeur **restrictive** (seuls les soldats fatigués font la sieste), alors que l'apposition ne restreint pas l'ensemble des soldats dénotés aux seuls fatigués : tous sont fatigués. Cette différence de sens peut être mise en évidence de plusieurs manières :

— On remarque en (1) la présence d'une virgule (ou, à l'oral, d'une pause). Mais ce critère n'a pas valeur absolue.

— On a la possibilité d'insérer avec l'apposition des particules logiques comme *cependant, de fait...*, ou des « adverbes de phrase » (cf. *infra*, p. 53) tels *malheureusement, curieusement...*, ou encore des incises (*vous dis-je...*).

— On peut, le plus souvent, donner une valeur circonstancielle, variable, à l'apposition; ainsi en (1) : « *parce qu'*ils sont fatigués ».

— On peut reprendre les N dont dépendent les épithètes restrictives avec un pronom démonstratif : *Les gens heureux n'ont pas d'histoire* → *Les gens, ceux qui sont heureux, n'ont pas d'histoire.* C'est impossible pour l'apposition.

— Si l'on supprime l'adjectif apposé, le SN conserve le même référent, alors que la même manipulation faite sur une épithète change le référent du SN. C'est la conséquence la plus évidente de la valeur restrictive de l'épithète.

Il y a pourtant de nombreux énoncés pour lesquels les deux interprétations sont possibles, le contexte seul permettant de lever l'ambiguïté. Ainsi dans
(3) *Jeanne a rattrapé son chat noir.*
a-t-on affaire à une apposition (Jeanne n'a qu'un chat, et il est noir)? Ou à une épithète (parmi ses chats, elle a rattrapé celui qui est noir)? De fait, attribuer une propriété (la noirceur) à un objet (le chat) ce peut être aussi bien la lui attribuer, sans plus, que la restreindre à cet objet, et donc exclure les autres.

Dans la pratique, l'adjectif apposé peut se trouver dans deux positions différentes :

— *a*) Directement accolé au nom, comme une épithète; c'est le cas dans (3) et la source de l'ambiguïté signalée.

— *b*) Constituant un groupe mobile dans la phrase; c'est la résultante de son statut de semi-circonstant :
Le chef, furieux, est reparti
Furieux, le chef est reparti
Le chef est reparti, furieux
(Nous reprendrons cette opposition épithète/apposition *infra, p.* 60, à propos des relatives.)

● *La spécification du degré de l'adjectif*

Un certain nombre de morphèmes ont pour fonction de spécifier à quel degré le nom possède la propriété que lui confère l'adjectif. On dénommera **intensifs** ceux qui marquent un degré élevé et **détensifs** ceux qui en marquent un faible. C'est un ensemble très hétérogène et assez instable :

— Morphèmes antéposés à l'adjectif : *très, terriblement, vraiment...*/*peu, faiblement...* Avec une norme : *trop/assez...* C'est là une classe très ouverte et en renouvellement constant.

— Préfixes : *hyper-, extra-, super-, ultra-...* *(il est* **super**doué)/*sous-* *(un atelier* **sous**équipé*)*. La langue contemporaine, surtout le discours publicitaire, en fait un usage très abondant.

— Suffixe : *-issime*. Morphème d'un usage très recherché ou humoristique.

— Fragments de discours répété : certains sont strictement liés à un seul adjectif (sourd *comme un pot*, bête *à manger du foin*), alors que d'autres sont polyvalents (gai, sombre *à l'extrême*; un garçon *on ne peut plus* gentil).

Le degré d'intensité peut également faire l'objet d'une *comparaison* entre deux termes : *Valérie est aussi (***plus, moins***) jolie que Cécile* (cf. *infra* p. 65).

● *Place de l'adjectif épithète*

En français, l'adjectif épithète est théoriquement postposable ou antéposable au nom; en fait, on constate qu'il y a, surtout dans la langue parlée, une très forte tendance à la postposition. La détermination de cette position de l'épithète est le résultat de l'interférence de facteurs divers :

Facteurs rythmiques : on a tendance à antéposer le mot le plus court, l'accent tombant à la fin du groupe syntaxique, dont l'unité est ainsi renforcée *(un lâche assassinãt)*. Ce n'est toutefois là qu'une tendance, car le plus souvent des facteurs expressifs et sémantiques viennent interférer.

Facteurs syntaxiques : si l'adjectif a une expansion, il est postposé au nom *(un général fou à lier)*. C'est bien la tendance du français que de placer le terme régi après celui dont il dépend.

Facteurs expressifs : on peut antéposer l'adjectif habituellement postposé dans le but de le mettre en relief *(d'admirables gravures* et *des gravures admirables)*, mais cela n'est pas sans influer sur le sens du SN. Cependant, même à l'oral, il est possible de conférer à l'adjectif un accent propre qui le détache (accent d'insistance).

Facteurs sémantiques : on sait que certains adjectifs changent de sens en fonction de leur position par rapport au nom *(un bon soldat/un soldat bon)*. Il s'agit essentiellement d'adjectifs *fréquents* et *courts* (deux choses souvent liées dans la langue); étant *courts*, ils s'antéposent facilement au nom pour former avec lui un groupe rythmique dans lequel ils ont perdu leur autonomie; étant *fréquents*, ils sont très polysémiques (cf. tome I, p. 122) et tendent à se désémantiser, c'est-à-dire à avoir un sens très « pauvre », et à fonctionner dès lors comme *des morphèmes intensifs ou détensifs du nom*. Dans *un bon (beau, vrai) soldat*, les adjectifs sont comparables, vis-à-vis du nom, aux intensifs d'un adjectif : *un soldat beau* est un individu qui est soldat et possède, en outre, la propriété d'être beau; en revanche, *un beau soldat* est quelqu'un qui détient au plus haut degré les caractéristiques sémantiques de la *classe* des soldats et peut fort bien, par ailleurs, être laid. De même, *une belle femme* est quelqu'un en qui la « féminité » est grande, et pas nécessairement quelqu'un répondant aux canons de la beauté.

Sur ce problème on peut se reporter aux remarques très suggestives de P. Guiraud dans *La syntaxe du français* (P.U.F., coll. Que sais-je?) pp. 109-114.

Il existe d'autres types d'intensifs du nom; certains sont liés à un seul nom (*une faim* **de loup**), d'autres à plusieurs (*un moral, des nerfs...***d'acier**), d'autres encore sont très polyvalents (*un livre, une course* **du tonnerre**). On assiste même dans la langue familière à l'apparition de préfixes, comme pour les adjectifs (*Il s'est payé un* **super***costume; il a reçu un* **méga***coup de poing*).

La fonction sujet

Posé en termes traditionnels, le problème de la définition de la fonction « sujet » soulève les difficultés liées à tout découpage *sémantique* de la phrase; ainsi dans la grammaire G. Cayrou : « on appelle sujet tantôt l'être ou la chose *qui fait l'action* exprimée par un verbe à la forme active ou pronominale, tantôt l'être ou la chose *qui subit l'action* exprimée par un verbe à la forme passive ». Il n'est pas difficile de montrer l'inadéquation de telles définitions : sans parler des phrases à copule, qui semblent oubliées, on peut se demander quelle « action » fait *Jean* dans *Jean reçoit un coup*, ou *le linge*, dans *le linge sèche*. Est-on capable, armé de ce type de définition, de dire d'un constituant de la phrase s'il est ou non son sujet?

En fait, dans la notion de « sujet » se mêlent trois couples de termes à ne pas confondre : les oppositions entre *sujet* et *prédicat*, *thème* et *propos* (dite aussi *topique/commentaire*) et enfin entre *sujet apparent* et *sujet réel* (dite également *sujet grammatical/sujet logique*).

La distinction entre **sujet** et **prédicat** correspond à un découpage *logique* de la phrase; on distingue l'objet dont quelque chose est affirmé (sujet) de ce qu'on affirme de lui (prédicat) : *Béatrice* (sujet) *poursuit des études* (prédicat).

En revanche, l'opposition **thème/propos** est liée au *discours* et permet de séparer dans un énoncé ce que l'on sait déjà (thème) de ce qu'on apporte de nouveau (propos). La phrase *A huit heures, je me lève* est censée répondre à une question du type *Qu'est-ce que tu fais à huit heures?* Le SAdj *A huit heures* est ce dont il est question (le thème), tandis que le reste de la phrase (le propos) nous donne des informations au sujet de ce qui se passe à huit heures. Dans une phrase où ni l'intonation ni la syntaxe ne mettent en valeur un constituant déterminé, la distinction thème/propos est en quelque sorte « neutralisée » : dans *Je me lève à huit heures*, le thème et le sujet grammatical coïncident, ce qui n'était pas le cas dans la phrase précédente.

Traditionnellement on distingue **sujet grammatical** et **sujet réel,** qui peuvent coïncider ou non. En effet, le sujet grammatical est défini comme celui avec lequel s'accorde le verbe, alors que le sujet réel est celui qui fait « réellement » l'action exprimée par le verbe. Ainsi dans *Il manque un lit*, le sujet grammatical serait *il* et le sujet réel *un lit*, lequel répond à la question : *Qu'est-ce qui manque?*

En fait, il ne faut pas confondre deux choses très différentes sous la dénomination « sujet apparent » : dans *Il pleut*, le morphème *il* n'est qu'un « actualisateur » du verbe (selon l'expression d'A. Martinet) et il n'y a aucun autre sujet (réel) par ailleurs; en revanche, dans *Il manque un lit*, il existe une relation *régulière* entre cette phrase et *un lit manque*, à savoir ce qu'on appelle une transformation d'« extraposition » (cf. *Des coups pleuvent* ⇒ *Il pleut des coups*, etc.) : dans cette perspective, *des coups* serait dit « sujet profond » et il « sujet superficiel ».

Dans la mesure où nous travaillons dans cet ouvrage sur des phrases délibérément neutralisées à des fins pédagogiques, nous laisserons de côté cette problématique transformationnelle et considérerons seulement la question *en termes d'arbre*; en effet, puisque *la définition de la fonction fait partie intégrante des règles de construction de l'arbre*, on considérera que le nœud SN₁ est le constituant qui correspond à la fonction sujet de la phrase (autant dire que nous n'avons affaire qu'à des « sujets profonds »). On pose donc en définition qu'une séquence est sujet si elle est dominée immédiatement par le nœud SN qui se trouve juste sous P. Un mot ou un groupe de mots est à cette place dans l'arbre s'il possède un certain nombre de *propriétés syntaxiques*; en particulier si :

- le verbe s'accorde avec lui
- on peut l'encadrer par *c'est...qui* (**C'est** *Daniel* **qui** *m'ennuie*)
- on peut le remplacer par *qui* (ou *que*, selon le cas) quand la phrase est mise à la forme interrogative (*Anouk est grande* ⇒ *Qui est grande?*/*Partir est idiot* ⇒ *Qu'est-ce qui est idiot?*).
- Il devient complément d'agent si la phrase est passivable.
- On peut le remplacer par *il/elle* si c'est un nom etc.

La mise en œuvre de telles propriétés permet de dépasser la notion de sujet « apparent », qui reste liée à l'intuition sémantique spontanée. Ainsi dans une phrase comme *le parrain de Louis sera Lucien*, l'application des quelques manipulations que nous venons de suggérer nous montre que c'est *Lucien* le sujet, et non *le parrain de Louis*.

LE SYNTAGME VERBAL

Le SV est le second constituant de la phrase dégagé par l'A.C.I. au premier niveau d'analyse. Si le SN était centré sur le nom, le SV l'est sur le

verbe. Dépassant le cadre de l'arrangement superficiel des morphes, on distinguera deux constituants majeurs dans le SV, l'**Auxiliaire** (Aux) et le **Groupe verbal** (GV).

- **L'auxiliaire** :

Ce constituant est très différent de la notion correspondante dans la grammaire traditionnelle. En effet, il ne s'agit pas ici des verbes *être* et *avoir*, mais d'un élément qui recouvre aussi bien le **temps** du verbe que sa **personne**, son **nombre**, son **mode** et ses **marques** d'**aspect**. Comment expliquer ce gonflement de l'auxiliaire traditionnel ? Qu'ont en commun tous ces éléments apparemment très différents ?

Il faut comprendre, à un niveau de réflexion assez abstrait, que cet « auxiliaire » se trouve dans une relation au verbe comparable à celle qui existe entre le déterminant et le reste du groupe nominal. C'est d'ailleurs là une idée ancienne : le nom comme le verbe doivent se voir affecter un certain nombre de marques qui les actualisent pour être inscrits dans des énoncés réels (marques que certains grammairiens appelaient l'« assiette » du nom et du verbe). On a vu qu'un nom, pour avoir une référence actuelle doit en particulier recevoir un déterminant et être marqué en nombre; il en va de même pour le verbe, ou plutôt la *racine verbale*, (c'est-à-dire le verbe saisi abstraitement, indépendamment de toute marque d'actualisation) qui est porteuse d'un ensemble de marques spécifiques :

— Marques de *personne* et de *nombre*, qui résultent de l'accord avec le SN faisant fonction de sujet. De la même manière que dans le SN c'est presque exclusivement le Det qui porte la marque du nom, c'est *je/tu/nous/vous* et les SN qui portent, à l'oral, les indications de personne et de nombre. En effet, le plus souvent, ces marques ne se prononcent pas: dans *j'aime*, *tu aimes*, *Pierre aime*... le verbe est prononcé [ɛm]. Ceci vaut en particulier pour le présent de l'indicatif et du subjonctif des verbes dits du « premier groupe » et pour tous les imparfaits de l'indicatif, c'est-à-dire pour la grande majorité des cas.

— Marques de *temps* : celles-ci sont portées par le verbe, qui préserve en général très bien cette information à l'oral.

— Marques d'*aspect* : la morphologie du verbe oppose formes simples et formes composées comme l'inaccompli à l'accompli (*je courais/j'avais couru*). L'aspect peut également être exprimé à l'aide de verbes auxiliaires (*venir de*, *être en train de*...). Il s'agit surtout d'indiquer de quelle manière se déroule le procès qu'exprime le verbe.

— Marques de *mode* : les formes temporelles se répartissent en deux grands systèmes : l'indicatif et le subjonctif (en ce qui concerne le conditionnel beaucoup de linguistes n'y voient pas un mode mais une forme de l'indicatif; sur ce point le débat reste ouvert). Du subjonctif il ne

subsiste guère aujourd'hui que le présent (et la forme composée correspondante). Théoriquement liée à la manière dont le locuteur considère son énoncé, l'explication des emplois du subjonctif est encore actuellement un point particulièrement obscur. De toute manière les locuteurs ont très rarement le choix entre ces deux modes, dans la mesure où le choix du subjonctif est presque toujours imposé par telle ou telle contrainte (un verbe, une conjonction de subordination...).

Nous n'aborderons pas ici l'analyse détaillée de ce constituant *Aux*; il pose en effet des problèmes considérables, aussi bien pour ce qui regarde les éléments qu'il faudrait y intégrer que pour leur mode d'insertion dans le modèle grammatical.

On peut trouver un exemple de construction de cet Aux dans *Éléments de linguistique française: syntaxe* de F. et J. Dubois (chap. X); cette analyse, faite dans un cadre transformationnaliste, soulève bien des difficultés, comme on s'en rendra compte en mettant par exemple en regard une analyse différente du même constituant *Temps* par M. Gross (*Grammaire transformationnelle du français* (Larousse, 1968, chap. I). Quant à l'étude des temps verbaux, des modes et modalités, elle relève en grande partie d'une théorie de l'énonciation; sur ce point consulter en particulier la Ve partie des *P.L.G.* d'E. Benveniste, le n° 17 de la revue *Langages* (« L'énonciation ») et le n° 21 de *Langue française* (« Communication et analyse syntaxique »).

- Le groupe verbal à complément d'objet

Le GV recouvre la racine verbale et ses expansions. Parmi celles-ci on distingue deux types : les GV à complément(s) d'objet, direct et/ou indirect, et les GV attributifs qui peuvent être suivis d'un SN comme d'un SA, tous deux étant « attributs » du SN$_1$.

● *Compléments du verbe et compléments de la phrase*

Pour la grammaire traditionnelle, la distinction entre complément d'objet *direct* (c.o.d.) et *indirect* (c.o.i.) est fondée sur la présence ou l'absence d'une préposition devant le SN (*je vois la mer/je pense à la mer*). En fait, une telle distinction n'a pas l'importance qu'on lui accorde et risque de masquer une distinction plus essentielle, celle entre les compléments de V, qu'ils soient directs ou non, et les compléments de P, c'est-à-dire les SAdj.

La présence d'une préposition dépend uniquement des contraintes qu'impose le verbe et n'affecte guère la relation sémantique entre celui-ci et le c.o.; la grammaire C. Augé a beau affirmer que « le complément *direct* est le mot sur lequel tombe *directement* l'action exprimée par le verbe », il s'avère très périlleux de vouloir donner une interprétation sémantique de l'opposition direct/indirect : pourquoi *Paul entretient Julien de ses ennuis* et *Paul parle à Julien de ses ennuis?*

46

Dans les phrases

(1) *Il atteindra le rivage.*
(2) *Il parviendra au rivage.*
(3) *Il parviendra au rivage à 10 h près du phare.*

la grammaire traditionnelle serait tentée d'analyser en (1) *le rivage* comme un c.o.d. et en (2) et (3) comme un complément circonstanciel (répondant à la question *où* ?). Ce faisant, on distinguerait nettement *atteint le rivage* et *parvient au rivage* alors qu'on mettrait sur le même plan *le rivage* en (2) ou (3) et *à 10 h, près du phare*. Pourtant, ces deux derniers SP sont compléments de P, tandis que *le rivage* en (1), (2), (3) est un complément indissociable de V : **il atteindra*, **il parviendra*... Ce SN, à la différence de *à 10 h* ou *près du phare*, ne peut être déplacé dans la phrase. On essaiera de même de comparer le statut d'*après son maître* dans *Le chien court après son maître* et *Paul a pris la parole après son maître* : c.o. dans le premier cas, SAdj dans l'autre.

● *Les constructions verbales*

Comme on le voit, le verbe apparaît comme le *pivot* de la phrase ; en effet, ce n'est que dans la mesure où le verbe impose (ou non s'il est intransitif) un ou plusieurs compléments de tel type que la phrase a telle ou telle structure. Le verbe lui donne en quelque sorte son « armature » syntaxique. On appellera **constructions** ces diverses structures de phrase. De ce fait, deux démarches complémentaires sont possibles : *a)* Étant donné une construction, quels verbes l'admettent ? *b)* Étant donné un verbe, dans quelle(s) construction(s) peut-il entrer ? Ainsi *dormir* n'admet que SN + V + φ (*Luc dort*) et *voir* admet à la fois SN + V + φ (*Louis voit*) et SN + V + SN (*Louis voit Arlette*).

Si on laisse de côté les phrases attributives, les principales constructions du français sont les suivantes :

— SN + V + φ (intransitifs) : *Léonard dîne.* Beaucoup de verbes peuvent entrer à la fois dans une construction transitive et une construction intransitive sans être pour autant homonymes (cf. *fumer*/*fumer un cigare* opposé aux homonymes *souffrir*/*souffrir quelqu'un*). Il faut donc distinguer deux types de verbes : ceux dont le complément est facultatif (*voir*, *fumer*) et ceux dont il est obligatoire (*susciter*, *déclarer*).
— SN + V + SN : *Brigitte poursuit son frère.* On peut distinguer les verbes qui ont pour SN des « humains » (*tromper*), des « non humains » (*gravir*) ou les deux (*connaître*).
— SN + V + SN + à + SN : *Alain a acheté un livre à Sophie.* Les verbes peuvent encore se subdiviser selon que tel ou tel des SN est un « humain » ou non ; ainsi *donner* ou *crier* entrent dans la construction SN + V + SN(qch.) + à + SN(qqn;).

— SN + V + SN + de + SN : *Francis charge Suzanne du départ.* On retrouve ici les mêmes distinctions que pour *à* en fonction du critère qqn./qch. Par exemple SN + V + SN + de + SN(qqn.) : *Michel a sauvé Vincent de l'ennemi.*
— SN + V + SN + SN/SA : *Françoise a rendu Élise triste; Le conseil a élu Nicole présidente.* Dans ces constructions, le second complément a le statut d'« attribut de l'objet ».
— SN + V + à + SN : *Philippe répond à Frédérique* (qqn.); *Yvonne recourt au chantage* (qch.).
— SN + V + de + SN : *Maurice rit de Marie* (qqn.); *Léon se sert de l'outil* (qch.).
— SN + V + de + SN + à + SN (ou à + SN + de + SN) : *Louisette parle à Laurence de la situation.*

Ce problème des constructions du verbe a connu en France des développements importants ces dernières années grâce aux travaux de M. Gross et de son équipe (voir *Méthodes en syntaxe*, Hermann, 1975). Ces recherches ont fait l'objet d'une application pédagogique précieuse dans le cadre du « français fondamental » (cf. *infra*, p. 104) : *Les constructions fondamentales du français*, par P. Le Goffic et N. Combe McBride (Hachette/Larousse, 1975). De tels travaux éclairent d'un jour nouveau le problème des relations entre les propriétés syntaxiques des verbes et leur signification. Un ensemble de propriétés syntaxiques est-il ou non commun à des verbes sémantiquement apparentés? (cf. la notion de « champ syntaxico-sémantique » in tome 1, p. 128).

La fonction c.o.d.

La définition traditionnelle de la fonction c.o.d. est d'ordre sémantique : l'« objet » de la phrase est opposé à son « sujet » comme l'être ou la chose sur lequel « passe » l'action exercée par le sujet. Une telle « définition » laisse perplexe : en quel sens l'« action » peut-elle « passer » du sujet sur l'objet dans *Raymond passe l'année ici* ou *Pierre assoit son autorité?* Conscients de cette difficulté, les grammairiens tentaient d'y remédier en utilisant une propriété syntaxique du c.o.d., celle de permettre de poser la question *quoi?* (*Il mange quoi? Sa soupe*). En fait, ce test s'avère notoirement insuffisant, comme le montre bien un rapide passage en revue des propriétés essentielles du c.o.d.
— Le c.o.d. n'est pas mobile dans la phrase : **un chien Felix regarde.* Cela le distingue du SAdj (*la nuit, il mange*).
— Il n'est pas remplaçable par un adjectif : ** Patricia chasse triste.* La phrase serait à la rigueur correcte, si l'adjectif était apposé au sujet (cf. *supra*, p. 41).
— Quand la passivation est possible, il peut devenir sujet grammatical : *Nicolas recherche Charlotte* ⇒ *Charlotte est recherchée par Nicolas.* Malheureusement, si tous les sujets des passives sont des c.o.d. beaucoup de c.o.d. ne peuvent devenir sujets de passives (**Deux chats sont voulus par Pierre*). C'est donc bien une propriété *spécifique* des c.o.d. mais qui ne leur est *pas commune à tous.*

— Il répond à la question *qui/que/quoi*? *Lucile aime Tolstoï* ⇒ *Qui est-ce-qu'aime Lucile*? Mais ce test vaut aussi bien pour les attributs.

— Il peut être encadré par *c'est...que* : *C'est Cathy que je vois*. Cette propriété n'est pourtant pas spécifique des c.o.d. puisqu'elle concerne aussi les SAdj.

— On peut le pronominaliser par *le/la/les*: *Anne dévore son pain*⇒ *Anne le dévore*. En fait, si le c.o.d. est précédé d'un partitif ou de *un/des* il est repris par *en...(un)*. De plus, les SN attributs ont la même propriété : *Marie est médecin* ⇒ *Marie l'est*.

L'examen de ces quelques propriétés révèle à quel point une notion apparemment évidente comme celle de c.o.d. est difficile à cerner. Les propriétés ne sont pas toutes sur le même plan : les seules vraiment spécifiques du c.o.d. sont la *non mobilité* et le fait de *n'être pas remplaçable par un adjectif*. En revanche, une propriété comme la passivation est trop restrictive, tandis que l'interrogation, la pronominalisation et l'encadrement par *c'est...que* sont des propriétés trop peu sélectives.

• *La fonction complément d'objet indirect*

La différence entre c.o.d. et c.o.i. étant évidente (présence/absence d'une préposition), il s'agit en fait de se demander quelles propriétés permettent de distinguer c.o.i. et SAdj, qui sont tous deux des SP pouvant figurer après V : *Le voyageur pense à la ferme*, d'une part, et *Le paysan raconte des histoires à la ferme*, d'autre part.

— Comme le c.o.d., le c.o.i. n'est pas déplaçable; en outre, il peut être encadré par *c'est...que*; cette dernière propriété ne le distingue cependant pas des SAdj.

— Il répond aux questions *Prep + qui/quoi* : *il parle à qui? A Jean*; *il renonce à quoi? A sa fortune*.

— Les c.o.i. sont pronominalisables en *lui/y* (avec *à*), *en* (avec *de*) ou encore *à/de + lui/elle/eux*; *Paul sourit à Hélène* ⇒ *Paul lui sourit*; *Max rêve de Sophie* ⇒ *Max rêve d'elle*. On gardera à l'esprit que les c.o.d. précédés par *un/du/des* sont aussi pronominalisés par *en*.

- Le groupe verbal attributif

La distinction que nous avons faite entre deux types de GV est syntaxiquement importante : c'est sur la spécificité du GV attributif ou copulatif que reposent en particulier les **fonctions** d'**attribut** et d'**apposition**.

On réservera le terme de *verbe copulatif* à ceux *a*) dont le SN de droite ne peut être enlevé (**Luc est...*), *b*) qui peuvent être suivis d'un SA comme d'un SN.

Un certain nombre de verbes possèdent ces propriétés et ils appartiennent à des classes sémantiques bien définies : opposition être/paraître (*sembler, avoir l'air de, se montrer...*), entrée dans un état (*devenir...*), persistance dans un état (*rester...*). Quelques-uns ne peuvent être suivis que par un SA (*se faire vieux...*).

● *La fonction attribut*

Les catégories pouvant se trouver en fonction d'attribut du SN_1 sont le SN, le SA et divers SP d'un type assez particulier (cf. *Cette balle est en caoutchouc*).

Dans le chapitre I, pour simplifier, nous avons considéré comme verbes copulatifs les verbes des deux énoncés (1) *Luc est gentil* et (2) *Luc est dans le parc*. En fait, dans (1) *gentil* peut commuter avec un SN et le verbe avec *paraît, devient* (*Luc devient l'ami de René*). En revanche, en (2) *est* commute avec *se trouve, est assis...* et non avec *devient*: une fois opérée cette commutation, il n'est pas possible de substituer à *dans le parc* un SN (**Luc est assis l'ami de René*). On peut donc considérer que ces deux *est* ont un fonctionnement différent (sur ce point voir E. Benveniste *P.L.G.* « *Être* et *avoir* dans leurs fonctions linguistiques »).

Tous les SA, par définition, doivent pouvoir figurer en position d'attribut; ceci ne concerne pas les Pseudo-adjectifs ou ceux qui appartiennent à des mots composés (cf. **Cette ombre est chinoise*); il en va de même pour les adjectifs antéposés au nom qui ont perdu leur statut d'épithète pour devenir des sortes d'intensif (cf. *supra*, p. 42): dans *c'est un parfait bandit* et *ce garçon est parfait*, il s'agit de deux homonymes.

Quant au SN attribut, il se distingue des autres types de SN placés à droite de V par quelques propriétés pertinentes:
— Il n'est pas mobile : **Stéphane mon ami est*.
— Il ne peut être supprimé : **Jean devient*. On sait, en revanche, que beaucoup de c.o.d. sont suppressibles.
— Il peut commuter avec un adjectif : *André est resté facteur/idiot*. C'est une propriété spécifique des attributs.
— Il ne peut devenir sujet d'une phrase passivée.

Il est nécessaire de préciser que le SN attribut subit diverses contraintes que nous ne pouvons détailler ici; en particulier, sur le Det. (on trouve *Raoul est cantonnier* et *Raoul est un cantonnier*, sur les expansions du SN (On aura *Grégoire semble un bon chanteur* mais pas **Grégoire semble (un) chanteur*). Ces contraintes sont liées à la fois aux verbes et à la fonction attributive.

Le SN peut fort bien ne pas être attribut du sujet mais d'un SN_2 complément d'objet direct : c'est le traditionnel « attribut de l'objet ». Cette possibilité n'est en fait laissée qu'à un ensemble limité de verbes. Cette fonction concerne aussi bien les SA : *On a élu Georges député/On a trouvé Georges aimable*. Toutefois ce ne sont pas en général les mêmes verbes qui admettent un SA ou un SN dans cette fonction.

— Il est impossible de supprimer cet attribut sans rendre la phrase agrammaticale (*Jim a les bras noirs* ⇒ *Jim a les bras; *on a proclamé Jérôme président* ⇒ **on a proclamé Jérôme*) ou, comme c'est le cas le plus souvent, changer le sens de la phrase (*Il a rendu Eva stupide* ⇒ *Il a rendu Eva*; *j'ai nommé Adam sergent* ⇒ *j'ai nommé Adam*).

— L'ordre c.o.d. + Attribut peut souvent être inversé sans difficulté : *je considère comme inutile votre démarche* ou *on a pris pour un champion ce type*. Sur ce point il existe des contraintes d'ordre rythmique. Cette inversion peut même être très utile pour lever des ambiguïtés : dans *J'estime les enfants courageux*, l'inversion montrerait que l'adjectif n'est pas épithète.

— En cas de passivation, l'attribut de l'objet est placé immédiatement après le verbe : *Jean juge Paul coupable* ⇒ *Paul est jugé coupable par Jean*; en effet, cet attribut n'est pas du tout un constituant du SN c.o.d.

— La relation qui existe entre le c.o.d. et son attribut est celle qu'institue une structure copulative; de même que dans une phrase attributive, dans *Anne trouve sa sœur stupide* ou *Léa tient Luc pour son fiancé*, il est possible de poser les relations *sa sœur est stupide* et *Luc est son fiancé*.

● *L'apposition*

On peut s'étonner que nous traitions de la fonction apposition avec le GV attributif; c'est que la relation entre le SN ou le SA apposés et le SN dont ils dépendent est strictement la même que celle qui existe entre un SN_1 et son attribut dans une phrase à copule. On a déjà parlé du SA apposé (cf. *supra*, p. 40 et *infra*, p. 60), aussi considérerons-nous ici le SN en apposition.

Ce SN apposé à un autre constitue un emploi *détaché* du nom; il a essentiellement deux rôles : *a*) caractériser un individu en l'insérant de manière stable dans un ensemble : *Pablo, Argentin de pure souche, adore le tango*; *b*) identifier de façon unique le SN auquel il est apposé, lui attribuer une propriété dont il est l'unique détenteur, d'où le recours souvent à un démonstratif ou un défini : *Wagner, l'auteur de « Parsifal », était l'ami de Nietzsche.*

Comme le SA apposé, le SN est isolé par une pause (ou des virgules à l'écrit); il peut être accompagné d'adverbes de phrase (*Paris, ville malheureusement enlaidie, reste un grand centre artistique*), et prendre des valeurs circonstancielles diverses (par exemple concessive dans la phrase précédente). Cependant, il est peu mobile dans la phrase, étant en général placé juste après le SN dont il dépend; quelquefois on le trouve situé avant, lorsque celui-ci est SN_1 (*Général de génie, Napoléon a conquis l'Europe*).

Dans la mesure où la relation syntaxique entre ce SN apposé et son antécédent s'inscrit dans la structure SN$_1$ + copule + Attribut, il n'est pas surprenant que le Det. y connaisse des contraintes comparables : ainsi *un* est-il souvent supplanté par φ (*ce garçon, (un) ingénieur très doué, accepta de faire le travail*); sur ce point l'influence des facteurs rythmiques est importante.

Nous ne décrivons ici que les cas les plus simples d'appositions ; les grammaires en énumèrent d'autres types (cf. *le roi Louis XII, le mois de mai, le mot (de) liberté...*); certains sont même très intéressants (cf. *son imbécile de mari*).

LE SYNTAGME ADJOINT

Ce troisième constituant immédiat de P pose des problèmes délicats; en effet, il chevauche deux catégories mal définies dans la grammaire traditionnelle : les *adverbes* et les *compléments circonstanciels*.

- Les adverbes

Dans cette grammaire les adverbes sont un peu une sorte de « fourre-tout » où l'on retrouve les inconvénients de l'« étiquetage » en espèces de mots qui la caractérise. Dans la définition de la catégorie adverbiale se mêlent divers critères : une critère *morphologique* (l'adverbe est invariable), *sémantico-fonctionnel* (l'adverbe est complément; « placé auprès d'un autre mot il modifie le sens de ce mot » (Hamon)) mais aussi un critère *syntaxique* (l'adverbe, à la différence des prépositions, n'a pas de complément).

En fait, la fonction SAdj peut être tenue par des adverbes, qu'on pourrait appeler **adverbes adjoints**, comme par des SP adjoints ou encore des SP aux éléments figés : *Brigitte dort* [*dehors/sur le sol/à tout bout de champ*]. Cependant prétendre que tous les « adverbes » ont une fonction de SAdj serait erroné. En effet, les adverbes ou locutions adverbiales dits « de manière » (*calmement, à l'emporte-pièce*) ne sont pas des constituants immédiats de P mais des expansions de V, étant réellement des « adverbes ». On ne peut pas considérer comme équivalents syntaxiquement d'une part *doucement* dans *Juliette parle doucement* ou *beaucoup* dans *Élise mange beaucoup* et, d'autre part, *ici* dans *Elle fait ses courses ici*; en particulier, les adverbes de manière, contrairement aux adverbes adjoints sont spécifiables en degré (*Juliette parle très/moins doucement* et non **Elle fait ses courses très ici*).

D'ailleurs, en règle générale, ces adverbes quantitatifs et de manière, qui dépendent directement de V, sont peu ou pas du tout mobiles dans la phrase. C'est là cependant une question difficile puisqu'il n'y a pas de critère sûr pour évaluer cette mobilité : divers facteurs interviennent (liés non seulement à la syntaxe et à la prosodie mais aussi au type de discours concerné, à l'opposition écrit/parlé; ainsi *lentement Paul marchait n'est pas usité dans la langue courante, tandis que *Lentement, Paul marchait vers le perron* passe fort bien dans un roman). Les choses ne sont nettes que pour des adverbes très spécialisés, « qualitatifs » (*bien*) ou « quantitatifs » (*peu*), qui sont courts et très étroitement associés au verbe. Ces deux derniers types d'adverbes, que C. Bally nomme « intrinsèques » sont très différents des adverbes adjoints (ou « extrinsèques »).

Certains adverbes qualitatifs peuvent être *intensifs* ou *détensifs* de V; comme pour les adjectifs cette fonction peut être remplie par des fragments de discours répété associés à des verbes bien définis (*dormir* **comme une souche**) ou non (*dormir, marcher...* **on ne peut mieux**). Quant aux adverbes de manière, outre la possibilité assez limitée d'une suffixation A + ϕ (*parler* haut, fort), ils sont en général formés par l'adjonction de *-ment* à une base adjectivale (*aimable* + *-ment*); on peut les considérer simplement comme des adjectifs placés dans un contexte verbal. Toutefois ils sont concurrencés par des SP du type Prep + N (*avec gentillesse* = *gentiment*) ou du type Prep + (*un*) + N (*air, façon, manière...*) + SA : *d'(une) manière gentille*. Cette équivalence n'a cependant rien de mécanique : beaucoup de SP n'ont pas de correspondant adverbial (*avec plaisir, entrain* ⇒ ?) et un certain nombre d'adverbes, ou quelques-unes de leurs acceptions, ne correspondent à aucun SP (*Il a avancé carrément* → ?).

On range souvent, à tort, les adverbes dits « modaux » ou « d'opinion », de « doute »... avec les adverbes adjoints : *il verra* **peut-être, sans doute**... *Monique* (modalité « logique ») ; *il s'en va*, **heureusement** (modalité « appréciative »). En fait ces adverbes ne sont pas des constituants immédiats de P, dans la mesure où ils portent sur P pris globalement et se trouvent donc à un niveau plus élevé dans l'arbre : *heureusement, il s'en va* = (*il s'en va*) *est heureux*. Aussi les appelle-t-on plus justement **adverbes de phrase**. Leur étude relève à la fois de la syntaxe et d'une théorie de l'énonciation.

- Les SP adjoints

Ces syntagmes ont la même fonction que les adverbes adjoints; il y a d'ailleurs continuité entre les SP adjoints libres (*sur la route, dans une heure*) et les SP figés en locutions adverbiales (*sur le champ*). Il arrive que le SP adjoint corresponde à un simple SN sans préposition (*Ce soir/la nuit Nina décidera de partir*). Beaucoup de linguistes préfèrent cependant regrouper dans la même classe les SN et SP en fonction de SAdj et faire donc des SAdj du type de *la nuit* des SP dont la préposition aurait la forme zéro.

Nous avons déjà donné quelques critères syntaxiques permettant de distinguer les SN$_2$ compléments de V (c.o.d. ou c.o.i.) des SN et SP SAdj : en particulier la facultativité et la mobilité. Ces tests sont loin d'être parfaitement efficients; les « compléments de poids et de mesure », par exemple (*ce pain coûte un franc; Julien pèse dix kilos)*, sont pronominalisables en *le* et non déplaçables, comme des c.o.d., mais ne sont pas passivables, comme des SAdj. En outre, les SP qui sont SAdj ne sont pas déplaçables dans la phrase au même degré : c'est ainsi qu'en général les SAdj de temps semblent plus mobiles que les autres, ceux de lieu par exemple (** Par Rome Émile passera bientôt*). Ce phénomène très complexe semble lié à la fois au sens des verbes et aux contraintes propres aux divers emplois des prépositions, sans parler des facteurs rythmiques.

En principe, c'est la préposition qui indique quelle interprétation sémantique l'on doit donner du SP adjoint (*Michel court contre/malgré/grâce à/avec...le vent*). Bien que ces prépositions soient très variées, les plus utilisées (*à, de, par*) sont très polysémiques : *Éric transporte son bois **par** ennui, **par** camion, **par** le bourg, **par** beau temps*... Le système des prépositions semble donc peu économique puisque certaines prépositions ont de multiples significations et qu'en outre il existe de nombreux cas de prépositions synonymes; malgré cela, ce système reste efficace : *a*) les divers sens d'une préposition polysémique correspondent à des propriétés syntaxiques spécifiques, ce qui atténue considérablement les risques d'erreur d'interprétation; *b*) les nombreuses prépositions ne sont pas vraiment concurrentes; elles n'ont pas la même fréquence et leur emploi dépend étroitement de la situation de communication (niveau de langue et type de discours concernés); *c*) leur variété permet, si nécessaire, d'atteindre un degré de précision sémantique important (*grâce à, au prix de, par suite de, à cause de, eu égard à*... sont rarement interchangeables dans un communiqué politique ou une circulaire administrative).

Après avoir été longtemps négligée par les linguistes modernes (structuralistes et transformationnalistes, l'étude des « compléments circonstanciels » a pris récemment un essor décisif depuis qu'on ne s'est plus contenté d'une classification sémantique superficielle et qu'on s'est intéressé aux propriétés syntaxiques des divers types de SP. On peut lire par exemple l'article d'A.-M. Dessaux sur « *Par* et un nom temporel » dans *Méthodes en grammaire française* (Klincksieck, 1976 J.-C. Chevalier et M. Gross éd.); l'auteur s'attache à y montrer qu'« une même préposition entre dans des ensembles de propriétés distributionnelles et transformationnelles différentes, et qu'à un ensemble de propriétés est attachée une signification donnée » (p. 65).

3. LA PHRASE COMPLEXE

PROBLÈMES DE DÉFINITION ET DE TYPOLOGIE

Jusqu'ici nous avons travaillé dans le cadre de phrases ne comportant qu'un seul nœud P. Chacun sait pourtant que la plupart des phrases réalisées sont des phrases dites **complexes**, résultant de l'assemblage de plusieurs structures [SN + SV + (SAdj)]. Dans les pages qui suivent on verra que, contrairement à une idée très répandue, la phrase complexe le plus souvent n'est pas une unité linguistique d'un niveau supérieur à celui de la phrase « simple » *mais une structure [SN + SV + (SAdj)] dont un ou plusieurs constituants est également une phrase*. Ce que nous disons là ne concerne évidemment que les traditionnelles « subordonnées » et non les phrases coordonnées, qui se trouvent au même niveau d'analyse.

La grammaire traditionnelle distinguait « analyse grammaticale » et « analyse logique »; la première décomposait toute phrase en « mots » pour en préciser la nature et la fonction, tandis que la seconde décomposait toute phrase complexe en « propositions » pour décrire le réseau de leurs dépendances syntaxiques et distinguait en particulier proposition « principale » et « subordonnées ». Dans une perspective structurale, cela n'a plus lieu d'être : il n'est pas pertinent de découper les phrases en propositions et ces dernières en mots pour les étiqueter indépendamment d'une prise en compte de l'organisation syntaxique globale de la phrase.

Considérons par exemple
(1) *Jean aime les meubles qui sont modernes.*
(2) *Jean aime les meubles modernes.*

L'analyse logique distinguerait en (1) une principale et une subordonnée relative et ferait de (2) une « indépendante »; en fait *modernes* et *qui sont modernes* sont indissociables de *meubles*, dont ils sont des modifieurs au même titre.

En termes d'**arbres** la phrase complexe doit être interprétée seulement comme une phrase comportant plusieurs nœuds P hiérarchisés. Ainsi (2) :

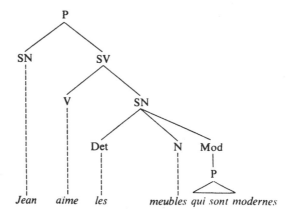

En matière de phrases complexes, la terminologie traditionnelle recourt à des critères disparates : critère de la fonction (« complétive », « circonstancielle »), du mode de liaison (« relative »), de la catégorie morphologique du verbe (« infinitive », « participiale »)... Pourtant, d'un point de vue structural, on met aisément en correspondance les principaux types de subordonnées et divers constituants majeurs de la phrase : on distinguera ainsi, selon la place qu'elles occupent dans l'arbre, des **phrases-SN**, des **phrases-SA** et des **phrases-SAdj**. En outre, pour rompre avec l'opposition principale/subordonnée, on parlera plutôt de **phrases enchâssées** quand on désignera ces structures P placées sous les nœuds SN, SA ou SAdj et de **phrase matrice** pour la phrase qui les enchâsse.

Cette identité fonctionnelle entre « subordonnées » et constituants de P avait été décrite en termes de *transposition fonctionnelle* par C. Bally, et de *translation* par L. Tesnière (cf. tome I, p. 43). Pour le premier « un signe linguistique peut, tout en conservant sa valeur sémantique, changer de valeur grammaticale en prenant la fonction d'une catégorie à laquelle il n'appartient pas (...). La forme suprême de la transposition est celle qui s'empare de phrases pour en faire des substantifs, des adjectifs et des adverbes » (*Linguistique générale et linguistique française*, pp. 116 et 120). Par ailleurs, si la « translation » consiste à « transférer un mot plein d'une catégorie grammaticale dans une autre », on peut aussi faire d'une phrase une simple « espèce de mot » et distinguer phrases « actancielles » (Phrases-SN), « épithètes » (Phrases-SA), « circonstancielles » (Phrases-SAdj), (*Éléments de syntaxe structurale*, pp. 543-617).

On peut dire, schématiquement, que la langue dispose de **deux** stratégies majeures pour mener à bien ce transfert syntaxique. De même que pour faire d'un adjectif un nom (*noir* → *un noir*), il faut lui conférer les propriétés d'un nom (déterminant, variation en genre et nombre...), de même pour transformer une phrase en SN ou en SA, il faut la modifier pour l'adapter. La première stratégie pour nominaliser ou adjectiviser une phrase consiste à lui **adjoindre un marqueur d'enchâssement QU-** (symbole abstrait pour le moment); la seconde à **nominaliser le verbe** (forme infinitive) ou à **l'adjectiviser** (forme participe) : dans ce cas, il perd ses marques de personne, de nombre, de temps et de mode.

Phrase de départ	Transposée en SN	
	Par QU- (**complétive**)	Par l'infinitif (**Infinitive**)
Vous mangez ici	[*Que vous mangiez ici*] *est tout à fait inutile* ou *Il est tout à fait inutile* [*que vous mangiez ici*].	[(De) manger ici] est tout à fait inutile ou Il est tout à fait inutile [de manger ici].
	Transposée en SA	
	Par QU- (**Relative**)	Par le participe (**Participiale**)
Le joueur poursuivait le ballon.	*Le joueur* [*qui poursuivait le ballon*] *est tombé.*	*Le joueur* [*poursuivant le ballon*] *est tombé.*

N.B. Dans la langue parlée, la complétive sujet est le plus souvent annoncée par *il* ou *ce*.

Ces deux stratégies parallèles sont donc très différentes : dans la transposition par QU- c'est la phrase entière qui est nominalisée ou adjectivisée et elle conserve, pour l'essentiel, son organisation primitive, alors que dans l'autre processus, le verbe sacrifie beaucoup de ses propriétés et entre dans un statut en quelque sorte intermédiaire entre la catégorie verbale et, suivant le cas, la catégorie nominale ou adjectivale.

LA PHRASE-SN

- Fonctions

Ces phrases assument les principales fonctions du SN, avec lequel elles commutent dans la plupart des contextes.

• *Sujet :* Il n'est pas possible → que Jacques dorme ici (*Complétive*) ↘ de partir demain (*Infinitif*)

- *C.O.I.* : Marie consent → à ce que tout s'arrange (*Complétive*)
  ↘ à se reposer (*Infinitif*)

- *Mod. de SN :* L'espoir → que je le verrai me réjouissait (*Complétive*)
  ↘ de retrouver Pierre me réjouissait (*Infinitif*)

Le plus souvent l'infinitif ne peut apparaître que si son sujet est le même que celui du verbe de la phrase dans laquelle il est inséré. Nous n'entreprendrons pas de justifier ici la présence de *ce* dans *Marie consent à ce que tout s'arrange* ni celle de *de* dans *Il n'est pas possible de partir demain* : ce sont là des problèmes encore ouverts. Mais on lira une preuve éclairante de l'identité structurale des P-SN et des SN dans le fait que tous deux subissent la même pronominalisation :

Le prisonnier veut → *le pain*
  ↘ *qu'on lui parle* } ⇒ *Le prisonnier le veut*

- Les constructions opératrices

Tous les verbes transitifs ne sont pas susceptibles d'avoir pour compléments des P-SN ; on appelle précisément **verbes opérateurs** ceux qui peuvent être suivis d'une complétive ou d'un infinitif et **constructions opératrices** les schémas syntaxiques correspondants. La presque totalité de ces verbes admet aussi des SN pour compléments. On parlera de même de **noms opérateurs** et d'**adjectifs opérateurs** pour les noms et adjectifs ayant la même propriété.

- *Verbes opérateurs :* On peut distinguer deux groupes majeurs de verbes opérateurs, ceux qui n'admettent qu'un sujet humain et peuvent être suivis aussi bien d'un SN que d'un infinitif ou d'une complétive (*interdire, promettre*) et ceux qui acceptent tous les types de sujets, ne sont jamais suivis d'une complétive et rarement d'un SN (*pouvoir, finir*); en revanche certains autres n'admettent que des complétives et des SN (*remarquer)* ou que des infinitifs et des SN (*écouter*). Nous ne nous intéresserons pas aux verbes du type *pouvoir, finir* dans la mesure où l'on peut montrer que l'infinitif qui les suit n'a pas un statut syntaxique équivalent à celui des SN.
La complétive peut être introduite, selon les verbes, par *que* ou *à/de ce que*. Sauf cas marginaux (*Je comprends que vous êtes/soyez heureux*), le choix du mode de la complétive (Indicatif/Subjonctif) est imposé par le V opérateur. En outre, quand le sujet du V de la complétive est le même que celui du V opérateur et que ce dernier exige le subjonctif, en règle générale la P-SN prend obligatoirement la forme d'une infinitive (**Je souhaite que je vienne* (Subj.) ⇒ *Je souhaite venir/Je pense que je viendrai* (Ind.) ⇒ *Je pense venir*).

Les constructions les plus usuelles sont les suivantes :
— [SN + V + que + P Indicatif (= P dont le verbe est à l'indicatif)]; *a*) ne tolérant pas l'infinitif : *Je constate que je suis là/*être là*; *b*) admettant l'infinitif : *Je crois que je sais/savoir*; *c*) admettant [SN + V + SN à l'infinitif] : *Je vois que Jean rit/Jean rire.*

— [SN + V + que + P Subjonctif] : *a*) verbes tolérant indicatif ou subjonctif : *Je suppose que les droites sont/soient parallèles*; *b*) verbes admettant aussi l'infinitif : *Pierre veut que je parte/rire*; *c*) verbes admettant l'infinitif précédé par *de* : *j'attends que tu viennes/de partir.*

— [SN + V + SN + que + P ind.] : *Sam prévient les enfants qu'il pleut.*

— [SN + V + à + SN + que + P ind.] : *Anne a écrit à son frère qu'elle est de retour.* On distinguera *a*) les verbes acceptant aussi [SN + V + à + SN + Inf.] : *Il a affirmé à Paul être d'accord avec Christine* (tour souvent peu naturel); *b*) acceptant aussi [SN + V + à + SN + de + Inf.] : *Jules a promis à son chef de déménager.*

— [SN + V + à + SN + Que + P Subj./de + Inf.] : *Basile a demandé à Charles qu'il s'en aille/de s'en aller.*

● *Adjectifs opérateurs :* Ces adjectifs qui, par définition, peuvent avoir pour expansions des complétives et/ou des infinitives entrent dans deux grands types de constructions opératrices :

— Les constructions **personnelles** obéissant à l'ordre [SN + V + A + P] : *François est satisfait que Paul devienne riche/de devenir riche.*

— Les constructions **impersonnelles** : par extraposition (*Il est stupide que tu viennes demain*) ou par détachement (*C'est stupide, que tu viennes demain*). La construction la plus simple, mais plus recherchée, est : *Que tu viennes demain/venir demain est stupide.*

Certains A opérateurs n'admettent que les constructions personnelles (cf. *content*), d'autres, le plus grand nombre, seulement les impersonnelles (cf. *important*). Un certain nombre, enfin, admettent les deux constructions (*Il est triste que tu sois blessé/Marie est triste que tu sois seule*). Dans ces trois classes il y a des adjectifs qui exigent des complétives à l'indicatif (*Il est certain que Paul est fatigué*), d'autres au subjonctif (*Je suis furieux qu'il soit là*).

● *Noms opérateurs :* Certains noms peuvent être suivis d'une complétive et/ou de *de* + *Infinitif* en dehors même des locutions verbales (*avoir peur de* + Inf.). Par exemple *idée* dans *L'idée qu'il est ici/de repartir m'effraie.* Certains de ces noms n'admettent que l'infinitif (cf. *liberté*); la majorité admettent les deux constructions.

Pour une étude détaillée des constructions opératrices verbales, on consultera les ouvrages de M. Gross (cf. *supra*, p. 48). Le livre le plus directement utilisable est ici encore. *Les Constructions fondamentales du français* (cf. Bibl.). *Les Exercices de syntaxe transformationnelle du français* de A. Borillo, J. Tamine et F. Soublin

(Colin, 1974) consacrent 80 p. à éclairer par des manipulations les propriétés des V opérateurs. Enfin on aura une idée d'un traitement transformationnel des complétives dans le chap. 7 des *Éléments de grammaire générative* de L. Picabia (Colin), qui veut y démontrer que « les complétives sont des SN ».

LA PHRASE-SA

Pour qu'une phrase assume le rôle d'un adjectif on dispose, on l'a vu, de deux stratégies : la relativiser en lui ajoutant un marqueur d'enchâssement ou mettre le verbe à la forme participe.

- La relative

Si les phrases-SN pouvaient remplir toutes les fonctions d'un SN, il n'en va pas tout à fait de même pour les phrases-SA à l'égard des adjectifs puisque les phrases-SA ne peuvent être attributs : en effet, cette dernière fonction appartient au groupe verbal et ne peut commuter avec une relative ou une participiale.

Ceci s'explique simplement si, comme le font beaucoup de linguistes, on considère que la seule fonction fondamentale de l'adjectif est l'attribut et qu'épithète et apposition sont l'équivalent d'une relative attributive. Dans cette perspective, la relative a un statut intermédiaire entre la phrase indépendante de structure attributive et l'adjectif épithète ou apposé :

Luc est furieux d'avoir échoué/*Luc, qui est furieux d'avoir échoué, ne rit plus*

(P attributive)   (P-SA relative)

Luc, furieux d'avoir échoué, ne rit plus

(A apposé)

La distinction épithète/apposition a déjà été mise en évidence pour les adjectifs à l'aide de quelques tests : ils sont pertinents également pour les relatives, qui se rangent en deux catégories, les relatives **restrictives** (RR) ou **déterminatives**, et les relatives **appositives** (RA) ou **descriptives.**

Nous avons parlé ici d'« équivalence » entre adjectifs et relatives. En fait, ce terme n'a qu'une faible valeur explicative. Pour la grammaire générative, en revanche, la relative attributive est la structure de base dont dérivent par transformation épithètes et appositions SN ou SA. Cette perspective conduit à un tout autre ordre d'exposition des fonctions syntaxiques.

L'analyse distributionnelle semble adjoindre la RR à l'ensemble du SN ; en fait il n'est pas possible de dissocier l'actualisateur et la relative, qui spécifient conjointement la référence du nom : aussi est-il permis de penser que la RR est un constituant facultatif du Det. La RA pose d'autres problèmes ; en particulier, elle fait l'objet d'une assertion différente de celle de la P dans laquelle elle est enchâssée : dans *Comment Claude, qui est sensé, peut-il le croire?* on a une relative affirmative à l'intérieur d'une interrogative, comme le montre, à l'oral, le changement d'intonation. Certains linguistes voient dans la RA une P-SAdj aux valeurs circonstancielles variables, d'autres une phrase coordonnée à la phrase matrice.

De même que la phrase-SN résultait de l'enchâssement d'une phrase *à la place d'un SN*, une relative (P_2) est enchâssée *à l'intérieur d'un SN* d'une phrase P_1. Une condition doit cependant être satisfaite pour que cet enchâssement soit possible : l'*identité référentielle* entre deux SN, l'un dans P_1, l'autre dans P_2. Une fois établie l'identité entre les deux SN, le mécanisme de la relativisation est assez simple : *a*) le SN identique est déplacé en tête de la phrase enchâssée (avec la préposition qui le précède s'il s'agit d'un SP); *b*) ce SN est pronominalisé, la forme du pronom changeant selon la fonction dans la phrase enchâssée du terme auquel il est substitué. En principe la relative n'est pas mobile et doit être placée après le groupe nominal antécédent (sauf parfois dans la langue littéraire). Le pronom relatif cumule donc trois rôles : *a*) il sert de marqueur d'enchâssement; *b*) de pro-nom (= de substitut d'un nom); *c*) il indique la fonction du SN pronominalisé : *qui* pour les sujets, *que* pour les C.O.D., *dont* pour *de + SN* etc.

En fait, la morphologie des pronoms relatifs est très complexe en français et d'un maniement souvent difficile pour les locuteurs. Outre la survivance d'une sorte de neutre (*ce à quoi Jean pense*), il existe une forme synthétique *dont* que beaucoup préfèrent éviter en disant plutôt *l'homme de qui je te parle.* A côté du paradigme invariable en *qui/que/où*, les lettres ont créé un paradigme savant sur **lequel** (*duquel, avec lequel* etc.) qui a l'avantage de varier en genre et en nombre mais que nombre d'usagers maîtrisent mal. De ce fait, la langue populaire dispose d'un système de relatifs plus économique mais en conflit avec la norme (cf. *Le type que je suis parti avec; l'endroit que je te parle...*).

- La participiale

Outre la relativisation on peut transposer une phrase en SA en adjectivisant partiellement le verbe, qui est alors un participe et la phrase enchâssée une **participiale**. De fait, la distinction RA/RR s'avère tout à fait pertinente pour les participiales :
    (1) *Les oiseaux, mangeant des guêpes, sont des animaux utiles.*
    (2) *Les oiseaux mangeant des guêpes sont des animaux utiles.*
Si (1) attribue une propriété (« être un animal utile ») à tous les oiseaux, (2) la restreint aux seuls oiseaux mangeant des guêpes. Comme les RA, la participiale apposée peut très souvent prendre une valeur circonstantielle variable suivant le contexte (par exemple causale en (1)). Cependant, à la

différence des RA, cette participiale est déplaçable dans la phrase, tout comme les SA apposés (cf. *supra*, p. 41) :

Les vaincus, courbant la tête, défilèrent devant l'estrade.
Courbant la tête, les vaincus défilèrent devant l'estrade.
Les vaincus défilèrent devant l'estrade, courbant la tête.

Comme la relativisation la mise en place d'une participiale suppose l'identité référentielle entre deux SN; toutefois, il n'y a ni déplacement ni pronominalisation mais seulement effacement de ce SN identique dans la phrase enchâssée. Quant au verbe, il perd marques de temps, mode et personne et se voit adjoindre le morphème invariable -**ant.** Il conserve cependant ses compléments (*mangeant avidement sa soupe*), la possibilité d'être le verbe d'une phrase passivée si c'est possible (*mangeant/mangé*) et de subir une variation d'aspect entre l'accompli et l'inaccompli (*mangeant/ayant mangé*); dès lors sa valeur temporelle est déterminée par celle du verbe de la phrase qui l'enchâsse.

La participiale, à l'instar des relatives, peut être un constituant de n'importe quel SN (sujet, objet...) mais offre moins de possibilités syntaxiques; en effet, si ces dernières admettent que le SN identique possède n'importe quelle fonction dans la phrase enchâssée, la participiale ne peut apparaître que si ce SN est en position de sujet.

Le traditionnel **adjectif verbal** n'est qu'une forme participe qui a perdu toutes ses propriétés de verbe, devenue un simple adjectif :

Je suis en train de lire un roman captivant (Adjectif).
Fanny était irremplaçable, captivant les gosses par ses récits (Participe).

Enfin, si d'un point de vue purement syntaxique, toute participiale peut commuter avec une relative, au niveau de l'usage effectif il n'en va pas de même : la *langue parlée* recourt essentiellement à la relative, laissant plutôt la participiale à la *langue écrite soutenue*, littéraire (cf. *infra*, p. 100).

LA PHRASE-SAdj

Par définition, ces phrases ont pour point d'enchâssement dans l'arbre le nœud correspondant au constituant SAdj. De même que la plupart de ces SAdj sont des SP (= Prep + SN), de même les P-SAdj peuvent être produites à travers la structure Prep + P-SN : *Armand est parti depuis deux jours/que Jeanne est là*. On retrouve pour les P-SAdj la double stratégie qui permettait d'obtenir les P-SN, à savoir la nominalisation du verbe par l'infinitif et l'adjonction d'un marqueur d'enchâssement : *Les chasseurs mangeaient avant de partir/que la nuit tombe*. Cependant, les P-SAdj peuvent également être fondées sur une mise au participe du verbe, et ceci dans deux types différents de structures syntaxiques : le **gérondif** (*Félix parle en dormant*) et ce que nous appellerons la **participiale adjointe** (*Le repas terminé, nous sommes sortis*).

62

- Les P-SAdj conjonctives

Par ce terme nous entendons les phrases du type *Prep + Infinitif* et à marqueur d'enchâssement. Si l'analogie entre SAdj et P-SAdj était parfaite, on pourrait analyser les éléments introducteurs de ces dernières en deux constituants : une préposition (*avant, dès, pour...*) et un marqueur d'enchâssement (*que*). En fait, il s'en faut de beaucoup que les choses soient si simples :

a) Nombre de ces « locutions conjonctives » ont pour premier élément des unités qui ne sont pas des prépositions : *alors (que), bien (que)...* ne peuvent précéder un SN.

b) Certains de ces introducteurs de P-SAdj se présentent comme un mot indécomposable : *quand, comme, si*; ce n'est toutefois pas le fait de la grande majorité et des créations récentes. Notons que ces éléments apparemment simples sont repris par *que* quand ils sont coordonnés (*Comme tu viens et* **que** *Pierre le sait...*), comme les introducteurs complexes (*Vu que...et que...*).

c) La commutation entre P-SAdj à l'infinitif et à marqueur d'enchâssement est souvent impossible : si l'on a *Carole joue pour s'amuser/pour que son équipe gagne*, on n'a pas **Carole joue pendant dormir/pendant que ses parents dorment*. Commutation également impossible pour *tandis que, dès que, parce que*, etc.

Le choix du mode du verbe des P-SAdj à marqueur est imposé par la conjonction introductrice : *puisque* exige l'indicatif et *pour (que)* le subjonctif... Les grammaires traditionnelles font reposer ce choix sur des critères purement sémantiques : de par son sens, telle P-SAdj ne peut avoir que tel mode. En réalité, même s'il existe une corrélation indéniable entre sens et mode, ce problème est insuffisamment éclairci pour le moment.

On pourrait dire la même chose du classement traditionnel de ces P-SAdj en « concessives », « causales », etc. Fondée sur une intuition sémantique très superficielle, cette classification ne définit pas quelles *propriétés* linguistiques permettent de constituer ces rubriques. Seule une confrontation entre classification sémantique et propriétés syntaxiques s'avérerait fructueuse.

- Gérondif et participiale adjointe

Ces deux types de P-SAdj ont pour verbe une forme participe; leur fonctionnement syntaxique diverge cependant beaucoup : le gérondif est le résultat de l'enchâssement d'une phrase qui a même sujet que la phrase matrice, il est précédé de **en** et ne connaît en général ni passivation ni variation aspectuelle (en fait, la langue familière en offre de nombreux exemples : *Il est arrivé en ayant pris le train; Il a eu peur en étant arrêté par la police*). En revanche, la participiale adjointe a un sujet exprimé différent de celui de la phrase matrice, varie en aspect et se trouve très souvent passivée. Le gérondif et la participiale adjointe ont en commun de ne pas avoir de valeur sémantique précise en dehors du contexte. En effet, avec des contextes appropriés, ces P-SAdj peuvent prendre la plupart des valeurs sémantiques des conjonctives. Le gérondif a toutefois la particularité d'être le seul type de P-SAdj à répondre à la question *Comment*? Ainsi **Comment** *s'est-il évadé*? **En passant** *par la fenêtre*.

La participiale adjointe est séparée par une pause de la phrase matrice et son sujet peut être repris dans celle-ci par un pronom (*Maurice refusant, ils l'ont frappé*). Quand le verbe de la participiale n'est pas précédé d'*avoir* ou *être* (*La pièce salie je suis parti*), il a un sens passif et indique l'accompli, un procès antérieur à celui exprimé par le verbe de la phrase matrice. Sur ce point la notion de « participe passé » ne doit pas induire en erreur : il ne faut pas confondre l'accompli des verbes non passivables (*René (étant) sorti, elle rentra*) avec le passif (*La ville prise, les soldats la pillèrent*). Enfin, il arrive que la copule soit effacée quand la participiale adjointe a une structure attributive (*Les enfants contents, le calme revint*).

En ce qui concerne leur emploi, si le gérondif est très utilisé dans toutes les situations de communication la participiale adjointe, en revanche, relève surtout de la langue écrite.

LES AUTRES PHRASES COMPLEXES

Il n'est pas possible de ramener à la seule structure des P-SAdj toutes les phrases complexes qui n'entrent pas dans le cadre des P-SN ou des P-SA. En effet, parmi les « circonstancielles » traditionnelles certaines (en particulier les consécutives, les comparatives et les conditionnelles) ne peuvent pas commuter avec un SAdj et présentent des propriétés originales dont nous allons mentionner quelques aspects.

- Les consécutives

Ce type de phrases ne saurait être mobile, à la différence des P-SAdj. Elles sont de deux sortes :

a) Celles du type *Il s'est excusé, si bien que Georges va lui pardonner* qui sont introduites par des locutions comme *de sorte que, de manière que...* + Indicatif. On voit que ces phrases ne sont pas intégrées dans celle qui les précède en constatant qu'elles ne peuvent subir une interrogation globale, contrairement aux P-SAdj : *Est-ce que Daniel est revenu pour qu'on l'accuse?* mais **Est-ce que Gilles a avoué, si bien que tout est perdu?*

b) Celles qui sont intégrées à un constituant de P et introduites par des marqueurs d'intensité : *il y a* **tant** *d'invités* **que** *la salle est trop petite; il est* **si** *bête* **qu'il** *ne s'en rend pas compte; il court* **trop** *vite* **pour qu'on** *le rattrape...* La consécutive est précédée de *que* tandis que l'intensif est juste avant le constituant auquel elle se rattache.

- Les comparatives

Comme les relatives et ce dernier type de consécutives, les comparatives sont souvent intégrées à un constituant de P, l'adjectif en l'occurrence, ou l'adverbe. Ainsi dans *Gabriel conduit* **aussi** *stupidement* **que** *sa sœur* ou *Julien est* **plus** *gentil* **que** *son ami*, les séquences *que sa sœur* et *que son ami* constituent des comparatives introduites par un marqueur (*aussi, plus*) placé en tête du SA et dont le SV est effacé (sauf quand il est différent de celui de la phrase matrice : *Il est* **plus** *doué* **que** *Luc n'est bavard*). Les types de comparatives sont assez divers; avec la même structure la comparative peut reposer sur un déterminant de quantité lié à un N : *J'ai connu* **plus** *de héros* **que** *de lâches.*

Il existe un autre type de comparatives introduit surtout par *comme, ainsi que, de même que* qui suppose une identité qualitative, et non de degré : *Il hurla comme un loup blessé*; on retrouve ici l'effacement des constituants identiques, s'il y en a (cf. *Il réclame sa soupe comme un loup se jette sur sa proie*). Ces comparatives-ci ont un fonctionnement syntaxique par ailleurs identique à celui des P-SAdj.

- Les conditionnelles ou hypothétiques

Dans une phrase comme *S'il venait, je serais heureux*, la forme en -*rais* de *serais* est due à la concordance avec l'hypothétique; autant dire que les deux phrases sont indissociables et qu'à la différence des P-SAdj, les hypothétiques peuvent modifier la phrase matrice. En outre, on peut ajouter à une phrase n P-SAdj (*Sébastien est malade [pour ennuyer son frère, quand il est furieux, bien qu'on le couve]*...) sans changer la vérité de l'énoncé (Il reste vrai que *Sébastien est malade*); ceci ne vaut pas pour les hypothétiques : dans *Si tu quittes la maison, je te coupe les vivres*, la vérité de *Je te coupe les vivres* est soumise à la réalisation de la conditionnelle, qui ne peut donc être supprimée.

Nous avons vu qu'en règle générale, la P-SAdj était déplaçable dans la phrase matrice, mais ce n'est pas le cas pour les hypothétiques du type *J'aurais un bateau, je serais riche*,où l'ordre de succession des deux phrases est absolument contraignant si l'on veut savoir laquelle est la conditionnelle. Ces quelques traits parmi d'autres montrent bien que les hypothétiques ont des propriétés qui empêchent de les considérer comme une simple variété de P-SAdj.

LECTURES

La syntaxe est un domaine qui est entré dans une phase de remises en cause permanentes. De ce fait, il n'existe pas comme pour la grammaire traditionnelle de synthèses satisfaisantes et on ne travaille guère que sur des articles traitant de points très précis. Quant aux livres d'initiation, la plupart sont destinés à présenter le formalisme de telle ou telle école linguistique (la grammaire générative en particulier) et non à donner un aperçu général de la syntaxe du français. On ne peut donc renvoyer qu'à un ensemble hétérogène d'ouvrages d'accès relativement aisé.

C. BAYLON et C. FABRE : *Grammaire systématique de la langue française* (Nathan, 1973).

Les auteurs ont cherché à concilier grammaires traditionnelle et structurale; cet éclectisme produit des résultats inégaux.

A. BORILLO-J. TAMINE-F. SOUBLIN : *Exercices de syntaxe transformationnelle* (Colin, 1974).

Manuel qui familiarise avec l'étude de corpus débouchant sur la mise à jour de contraintes syntaxiques.

J. DUBOIS : *Grammaire structurale du français : nom et pronom* (Larousse, 1965); *le verbe* (1967); *la phrase et ses transformations* (1969).

Si le 1er volume est structuraliste, le second, et surtout le 3e, ont une perspective transformationnelle. Ouvrages riches mais déjà anciens.

J. DUBOIS et F. DUBOIS-CHARLIER : *Éléments de linguistique française : syntaxe* (Larousse, 1970).

Intéressante description de la syntaxe du français dans un cadre génératif.

P. GUIRAUD : *La Syntaxe du français* (Que sais-je? P.U.F., 1962).

Petit livre dense qui présente les grands traits de la syntaxe française dans une perspective structurale.

P. LE GOFFIC et N. COMBE-MCBRIDE : *Les Constructions fondamentales du français* (Hachette-Larousse, 1975).

Dans le cadre du « français fondamental », un ensemble de tableaux présente les constructions usuelles.

M. MAHMOUDIAN (sous la direction de) : *Pour enseigner le français. Présentation fonctionnelle de la langue* (P.U.F., 1976).

Dans l'optique « fonctionnaliste » d'A. Martinet, une description qui a le souci d'une relative exhaustivité.

Pour avoir une vue plus ouverte, on peut consulter des revues : *Langue française* (Larousse) n° 1, 11, 22...; *Langages* (Didier-Larousse) : n° 7, 20... La revue *Le Français moderne* (D'Artrey) contient de nombreux articles consacrés à la syntaxe du français.

DEUXIÈME PARTIE
Approches des problèmes
de la communication linguistique

INTRODUCTION :
STRUCTURALISME ET COMMUNICATION

Dans le premier tome de cette initiation, nous avons défini une langue comme un instrument de **communication** et mis en place les instances qui permettent son fonctionnement (cf. pp. 48 et sv.). Ce faisant, nous sommes restés au plan des mécanismes abstraits sans envisager les problèmes posés par l'intercompréhension et ses difficultés. Dans la méthodologie structuraliste, la neutralisation des écarts pour la constitution des corpus produit un objet-langue homogène qui ignore la variation linguistique telle qu'elle existe d'une région à l'autre, d'une classe sociale à l'autre, d'une situation de communication à l'autre, d'un type de discours à l'autre.

Il ne faudrait cependant pas en conclure que la linguistique structurale a ignoré ces questions ; des développements importants leur sont consacrés tant dans le *Cours de linguistique générale* de Saussure que dans les *Éléments de linguistique générale* de Martinet. Dans l'optique saussurienne, la définition de la « linguistique externe » intègre les rapports de la langue à « l'ethnologie » (constitution de la Nation, par exemple), à l'Histoire (« développement de certaines langues spéciales : langue juridique, terminologie scientifique, etc. »), aux institutions (l'école, la littérature), à la géographie (les dialectes). D'autre part, selon la lecture que l'on pratique de la dichotomie langue/parole, on pourra soit induire que la conception saussurienne de la langue pensée comme formestandard exclut la variation sociale, soit comprendre strictement la langue comme « masse parlante », ensemble de tous les usages sociaux. Dans l'optique de Martinet, la réflexion fonctionnaliste (cf. Tome 1, pp. 42-43) sur les conditions de possibilité de la communication s'occupe de « la variété des idiomes et des usages linguistiques », de l'« évolution des langues », des notions de « communauté linguistique » et de « situation linguistique ». On notera l'opposition avec une fraction de la linguistique anglo-saxonne (telle qu'elle s'exprime par exemple à travers les manuels de H. A. Gleason ou J. Lyons) qui confine ces problèmes dans une place tout à fait marginale.

Le sujet et le social dans la langue constituent deux facteurs incontestablement présents dans le structuralisme linguistique mais qui n'ont pas été réellement théorisés, si bien qu'ils ont ouvert la voie à sa critique. Cette critique s'est déployée tout à la fois en déterminant la construction de *nouveaux domaines* (disciplines connexes, cf. Tome I, pp. 38 à 43) et en impliquant le recours à de *nouvelles problématiques* qui modifient le champ conceptuel de la linguistique toute entière. C'est ainsi qu'on peut se demander s'il faut considérer la sociolinguistique comme la *partie* de la linguistique qui traiterait des « dialectes sociaux » et, plus généralement, des phénomènes de variation sociale, ou s'il s'agit d'en faire une linguistique *à part entière* qui envisagerait les rapports de l'objet-langue avec l'ensemble de la réalité sociale. Dans le premier cas, on décrit *la* « grammaire » de *la* langue et on présente ensuite le problème de la variation linguistique (c'est à peu près notre perspective); dans le second, on décrit *les* grammaires *des* groupes, leurs interactions et contradictions au sein d'une société donnée. La sociolinguistique est donc au cœur d'un débat théorique extrêmement complexe que sous-tendent deux interrogations fondamentales : quelle théorie de l'Histoire a-t-on? Quelle théorie du Sujet?

Les diverses acceptions de l'opposition saussurienne entre la synchronie et la diachronie ont également déterminé des appréhensions particulières du problème de l'évolution de la langue, de son changement dans le temps. Alors que certains traitent les questions diachroniques pour elles-mêmes, d'autres les intègrent à la problématique générale de la variation. De toutes façons, quel que soit le fondement théorique, toute description synchronique rencontre nécessairement des problèmes comme les effets des contacts entre langues sur l'évolution linguistique ou la communication linguistique entre les générations d'âge qui coexistent.

Ce n'est pas vraiment à l'inventaire de nouveaux domaines ou à l'exposé de nouvelles théories que nous consacrerons cette partie. Il s'agira plutôt d'un élargissement de l'information, indispensable à toute initiation à la linguistique, qui prendra pour lignes directrices les deux présupposés suivants :

1) Aucune langue n'échappe à ceux qui l'utilisent. Il faut donc donner toute leur dimension aux notions d'*énonciation* et de *situation de communication*.

2) Aucun message oral ou écrit n'est homogène. On posera, en reprenant les analyses de Flydal et de E. Coseriu, quatre types de différences internes (ou interférences) dans l'architecture d'une langue (cf. *infra*, p. 142): interférences diachroniques (axe temporel), interférences diatopiques (axe spatial), interférences diastratiques (axe des « niveaux » socio-culturels), interférences diaphasiques (axe des « styles de langue »).

L'ensemble de ces éléments sera réparti en trois chapitres : les situations de communication et le sujet dans la langue; la langue dans le temps et l'espace; des niveaux de langue aux pratiques linguistiques. Les oppositions code oral/code graphique et écrit/parlé se retrouvent à la confluence de ces grandes catégories et illustrent le parcours général d'une réflexion qui, d'abord intra-linguistique, ne peut que déboucher sur le sociolinguistique, c'est-à-dire sur la fonction sociale et culturelle que remplit toute langue.

1. LES SITUATIONS DE COMMUNICATION ET LE SUJET DANS LA LANGUE

Dans notre « Introduction à la problématique de la linguistique structurale » (Tome I), nous avons souligné en deux endroits, à propos de l'opposition langue/parole chez Saussure (p. 28) et dans le développement consacré au processus de la communication (p. 51), les dangers d'une assimilation restrictive de la langue à un code, à un instrument à visée uniquement informative. Une telle définition, puisqu'elle écarte par exemple l'étude des *conditions* mêmes de la production et de l'échange linguistiques, exclut précisément la prise en compte des traits originaux du langage humain parmi les autres systèmes de signes. C'est dire que l'ensemble des éléments qui ressortissent de l'**énonciation** se doivent d'être intégrés dans toute approche de la réalité langagière.

D'une part, au plan strictement intra-linguistique, l'énonciation regroupe des signes appartenant au *code* de la langue et dont pourtant la signification ne peut être appréhendée en dehors d'une référence à chaque *message*. C'est l'acte par lequel un individu se pose dans son énoncé comme locuteur au moyen d'indices spécifiques, ce qui recouvre trois ordres de phénomènes linguistiques : *a*) les relations entre émetteur et récepteur ; *b*) la relation de l'émetteur à son propre énoncé ; *c*) la relation de l'émetteur au contexte (extra-linguistique ou linguistique). *D'autre part*, en un sens plus large, l'énonciation recouvre aussi l'étude des situations de communication et de la typologie des discours, les fonctions du langage, l'immense problème du *sens* des énoncés formant comme l'horizon lointain de toute cette réflexion.

On s'intéressera ainsi dans un premier temps aux multiples « empreintes » du procès d'énonciation dans l'énoncé avant d'aborder les situations de communication, où l'on privilégiera l'opposition oral/écrit.

L'ÉNONCIATION DANS LA LANGUE

Les phénomènes de l'énonciation n'ont occupé, jusqu'à une date relativement récente, qu'une place marginale dans les recherches linguistiques. R. Jakobson et E. Benveniste (cf. Bibl.) ont élaboré une

70

théorie des éléments de la langue qui en constituent l'aspect **indiciel**. Sans entrer dans les difficultés théoriques que révèle la multiplicité des terminologies, on partira simplement de l'idée que tout code linguistique contient une classe spéciale d'unités grammaticales qu'on peut appeler les **embrayeurs** (anglais *shifter*) dont le rôle est « d'embrayer » le message sur la situation. C'est une classe de signes dont le sens varie avec la situation. Benveniste énonce le même problème dans les termes de la **deixis** : il entend par là l'ensemble des repérages, qui inscrivent un énoncé dans une situation particulière. Il existe en effet dans l'énoncé des éléments *déictiques* qui réfèrent à certaines données de la situation où il est émis. Les pronoms personnels ne constituent qu'*une* des classes de ces éléments dont le sens ne peut être établi que par référence aux coordonnées spatio-temporelles de la situation d'énoncé. Il faut y ajouter les adverbes de temps (*aujourd'hui, hier...*), les adverbes et pronoms démonstratifs (*ici, là, celui-ci, celui-là...*) et les variations temporelles du verbe, tous exemples de la manière dont la structure grammaticale de la langue s'articule sur la situation.

Il faut attirer l'attention sur le caractère ambigu de cette catégorie des embrayeurs ou déictiques. Jakobson a montré qu'ils combinent le statut *indice* (relation de contiguïté) et le statut *symbole* (relation institutionnalisée) [cf. tome I, p. 30]. Si d'un côté, « je » désigne la personne qui énonce « je » (fonction indicielle), d'un autre côté des termes différents (« ego », « ich », « I ») dans des codes différents (latin, allemand, anglais) possèdent le même sens. C'est parce qu'on a privilégié la diversité de leurs significations contextuelles que les embrayeurs ont été considérés comme de simples indices. Il n'en reste pas moins que chacun d'eux possède une *signification générale propre*; ainsi, « je » désigne le destinateur (et « tu » le destinataire) du message auquel il appartient. Cette *complexité* de la catégorie des pronoms explique qu'ils comptent parmi les acquisitions les plus tardives du langage enfantin et parmi les premières pertes de l'aphasie.

- La personne

La grammaire traditionnelle plaçait les trois « personnes » verbales sur le même plan : la 1re personne employée par le locuteur pour se désigner lui-même comme sujet de discours; la 2e personne utilisée pour renvoyer à l'auditeur; la 3e personne se référant à des personnes ou à des choses autres que le locuteur et l'auditeur. En réalité, est *je* celui qui dit « je »; est *tu* celui que *je* constitue en interlocuteur. De par le jeu de l'*échange* linguistique, tout *je* est un *tu* en puissance et réciproquement.

La présentation traditionnelle risque en outre de masquer les différences fondamentales entre « la 3e personne » et les deux premières; différences qu'on peut résumer ainsi :

• Il y a *présence* nécessaire, dans la situation linguistique, du locuteur et de l'auditeur, à la différence des autres individus et autres choses auxquelles on fait référence qui peuvent être *absents* de la situation d'énoncé.

• A la différence des pronoms de 3ᵉ personne, *je* et *tu* sont nécessairement *définis*, chaque fois *uniques*.

• A la différence des pronoms de 3ᵉ personne, *je* et *tu* renvoient nécessairement à des *êtres humains* sauf quand on interpelle un animal sur le mode du « tu » ou, dans le discours littéraire, quand on personnifie un objet.

C'est dire qu'il faut définir avec Benveniste la 3ᵉ personne comme une **non-personne,** comme la forme non-personnelle de la flexion verbale, la seule par laquelle un discours peut être tenu sur le monde. On comprend dès lors son emploi habituel dans l'expression dite « impersonnelle ». Les groupes nominaux, qui correspondent nécessairement à la non-personne, à la différence des personnes *je-tu*, ne sont pas des déictiques et sont susceptibles de reprises pronominales (*il, celui-ci...*). Ces propriétés de la non-personne expliquent la possibilité de son emploi quand on s'adresse à quelqu'un présent; il s'agit là d'une manière de soustraire l'interlocuteur à la sphère personnelle du *je ↔ tu* qui implique égalité et réciprocité, que ce soit par respect (*Monsieur est-il satisfait?*) ou par exclusion méprisante (la « politesse » exige qu'on ne parle pas de quelqu'un présent à la non-personne).

Quant aux 1ʳᵉ et 2ᵉ personnes, qui possèdent *en commun* la référence constante et nécessaire à la situation d'énonciation, elles ont aussi leurs caractéristiques propres et leurs emplois particuliers, tant au singulier qu'au pluriel. Ainsi la 2ᵉ personne peut être utilisée hors de l'allocution et considérée comme une variété d'« impersonnel »; par exemple « vous » est un anaphorique (une reprise cf. *supra* p. 37) de « on » dans la phrase : « *On ne peut plus sortir de chez soi sans que quelqu'un vous agresse* ». En ce qui concerne le *vous* habituel, il n'est ni une autre personne que *tu* ni simplement son « pluriel ». On doit l'interpréter comme une amplification du *tu* qui y prédomine toujours, qu'il s'agisse du « vous » collectif ou du « vous » de politesse. De même, dans *nous* la prédominance de *je* est à ce point forte que, dans certaines conditions, ce pluriel peut tenir lieu de singulier. On notera en particulier deux emplois opposés : le « nous de majesté » à considérer comme une amplification du « je », et le « nous d'auteur » à considérer comme une atténuation du « je ».

Contrairement aux grammaires scolaires traditionnelles qui envisagent la personne comme une catégorie du verbe, on doit la considérer comme une *catégorie déictique autonome* et la distinguer des *pronoms*, le regroupement de *je, tu, il(s), elle(s), nous, vous* dans l'ensemble des *pronoms personnels* étant à remettre en question. Sans proposer une théorie des anaphoriques, on se contentera de signaler le fait suivant : si l'on s'en tient à cette définition syntaxique que les pronoms sont des termes que l'on peut substituer à un SN (ou à un SA, ou à une phrase), on ne peut en toute rigueur faire de *je, tu, nous, vous* des pronoms puisqu'ils ne remplacent pas ces catégories. On les distinguera des pronoms de 3ᵉ personne en les appelant *noms personnels.* Précisons qu'il ne faut pas confondre le rôle anaphorique du *pronom* démonstratif (*J'ai vu Pierre; celui-ci m'a dit d'aller au jardin*) et le rôle déictique du démonstratif (*Celui-ci ira au tableau, celle-là montrera ses cahiers*) (cf. *supra,* p. 37). Dans ce dernier cas, ces déictiques désignent des individus présents dans la situation de communication.

Ces noms personnels dont dépendent les autres indicateurs de la deixis constituent le point d'appui de la *subjectivité* dans le langage, à laquelle il faut aussi annexer l'expression de la temporalité.

- Temps et énonciation : discours/récit

Si nous lions l'expression linguistique du temps à celle des déictiques dans le cadre global de l'énonciation, c'est parce que tout acte de discours met en œuvre simultanément et indissolublement des relations de personne et un ancrage dans un espace et dans un temps déterminés. Les variations essentielles du paradigme verbal (temps, personne...) en résultent. On sait que les formes personnelles de l'indicatif du verbe français se répartissent en trois grandes catégories (présent/passé/futur, où le présent se définit comme le moment de l'énonciation) et un certain nombre de paradigmes temporels (« présent », « imparfait », etc.). Mais cette répartition temporelle, incontestable en son principe, reste insuffisante, et masque la bipartition fondamentale de l'indicatif en deux systèmes distincts et complémentaires qui manifestent deux perspectives d'énonciation différentes : celle du **récit** et celle du **discours.** Cette distinction discours/récit repose certes sur des critères « temporels » mais qui sont traversés par le problème des relations qu'entretient le locuteur avec son énoncé et son interlocuteur. C'est ce que montre Benveniste en partant de l'opposition passé simple/passé composé : ces deux paradigmes flexionnels ne présentent aucune différence d'ordre temporel, leur dualité vient de ce qu'ils appartiennent le premier au récit et le second au discours.

Il définit le *récit* (qu'il ne faut en aucun cas confondre avec la notion vague de « narration ») comme le mode d'énonciation sans lien avec l'actualité du procès : d'où l'exclusion, en particulier, des noms personnels (*je, tu*) et des adverbes et déterminants qui leur sont liés (*ici, maintenant...*). Dans le récit, on ne rencontre que la non-personne. Tout se passe comme si personne ne prenait en charge l'énoncé, coupé de tout lien avec le présent d'énonciation. De ce fait, le présent, le passé composé et le futur y sont impossibles. Le temps de base en est donc le passé simple qui y est associé à l'imparfait.

Quant au *discours*, il est le mode d'énonciation qui suppose l'interaction d'un locuteur et d'un auditeur insérés dans le présent de l'énonciation. D'où la présence de l'ensemble des déictiques et l'exclusion du passé simple au profit du présent, du futur, de l'imparfait, et du passé composé qui, à la différence du passé simple, établit un lien entre l'événement passé et le présent qui le supporte. Comme on le voit, l'imparfait est commun au discours et au récit.

Si Benveniste restreint l'usage du récit à la seule non-personne, on rencontre en réalité encore *je/tu* employés avec le passé simple. Il s'agit alors soit d'un niveau de langue recherché, soit d'une écriture « littéraire » qui donne un statut fictif au *je* autobiographique. Contrairement à une idée répandue, le passé simple ne « recule » pas devant le passé composé : il a une autre fonction, liée à l'énonciation.

La distinction faite entre récit et discours ne coïncide nullement avec celle qui existe entre langue écrite et langue parlée. Le système énonciatif du récit est réservé aujourd'hui à la langue écrite, tandis que le discours est écrit autant que parlé : « Il recouvre tous les genres où quelqu'un s'adresse à quelqu'un, s'énonce comme locuteur et organise ce qu'il dit dans la catégorie de la personne » (Benveniste, p. 242).

Dans la pratique, on peut passer du système du récit à celui du discours et inversement. Par exemple, on adopte le système du discours quand, au sein d'un récit, le scripteur reproduit les paroles d'un personnage ou intervient lui-même pour juger les événements rapportés. A ce problème est lié celui du **discours cité** ou *rapporté*, qui concerne aussi bien le système du discours que celui du récit. Le français dispose de trois stratégies différentes : discours direct, discours indirect, discours indirect libre. Le *discours direct* reproduit purement et simplement les propos tenus et conserve tels quels les repérages déictiques correspondants. En revanche, *le discours indirect* rapporte les propos en termes d'événements et subordonne les déictiques du discours cité à ceux du discours citant (*Paul a dit* : « **je** viendr**ai demain ici** » vs *Paul a dit qu'**il** viendr**ait là le lendemain***). Cette transposition met donc en œuvre des règles linguistiques bien définies : outre la modification des déictiques, on constate l'ajout de verbes introducteurs opérateurs, la transformation de phrases indépendantes en complétives avec parfois changement de mode, le changement du temps des verbes, la suppression des interjections, etc. Quant au *discours indirect libre*, réservé à l'écrit et dont on peut dire qu'il se veut une tentative pour concilier les avantages de chacun des deux autres (expressivité et économie), il nécessite la transposition de personne (*je* devient *il*), en général de temps, mais exclut la transformation du discours cité en complétive.

D'une manière générale, l'importance des divers types de « citations » plus ou moins explicitées dans tous les genres de discours et d'échanges linguistiques est considérable : « Il s'en faut de beaucoup que notre conversation se limite aux événements vécus hic et nunc par le sujet parlant » (R. Jakobson, *ELG*, p. 177).

Chez ce même Jakobson (cf. *bibl.*), la réflexion sur le discours rapporté s'insère dans le cadre d'une théorie globale articulant code et message. Pour une étude plus détaillée à caractère sociolinguistique et nourrie d'exemples littéraires, voir l'ouvrage de M. Bakhtine, *Le Marxisme et la philosophie du langage* (trad. fr., Ed. de Minuit, 1977).

Naturellement, n'était le caractère nécessairement très limité de cette partie, bien d'autres problèmes auraient dû être abordés ici : les variations systématiques des déictiques en fonction du repère d'énonciation (sous quelles conditions utilise-t-on tantôt *hier* et tantôt la *veille*, tantôt *dans trois jours* et tantôt *trois jours plus tard ?*)..; l'opposition temps simples/temps composés liée, mais pas seulement, à la différence aspectuelle non-accompli/accompli (*je chante/j'ai chanté*); la valeur non-temporelle mais textuelle de certains emplois des temps, l'imparfait en particulier (cf. H. Weinrich, *Le Temps*, Seuil, trad. fr., 1973); le statut du conditionnel vu comme un futur dans le passé, etc.

- Modalités et actes de langage

Dans ce domaine de l'énonciation, on doit aussi retenir l'ensemble de phénomènes définis, depuis Ch. Bally, par le terme de *modalités* ou de *modalisation*, bien que beaucoup d'entre eux se traduisent au plan explicite de la syntaxe d'une langue et/ou relèvent de la logique. La modalité recouvre essentiellement trois types de relations :
— relation entre le locuteur et l'allocutaire;
— relation entre le locuteur et son message à travers les catégories logiques (nécessité, probabilité...) ou les jugements de valeur (l'heureux, le triste, etc.);
— mise en valeur par le sujet d'énonciation de tels ou tels aspects de son propre énoncé.

La modalité d'énonciation spécifie le type de communication qui s'instaure entre le locuteur et se(s) auditeur(s); elle se traduit par le type de phrase employé qui exclut les autres : soit déclaratif, soit interrogatif, soit impératif, soit exclamatif.

La modalité d'énoncé est soit logique (*Il se peut que Paul vienne*), soit appréciative (*Il est heureux que Paul soit là*). Soulignons simplement la diversité des ressources linguistiques pour exprimer ces modalités : l'adverbe modal *heureusement* peut remplacer la phrase *Il est heureux*; on peut exprimer diversement la probabilité : *Paul doit venir; Paul viendra probablement, sûrement; probablement que Paul viendra*, etc.

La modalité de message pose, plus que les deux autres, le problème du rapport entre syntaxe et discours dans toute sa complexité. En effet, le sujet d'énonciation intervient de manière différente dans son énoncé suivant l'organisation syntaxique qu'il met en place ou l'intonation qu'il adopte; ainsi on mettra en relief le terme *Paul* de multiples façons dans les phrases : **Paul** *est venu*; *C'est Paul qui est venu*; *Paul, il est venu*; *il est venu, Paul*. De même, la passivation ne peut pas ne pas influer considérablement sur le statut sémantique de l'énoncé, surtout s'il y a effacement de l'agent (*Le gouvernement a augmenté l'essence/L'essence a été augmentée*).

Avec les **performatifs**, nous touchons à une problématique qui n'appartient pas à la tradition structurale ni même linguistique au sens restreint du terme, mais à la logique et à la philosophie du langage. Il nous semble pourtant impossible de l'écarter dans la mesure où se retrouvent ici les préoccupations qui nous guident dans toute cette seconde partie, à savoir la double idée que la langue met toujours en œuvre la subjectivité et les rapports sociaux au sens large. Considérons les deux énoncés : *Jacques est reparti* et *Je jure que Jacques est reparti*. Le premier est dit *constatif* et le second *performatif*, pour souligner qu'il est par lui-même un *acte*, qu'il sert à effectuer une action. Seul *je* peut être le sujet d'un énoncé performatif et le *présent de l'indicatif* est le seul temps possible. Ici deux voies s'ouvrent qu'on ne fera que mentionner : on peut soit considérer les performatifs comme des exceptions dans le fonctionnement de la langue, soit intégrer, comme le fait J. L. Austin, cette dimension à des concepts plus larges, celui d'*acte illocutoire* et d'*acte perlocutoire*. La « force illocutoire » d'un énoncé détermine la manière dont il doit être reçu par le récepteur (assertion, promesse, ordre, etc.). L'acte perlocutoire définit la manière dont l'énoncé poursuit certaines visées, telles celles d'aider l'interlocuteur, de le gêner, etc. Ces éléments prouvent l'importance de l'émetteur, du récepteur, de leurs personnalités respectives dans l'acte de communiquer : ils amènent à se demander si l'idée d'une signification linguistique isolée de l'énonciation est tenable.

De même, les théories de la **présupposition** (O. Ducrot, *Dire et ne pas dire*, Hermann, 1972) montrent la présence de l'*implicite* dans tout discours. Par exemple, l'énoncé *Jacques ne joue plus au football* contient deux informations : *a*) Jacques a joué auparavant au football; *b*) actuellement, il n'y joue pas. Elles n'ont pas le même statut : *a*) reste vrai même si la phrase est niée ou subit une interrogation, tandis que *b*) peut faire l'objet d'une mise en cause. On appellera *a*) *présupposé* et *b*) *posé*. Le présupposé se présente comme quelque chose qui va de soi, à la différence du posé qui apporte une information nouvelle. Étendu à l'ensemble des stratégies discursives, le problème général de l'implicite amène bien à penser que, comme le dit Ducrot, la langue est « bien plus qu'un instrument pour communiquer des informations; elle comporte, inscrit dans la syntaxe et le lexique, tout un code de rapports humains ».

D'autres recherches, portant à la fois sur l'énonciation et la sociolinguistique, mettent en évidence le rapport entre le *rôle* tenu par l'individu dans l'acte de communication et la *place* qu'il occupe dans les structures définies par une formation sociale donnée. Ces perspectives ouvrent la linguistique à une théorie générale des actes de langage.

- Le contexte et le sens

Depuis longtemps, le problème du sens occupe la réflexion philosophique et linguistique et ce n'est pas d'aujourd'hui que datent les théories qui placent au premier plan la question du **contexte**. Quand, dans le discours pédagogique, l'enseignant use de la formule « cela dépend du contexte » pour fournir une explication sémantique, il signale par là tout un enchevêtrement de données qui interviennent dans l'interprétation d'un terme ou d'un énoncé.

Le contexte définira parfois, en un sens restrictif, l'environnement du terme dans la phrase ou l'environnement de la phrase dans un texte. En un sens plus large, J. Lyons définit le *contexte situationnel* comme le fait pour tout énoncé (parlé) d'être « réalisé dans une situation spatio-temporelle particulière qui comprend le locuteur, l'auditeur, les actions qu'ils font à ce moment-là et divers objets et événements extérieurs... le contexte doit également inclure la connaissance qu'ont le locuteur et l'auditeur de ce qui a été dit antérieurement [et] l'acceptation tacite de la part du locuteur et de l'auditeur de toutes les conventions, les croyances et les suppositions qui s'appliquent dans les circonstances présentes et qui sont tenues pour acquises par les membres de la communauté linguistique à laquelle appartiennent le locuteur et l'auditeur » (*Linguistique Générale*, Larousse, 1970, p. 317). Si l'on prend garde d'ajouter que, dans une conversation, le contexte se développe d'une façon constante par intégration de tout ce qui se dit et se passe et si l'on inclut la nécessité de prendre en compte l'ensemble du comportement extra-linguistique, on aboutit à une définition extrêmement large qui permet la constitution de théories du *sens comme contexte*.

Toute une école logique et philosophique a développé le paradoxe selon lequel « les mots n'ont pas de sens en tant que tels; c'est l'utilisation qu'en font les individus qui leur donne du sens ». Sans aller jusqu'à cette réduction du sens à *l'emploi* qui nie l'existence d'un signifié aussi variable soit-il, il importe de s'interroger sur le rapport entre signification générale et signification contextuelle en posant que le sens n'est pas uniquement dans le message mais aussi *pour les interlocuteurs*. Ainsi R. Jakobson a souligné cette importance du contexte en montrant que destinateur et destinataire ne se situent pas de la même manière par rapport au message : si l'auditeur doit s'en remettre au contexte pour savoir si /pɔʀ/ signifie « porc » ou « port », pour le locuteur, cette *homonymie* n'existe pas puisqu'il sait à l'avance ce qu'il veut dire. Naturellement, si le projet de faire une description exhaustive de tous les traits contextuels pour construire une théorie complète du sens reste un vœu pieux, il n'en reste pas moins à l'inverse que « les essais qui ont été tentés de construire un modèle du langage sans relation aucune au locuteur ou à l'auditeur, et qui hypostasient ainsi un code détaché de la communication effective, risquent de réduire le langage à une fiction scolastique » (*Essais de Linguistique Générale*, p. 95).

- A quoi sert le langage?

C'est bien cette nécessité de dépasser les limites de l'assimilation de la langue à un code qui a conduit nombre de chercheurs à dresser des typologies des *fonctions du langage*. Si la communication, la compréhension mutuelle constituent la fonction centrale du langage et de chaque langue en particulier, il est depuis longtemps évident que le langage sert de *support organisateur à la pensée*, que c'est la langue, comme dit Saussure, qui donne forme à la substance du sens comme elle « découpe » la réalité. D'autres ont insisté sur la *fonction expressive* de la langue (son emploi par chaque individu pour exprimer ses propres sentiments, ses propres réactions, etc.) ou sur sa fonction *ludique* ou *esthétique*, etc. Pour notre part, nous nous arrêterons sur la classification de R. Jakobson parce que cette dernière s'établit à partir du schéma de la communication en liant une fonction particulière à chaque instance intervenant dans le procès linguistique. Elle présente ainsi l'avantage d'une systématisation.

Contexte
Destinateur ---------- Message ----------- Destinataire
Contact
Code

● La fonction **expressive** ou *émotive* est centrée sur le destinateur; « elle vise à une expression directe de l'attitude du sujet à l'égard de ce dont il parle » (modalisations, interjections...).

● La fonction **conative**, centrée sur le destinataire, se réalise le plus manifestement dans l'impératif ou le vocatif.

● La fonction **référentielle** (ou *dénotative* ou *cognitive*), centrée sur le contexte est la plus évidente. Par elle, le langage tient un discours sur le monde.

● La fonction **phatique**, centrée sur le contact, est celle que remplissent les « messages qui servent essentiellement à établir, prolonger ou interrompre la communication, à vérifier si le circuit fonctionne » (formules de politesse; « allô! » etc.).

● La fonction **métalinguistique**, centrée sur le code, est à l'œuvre « chaque fois que le destinateur et/ou le destinataire jugent nécessaire de vérifier s'ils utilisent bien le même code » : « Qu'entendez-vous par *démocratie*? » est une interrogation sur le code utilisé. (Pour la notion de *métalangage*, cf. tome 1, p. 148).

• La fonction **poétique,** c'est « la visée du message en tant que tel, l'accent mis sur le message pour son propre compte » (cf. *infra*, 3ᵉ partie).

```
                        Référentielle
   Émotive ---------- Poétique ------------ Conative
                        Phatique
                        Métalinguistique
```

Contre une vision simplificatrice de cette théorie des fonctions, il faut noter qu'aucun message ne met en jeu une seule fonction et qu'une hiérarchie existe entre les fonctions de tel ou tel message : une fonction prédominante et des fonctions secondaires. A partir de là, des essais de constitution d'une typologie des discours ont vu le jour. Par exemple, une étude des mécanismes du langage publicitaire montrerait comment s'y exercent de façon privilégiée la fonction conative et la fonction poétique, etc. Dans le cadre scolaire, certains pédagogues tentent de repérer des situations de communication mettant en œuvre une fonction spécifique du langage. C'est dire que malgré de nombreuses et vigoureuses contestations (y a-t-il effectivement une fonction centrale dans l'énoncé ? Les éléments du schéma de la communication sont-ils des données immuables ?), ce modèle jakobsonien peut rendre de grands services s'il est intégré à une théorie plus globale des situations de communication.

LES SITUATIONS DE COMMUNICATION : ORAL/ÉCRIT

Nous avons vu que nombreuses et diverses sont les instances qui interviennent dans la définition globale d'une situation de communication. S'y mêlent des facteurs objectifs : présence, éloignement, absence du destinataire, échange ou pas, etc., et des facteurs subjectifs et sociaux concernant en particulier les protagonistes, leurs situations respectives et leurs relations.

Chaque type de message possède ses conditions particulières de production, de diffusion, de réception. Les conditions de la communication ne sont pas les mêmes dans le *dialogue* et dans l'*exposé* par exemple; le développement de l'audiovisuel ou de la bande dessinée implique l'existence de nouveaux types de messages employant des formes linguistiques spécifiques.

Sans faire ici l'inventaire des situations de communication, mais en prenant en compte l'opposition fondamentale entre les situations de communication orale et écrite qui détermine le fonctionnement différentiel de deux **codes oral** et **graphique**, on pourrait parvenir à une *typologie des* *messages oraux et écrits* (cf. art. de J. Peytard, *bibl.*). Cette classification se fonderait sur un certain nombre d'invariants : temps de l'émission/temps de la réponse; éloignement ou proximité du récepteur; échange ou non-échange. Ainsi, à l'intérieur de la situation *orale*, on caractérisera la *conversation* comme la situation de communication qui implique un récepteur actuel (≠ virtuel), proche, un contact immédiat, un échange. L'importance du rapport entretenu avec le moyen de communication n'est pas moindre : le commentaire ne sera pas le même s'il s'agit d'un *référent caché* (radio) ou d'un *référent montré* (télévision).

- Situations et codes

Il convient bien de partir de la différence des situations pour envisager la différence des codes. S'il est vrai, comme nous l'avons dit, que l'interprétation d'un énoncé nécessite la connaissance de la situation dans laquelle il est produit, on voit que les concours dont bénéficie l'usage parlé de la langue (intonation, gestes, physionomie du locuteur, présence et réponses de l'interlocuteur) disparaissent de l'usage écrit. On distinguera ainsi de la *communication immédiate* (celle où locuteur et interlocuteur sont présents) la *communication différée* (celle où locuteur et interlocuteur sont séparés dans le temps et/ou l'espace) et on définira l'écrit comme un *message retardé*. Les caractéristiques propres de la situation de communication à l'*écrit* impliquent la nécessité pour la langue dans son usage écrit de se conformer à des règles supplémentaires (que nous examinerons plus loin), de compenser un certain nombre de manques par d'autres moyens linguistiques.

Peut-on dire pour autant qu'on en arriverait dans l'écrit à la constitution d'une autre langue? Disons tout au moins qu'il y a bien fonctionnement de deux systèmes différents et relativement autonomes et qu'il vaut mieux poser le problème en termes de *réalisations* différentes d'une même langue-standard (si tant est qu'on puisse la définir) puisque chaque forme linguistique *se prononce* et *s'écrit*. En tout cas, il s'agit pour nous de traiter ici des différences linguistiques entre code oral et code graphique. Cette question n'est pas à confondre avec le problème posé par le statut social de l'écriture, c'est-à-dire l'opposition socio-culturelle entre le parlé et l'écrit comme *types de discours*, même s'il apparaît que c'est l'identification de l'écrit — du littéraire particulièrement — comme *norme* qui a conduit à confondre la langue dans sa réalisation orale avec la langue populaire (cf. Chap. 3 de cette 2ᵉ partie). On a ainsi imputé au « français populaire » bien des éléments qui relèvent en fait de l'économie de la langue parlée. L'utilisation d'outils comme *c'est* ou *il y a* est à lier à la différence oral/écrit et non à la catégorie socio-professionnelle ou au niveau culturel.

On démarquera donc le plus nettement possible l'opposition « sociolinguistique » entre langue littéraire et parler quotidien d'avec l'opposition *forme primaire orale* et *forme secondaire graphique* (qui est opposition de situations, par conséquent de codes).

C'est parce que les catégories « langue écrite » et « langue parlée » sont tout à fait ambiguës (elles ont l'inconvénient de mêler une opposition de codes liés à une différence de situation de communication et une opposition de types de discours) qu'on préférera utiliser ici les notions d'**ordre oral** et **ordre scriptural** empruntées à J. Peytard (cf. *bibl.*). L'ordre oral est « celui dans lequel est situé tout message réalisé par articulation et susceptible d'audition »; l'ordre scriptural est « celui dans lequel est situé tout message réalisé par la graphie et susceptible de lecture ».

Dans l'*ordre oral*, le locuteur peut à n'importe quel moment intervenir sur l'interlocuteur, recevoir ses stimuli (gestes, réactions diverses, « réponses »), se corriger, adapter son discours. Les différentes fonctions de l'intonation (accentuelle, mélodique, expressive, émotive), en particulier, fournissent de nombreux traits significatifs qui ont pour résultat de désambiguïser l'énoncé.

Dans l'*ordre scriptural*, l'absence de ces éléments situationnels, l'impossibilité de toute adaptation à l'interlocuteur nécessitent adjonctions compensatoires et fonctionnement particulier. Une partie des phénomènes dits « orthographiques » trouvent là leur justification proprement linguistique. C'est bien par exemple parce que le français est une langue homonymique que l'orthographe joue un si grand rôle dans l'apprentissage, le système graphique procédant à la distinction des homophones. C'est dire qu'il conviendrait de dégager nettement le problème *normatif* de l'orthographe des traits contraignants du scriptural qu'il faut faire acquérir en mettant en évidence l'existence de deux grammaires, l'une de l'oral, l'autre du scriptural et le passage d'un système à l'autre. On pourrait sur cette base procéder à une description systématique des domaines de la phonétique/phonologie, du lexique, de la morphologie, de la syntaxe, de la phonostylistique (cf. bibl., *La Grammaire du Français parlé*). Nous nous contenterons de passer en revue quelques exemples significatifs de cette différence de structure entre les deux codes.

Ainsi la définition de la *phrase* dans les deux ordres pose un problème complexe. On ne peut se contenter de définir la phrase dans le scriptural comme « une suite de mots commençant par une majuscule et se terminant par un point » pas plus que dans l'oral ne suffisent les critères du schéma intonatif et des pauses. Il faut compter à l'oral avec le très grand nombre de phrases inachevées, interrompues, reprises, elliptiques ou emphatiques. La caractéristique d'inachèvement se conçoit aisément si l'on songe que le geste supplée à la parole, que la compréhension peut se manifester par un signe de tête, etc.

A l'oral toujours, l'emploi modeste de la phrase complexe ou la tendance à l'assouplissement de la complexité s'expliquent par le recours aux effets intonatifs de toutes sortes ou à divers procédés comme les mots relais, les interjections, les répétitions, etc. D'une manière générale, la moins grande longueur et complexité des messages oraux est déterminée par les contraintes portant sur la mémoire et l'attention du locuteur et de l'interlocuteur. Dans un texte écrit qui laisse la possibilité des retours en arrière et des relectures, cette réduction de la complexité et de la longueur ne joue pas; de plus, aux phénomènes d'inachèvement ou d'emphase de l'oral, s'opposent en général un plus grand respect de l'ordre théorique des mots, une plus grande systématicité et cohérence syntagmatiques. Les blancs et la ponctuation, d'ailleurs, ont une fonction démarcative plus évidente que les organisations accentuelles ou mélodiques de l'oral, surtout dans une langue où opèrent constamment des tendances à la continuité et à la désaccentuation (cf. tome 1, p. 102 et sq).

Si l'on s'intéresse au problème classique des *marques* de genre et de nombre, on notera là aussi le fonctionnement particulier de chaque système. Le scriptural se caractérise par la *redondance* des marques (cf. 1re partie, p. 24). Alors qu'à l'oral le pluriel se marque *en priorité* et souvent exclusivement par des modifications formelles apportées aux déterminants du nom ([lɛ[z] *les* au lieu de [lə] *le*; [dɛ(z)] *des* au lieu de [œ̃] *un*), il se marque d'abord à l'écrit par l'adjonction d'un -s au substantif et secondairement par les phénomènes d'accord de l'adjectif, du verbe (cf. le groupe *nt* qui ne s'entend plus à l'oral). C'est le système de l'accord dans le scriptural qui reste la plupart du temps le seul qu'on enseigne. Et cela ne va pas sans difficulté pour nombre de questions comme celle du *genre des adjectifs*, où il apparaît (cf. J. Peytard, bibl.) qu'il est impossible de s'en tenir à la distinction traditionnelle qui propose comme base le masculin de l'adjectif, dont on dériverait le féminin par adjonction d'un *-e* : *clair...claire*; *petit...petite* (!). Si l'on tient compte des deux réalisations, orale et scripturale, on peut parvenir à un classement pertinent : une première catégorie regrouperait les adjectifs invariables dans l'oral et le scriptural (*large*) et les adjectifs invariables dans l'oral mais variables dans le scriptural (*noir/noire*[nwaʀ]); la seconde catégorie regrouperait les adjectifs variables dans l'oral et le scriptural ([vɛʀ/vɛʀt]; *vert/verte*).

- Code graphique et orthographe

Nous voyons que le système graphique du français est loin d'être une reproduction terme à terme des structures morphologiques ou syntaxiques de la langue. Cette spécificité du système graphique réside au premier chef dans l'emploi d'un ensemble d'unités de base qui possède son organisation propre, différente de celle du système phonologique. On parlera de **graphèmes** pour désigner ces unités de seconde articulation dans le code écrit, c'est-à-dire « les plus petites unités de la forme écrite de la langue que l'on ne peut subdiviser en unités plus petites en tant que pendants graphiques d'unités de la langue parlée ». De même, certains linguistes désignent par *morphèmes graphiques* les unités de première articulation dans le code écrit.

Sans entrer dans les problèmes considérables que posent la définition et l'identification des graphèmes, on se contentera de souligner les principales distorsions entre phonèmes et graphèmes : c'est le cas de /o/ dans *sot*, *sceau*, *saut*, *trop*, *travaux*, etc. On appellera précisément **digramme** le groupe stable de deux lettres qui transcrit un phonème du français (le phonème /ʃ/ est toujours représenté en français par le digramme *ch*). Inversement, un unique signe graphique (graphème ou digramme) peut transcrire plusieurs phonèmes (le graphème *s* représente tantôt /s/, tantôt /z/, *s*able ou ro*s*e; le digramme *ch* représente tantôt /ʃ/, tantôt /k/, *ch*eval ou *ch*aos). Nous constatons donc que graphèmes et phonèmes ne se correspondent pas terme à terme, que les graphèmes ont leurs propres règles d'usage (la valeur exacte d'une lettre ou d'un groupe de lettres n'apparaît souvent qu'en liaison avec les lettres voisines: principe de position). L'autonomie du système graphique est relative, mais réelle, et il faut tenir compte du fait que tous les plans de la langue y interfèrent.

C'est pourquoi certains travaux (comme ceux de N. Catach, cf. bibl.) proposent des distinctions entre les différents plans : dans cette optique, on distinguera dans le système graphique les *phonogrammes* (graphèmes chargés de transcrire les sons), les *morphogrammes* (distinctions orthographiques servant à noter des oppositions morphologiques sans répondant synchronique sur le plan phonétique, par exemple la différence entre la finale du futur *-rai* et celle du conditionnel présent *-rais*), les *logogrammes* (classe de termes à *graphisme global*, souvent d'origine étymologique ou faussement étymologique: *vingt*, *vint*, *vain*, etc.). On sait à propos de cette dernière orthographe à fonction lexicale que le cumul de graphèmes y a permis de lever des ambiguïtés homonymiques, c'est-à-dire de différencier graphiquement des séquences phonématiquement identiques (po*ids* est distingué ainsi de po*is*).

Il n'est pas facile de faire la part entre les problèmes linguistiques que pose le système graphique et les problèmes spécifiquement orthographiques car il n'est jamais aisé, même si c'est une nécessité théorique et méthodologique, de distinguer le *système* et la *norme*. Peut-on par exemple donner une justification autre que normative à la persistance de l'accord dans *les fleurs que j'ai cueillies*?

Le problème réside dans la différence d'évolution entre un système phonologique qui continue à changer et une orthographe quasiment figée depuis plusieurs siècles. On ne s'étonnera pas dans ces conditions de ce paradoxe qui fait que parfois l'orthographe a influé sur la prononciation : des lettres se sont mises à être prononcées : le *f* final dans *cerf* ou *neuf* par exemple.

Si le code graphique est bien un système particulier dont il faut connaître les règles, l'*acte d'écrire* ne peut être ramené à un simple exercice d'encodage, à une opération purement mécanique; même l'exercice de la dictée, aux caractéristiques propres, ne doit pas faire oublier qu'entre la réception du signal sonore et la transcription orthographique se place la nécessaire *compréhension* du message. Comme l'écriture, la lecture possède son fonctionnement : ainsi l'activité de lecture « silencieuse » se distingue de la lecture à haute voix où le locuteur réalise dans l'ordre oral un message originairement scriptural. Cette dernière situation de communication implique des contraintes techniques : rythme, intonations, respect de pauses précises, liaisons, etc. Tout cela joue à plein dans l'univers scolaire où doivent se justifier des exercices différenciés de lecture, de récitation, où l'on doit aussi favoriser l'apparition de situations de communication différées susceptibles de permettre à l'enfant de saisir la raison d'être de la langue écrite (correspondance inter-classes ou avec un élève absent, journal de classe, etc.).

En conclusion, si l'on doit proposer des approches spécifiquement linguistiques du système graphique, on ne peut oublier que l'orthographe est avant tout objet d'enseignement parce qu'elle constitue l'aspect *national* du système d'écriture de chaque langue (cf. 2ᵉ partie). L'apprentissage de l'orthographe dans l'institution scolaire permet de maintenir le sentiment de l'unité du français. On ne peut ainsi dissocier le problème de l'orthographe du fonctionnement de l'appareil scolaire (où elle joue un rôle de sélection sociale) et du procès de constitution du français comme langue nationale et institution. Objet de débats, de décrets, de réformes, son existence possède un caractère officiel, étatique qui fait d'elle, par delà la pertinence des analyses linguistiques, l'enjeu d'une *politique* de la langue.

LECTURES

- Énonciation

E. Benveniste : *Problèmes de linguistique générale I* (coll. Tel, Gallimard, 1976).

> On lira précisément la cinquième partie « L'homme dans la langue », indispensable pour traiter les problèmes de l'énonciation (déictiques et temps verbaux surtout).

R. Jakobson : *Essais de linguistique générale* (coll. Points, Seuil, 1970).

> Deux articles particuliers sont à consulter : d'une part « Les embrayeurs, les catégories verbales et le verbe russe » pour son caractère systématique et stimulant, d'autre part « Linguistique et poétique » qui contient la théorie des fonctions du langage.

D. Maingueneau : *Initiation aux méthodes de l'analyse du discours* (Hachette, 1976).

Pour un panorama des questions touchant à l'énonciation, on lira la 3ᵉ partie.

Un ensemble d'articles importants est consigné dans le n°17 de la revue *Langages* « L'énonciation ».

- Code oral/code graphique

J. Dubois : *Grammaire structurale du français : nom et pronom* (Larousse 1965).

On lira les pages 15 et 16 « Les conditions particulières du message graphique ». Le reste de l'ouvrage développe en particulier les questions du genre et du nombre en mettant en évidence l'opposition code oral/code graphique.

J. Peytard : « *Oral et scriptural : deux ordres de situations et de descriptions linguistiques* » in *Langue Française* n° 6.

Article clair et nourri d'exemples.

J. Peytard : « *Pour une typologie des messages oraux* » in *La Grammaire du Français parlé* (Hachette, 1971).

Outre l'article en question, l'ensemble de ce volume qui traite des problèmes de l'oral et de l'écrit dans les divers domaines de la linguistique est à consulter.

- L'orthographe

Deux numéros de revue, dirigés par N. Catach, permettent de circonscrire les données du problème et de trouver des bibliographies.

— L'un plus orienté vers les problèmes théoriques et non limité à la France : *Études de linguistique appliquée* n° 8 (oct.-déc. 1972), « Orthographe et système d'écriture ».

— L'autre, tourné plutôt vers les questions historiques et pédagogiques : *Langue Française* n° 20 (déc. 1973) : « L'orthographe ».

A la lumière de ces deux synthèses, on pourra apprécier les différents courants de recherche dans ce domaine en consultant en particulier :

R. Thimonnier : *Le Système graphique du français* (Plon, 1967).

Cl. Blanche-Benveniste et A. Chervel : *L'Orthographe* (Maspero, 1969).

Signalons enfin un ouvrage plus ancien qui vient d'être traduit et fait figure de référence par son caractère précurseur et systématique :

V. G. Gak : *L'Orthographe du français, essai de description théorique et pratique* (1956, trad. fr. au SELAF, 1977).

2. LA LANGUE DANS LE TEMPS ET L'ESPACE

Nous l'avons déjà dit : les problèmes de l'évolution des langues et de la variation géographique n'ont pas été écartés, tant s'en faut, par la tradition structurale. Avant même la publication du *Cours de linguistique générale*, sous l'influence des néo-grammairiens en particulier, la **dialectologie** s'était constituée en discipline autonome (cf. tome I, pp. 14-15). Plus tard, une dialectologie structurale a vu le jour. Une conception large de cette dialectologie interdit de séparer, si ce n'est pour des raisons pédagogiques, la géographie linguistique proprement dite des procès historiques de constitution des langues nationales. Les dimensions spatiale, temporelle et sociale interfèrent à ce point que certaines théories actuelles de la variation linguistique construisent des modèles et élaborent des hypothèses qui prennent en compte *l'ensemble* de ces variables pour poser, dans toute leur ampleur et complexité, les problèmes inhérents à la communication entre les membres de toute *communauté linguistique* (cf. *infra*, p. 111).

C'est bien cette prise en compte des conditions réelles de la communication qui fournira le point de départ de notre présentation. En effet, comme le disent Saussure ou Martinet, ce qui est *donné* c'est la *diversité des langues* et *la variété des usages* qui affectent ou n'affectent pas la compréhension mutuelle. On essaiera ainsi de mettre en place quelques notions de dialectologie et géographie linguistique en les appliquant au domaine français avant de centrer notre démarche sur la constitution du français-langue nationale. Enfin la trajectoire qui mène de la variation spatiale à la variation sociale en passant par la variation temporelle nous permettra d'introduire notre dernière partie.

LA VARIATION SPATIALE : UNITÉ ET DIFFÉRENCES

Distinguant dans notre premier volume (p. 140) les dictionnaires bilingues des dictionnaires monolingues, nous avions rapidement évoqué les difficultés considérables que soulève la notion de **bilinguisme**, eu égard à ce fait essentiel qu'aucune communauté linguistique n'est homogène, que toutes les situations linguistiques sont extrêmement complexes. C'est si vrai qu'une définition en compréhension de la communauté linguistique court le risque de rester à un très grand niveau d'abstraction. On comprend pourquoi ce caractère diversifié — et contradictoire — de toute communauté linguistique amène certains à faire du bilinguisme ou du plurilinguisme le problème fondamental de la linguistique. Il semble en effet que, dans une communauté linguistique, deux forces agissent sans cesse simultanément et en sens contraires : une tendance différenciatrice, particularisante (Saussure la nomme « esprit de clocher ») et une tendance unificatrice, expansionniste qui franchit les espaces et abolit les distances (Saussure la nomme « force d'intercourse »). Si le critère de l'intercompréhension constitue pour la distinction des langues un facteur décisif, il est clair que les diverses stratifications et lignes de partage au sein de(s) (l')idiome(s) d'une communauté linguistique déterminent l'existence de nombreux degrés entre une compréhension immédiate et une totale incompréhension. Quand la diversité géographique est flagrante, c'est elle que les locuteurs perçoivent le plus nettement, davantage que la variation sociale ou à plus forte raison diachronique.

- Notions de dialectologie

Avec, pour l'Allemagne, l'Atlas de Wenker et surtout *l'Atlas linguistique de la France* de E. Edmont et J. Gilliéron (Paris,1902-1910) naissent les études de géographie linguistique qui cherchent à *localiser* les unes par rapport aux autres les variations linguistiques. La constitution de cartes essaie de mettre en évidence des frontières dialectales en traçant une *isoglosse* c'est-à-dire une ligne idéale séparant deux aires dialectales qui offrent pour un trait linguistique donné des formes ou des systèmes différents. On appelle *faisceau d'isoglosses* l'ensemble de lignes d'isoglosses dont la superposition ou la proximité permet de penser qu'on passe d'un dialecte à un autre dialecte. Cette délimitation entre dialectes d'une même famille linguistique reste forcément floue car, suivant la particularité retenue (phonétique, lexicale, etc.), les isoglosses ne se superposent pas mais s'emmêlent et se recoupent en tous sens. D'autre part, si des limites dialectales existent, elles ne cessent de varier puisque — et nous retrouvons là les facteurs temporel et social — des caractères linguistiques nouveaux apparaissent tandis que d'autres disparaissent. C'est dire que les systèmes linguistiques — langues ou dialectes — n'ont pas de limites naturelles.

Parallèlement aux atlas, des *monographies dialectales* ont vu le jour : certaines étudient précisément *un* aspect linguistique d'un parler, par exemple le lexique ou la phonétique du champenois parlé dans tel village; d'autres s'intéressent globalement au(x) parler(s) de tel village ou telle région. Dans tous ces travaux, la primauté du lexique et de la phonétique reste écrasante; fort peu d'études ont été consacrées à la syntaxe. De tous les problèmes méthodologiques que rencontre le dialectologue, un des plus difficile est sans conteste le choix du témoin ou *informateur :* comment s'assurer de sa « représentativité » ? Le trait « dialectal » repéré n'est-il pas en fait une caractéristique linguistique particulière à ce locuteur ou à son entourage immédiat, un trait *idiolectal* (cf. *infra*, p. 96) ?

Outre cet aspect proprement descriptif, la géographie linguistique, en se fondant sur l'étude comparative de la dispersion de faits linguistiques (en synchronie par conséquent) permet de poser des hypothèses sur leur constitution (perspective diachronique). Aujourd'hui, cette discipline entretient des rapports de plus en plus étroits avec la sociolinguistique, l'ethnolinguistique, l'étude des langues en contact. Dans le domaine français, la nécessité s'est fait sentir de remplacer *l'Atlas linguistique de la France* aux trop grandes dimensions par une série d'atlas « régionaux » rendant compte des réalités locales et accordant une grande place à l'ethnographie. (Le CNRS publie, depuis plusieurs années, un *Atlas linguistique et ethnographique de la France par régions*.)

Au-delà de ce rapide coup d'œil sur les méthodes et résultats en dialectologie, il reste l'essentiel, c'est-à-dire à proposer une approche de ces trois éléments que sont la **langue**, le **dialecte** et le **patois** et à présenter ainsi une esquisse de la réalité géolinguistique du français. Il s'agit d'abord de dégager nettement deux significations du terme *langue :* une première acception spécifiquement linguistique où la langue est définie comme *système permettant la communication* (aucun jugement de valeur ne s'introduit ici); une seconde acception reposant sur le *statut socio-politique* qui retient, pour définir la langue, un certain nombre de critères du type : caractère officiel, étatique, existence d'une face écrite et d'une littérature, d'un enseignement, etc. Cette seconde acception conduit à affecter d'une valeur péjorative d'autres systèmes linguistiques permettant la communication mais qui ne possèdent pas ces caractères sociaux, politiques et culturels : on les désigne du nom de *dialectes* quand ils restent employés sur d'assez vastes domaines et dans toutes les circonstances de la vie, du nom de *patois* quand leur usage se limite à des ensembles géographiques plus restreints (village ou groupe de villages) et à des situations de communication particulières (l'échange au sein de la famille par exemple).

On voit que, si l'on s'en tenait à une appréhension strictement linguistique , on pourrait désigner par *langue* tout système linguistique fonctionnant dans un ensemble donné : pays, région ou village. De ce point de vue, certaines études de géographie linguistique ont fait admettre l'idée d'une description synchronique d'un patois considéré comme un système autonome, au lieu de l'envisager comme une collection de différences par rapport au français officiel. Ch. Bruneau proposait ainsi du patois la définition suivante : « *langue* d'un groupe social restreint, *imposée* par le *groupe*, avec une prononciation, un *système* de formes, une syntaxe et un vocabulaire *déterminés* ».

Mais s'en tenir au recouvrement de systèmes linguistiques multiples par le terme de *langue,* même affecté de précisions « sociolinguistiques », ce serait ignorer la *gradation* qui fonctionne de l'incompréhension à l'intercompréhension.

Certains, comme J. Fourquet (in *Le langage,* Gallimard, 1968, p. 571) proposent une double appréhension : « la *langue* : on va dans un autre pays et on trouve que les hommes communiquent entre eux à l'aide de mots et de phrases que le visiteur ne comprend pas; aux choses correspondent d'autres noms... Le *dialecte :* c'est l'expérience de diversités à l'intérieur de ce qu'on considère comme une même langue, parce que les dénominations de choses, sans être identiques, ont des ressemblances évidentes, et que, de façon générale, les différences observées ne sont pas telles qu'elles empêchent la compréhension ». Dans cette description de la « situation dialectale », on retrouve le double processus de divergence et de convergence qui conditionne la communication linguistique puisque le dialecte permet en même temps d'assurer le contact entre communautés voisines et à ces collectivités de se démarquer les unes des autres.

- La France : communauté linguistique?

Si nécessaire que soit cette optique de l'intercompréhension pour expliquer la situation dialectale, elle ne suffit pas à rendre compte de la situation linguistique d'une communauté ni à lever les ambiguïtés du terme dialecte. Considérons une première classification à caractère sociolinguistique qui distingue :

● La **langue commune** ou idiome adopté comme langue officielle par un ou plusieurs pouvoirs politiques nationaux. Naturellement ce concept de *langue commune* ou *langue officielle* ou *langue nationale* doit être appréhendé eu égard à la spécificité de sa constitution dans chaque pays. En particulier, il convient de s'interroger sur la coïncidence ou l'écart entre la nation et la communauté linguistique : il existe des nations avec plusieurs langues officielles, des nations dans lesquelles la « langue officielle » est une langue étrangère, etc. (Pour le français-langue nationale, cf. *infra*, p. 92).

● Les **langues de minorité(s)**. Il s'agit de langues *non apparentées à la langue nationale* et qui lui sont politiquement subordonnées. Elles présentent cette caractéristique d'être *couramment* utilisables dans la vie quotidienne. Sur le territoire français, on retiendra comme exemples le breton et le basque.

● Les **langues régionales.** De même famille que la langue nationale, elles sont parlées sur d'assez vastes territoires à l'intérieur de l'unité politique. En France, la plupart de ces langues ont été évincées par la langue officielle. Dans l'Ancienne France, il y avait en effet coexistence du picard, du poitevin, du normand, etc., c'est-à-dire des dialectes d'oïl avec le français, lui-même dialecte de l'Ile-de-France (à l'origine le francien).

S'est opérée une disparition progressive des autres dialectes : la parenté a rendu possible l'assimilation par la langue commune et le bilinguisme l'a facilitée. De ce point de vue, la France offre une situation particulière qui n'est ni celle de l'Espagne ou de l'Italie où des langues régionales coexistent encore avec la langue officielle ni celle des pays arabes par exemple où la langue officielle n'est le parler vernaculaire d'aucune région.

Cette opposition entre *langues de minorité(s)* et *langues régionales*, si elle a l'avantage d'expliquer la persistance plus marquée des langues de minorités, échoue en particulier à rendre compte du statut des occitans, du corse et du catalan.

En effet, à partir de considérations synchroniques et socio-culturelles, on peut définir, pour la France, l'existence, parallèlement à la langue nationale, de sept langues régionales aux origines diverses : le basque, le breton, le catalan, le corse, le flamand, le germanique alsacien, l'occitan. Pour tous les utilisateurs de ces langues, il y a relative pratique du bilinguisme. Il apparaît ainsi que l'expression « langue régionale » peut recouvrir des situations linguistiques et socio-historiques différentes. L'origine romane ou non n'est pas un critère déterminant. Ce qui compte, c'est le rapport entre langue et culture : ainsi aujourd'hui la revendication linguistique se révèle un aspect très sensible de la prise de conscience régionaliste : les locuteurs posent le problème du statut de leur langue et de sa transmission comme moyen d'expression et de culture (résurgence d'une littérature et d'un enseignement de la langue). D'une manière générale, cette revendication se heurte naturellement aux exigences de la communication et des médias, des progrès scientifiques et techniques qui contraignent à l'augmentation de puissance de la langue nationale et au laminage des langues régionales.

● Les **parlers locaux.** Ils sont souvent confondus avec les langues régionales sous l'appellation de « dialecte ». Or il ne s'agit pas là d'ensembles spécifiques, de parlers distincts de la langue commune mais de *variantes*, *d'usages régionaux* de cette langue commune qui n'affectent pas la compréhension entre le Parisien et le Marseillais par exemple. Encore qu'il faille de nouveau faire intervenir le facteur temps, car s'il en est bien ainsi aujourd'hui, certaines observations font apparaître qu'en 1930 des Parisiens comprenaient difficilement des Marseillais. C'est dire que la tendance à la disparition de ces variantes régionales ou locales s'est encore accentuée dans ces dernières années. Elle s'est toujours trouvée facilitée par le fait que tous les mots patoisants ou archaïsants, les régionalismes populaires d'inspiration rurale ou artisanale appartiennent à *l'ordre oral* et à des modes d'existence en voie de disparition. D'ailleurs, parmi ces « traits régionaux », les plus marquants sont sans doute d'ordre phonétique : on parle de « l'accent » de Marseille ou de Toulouse... Il reste que, dans un pays très centralisé comme la France, la forme parisienne est considérée de fait comme la plus représentative.

- **Le plurilinguisme**

La tendance à l'homogénéisation géographique, si elle est particulièrement prégnante en France où la langue nationale jouit depuis longtemps d'un prestige considérable (cf. *infra*, p. 92), constitue un trait général du développement linguistique dans le monde. Le besoin impérieux de l'unité de code fait que de nombreux états plurilingues reconnaissent officiellement une langue étrangère comme véhicule commun (l'anglais aux Indes, le français ou l'anglais en Afrique). Cela n'empêche pas que des communautés linguistiques et culturelles, comme les Canadiens francophones, aspirent à la reconnaissance de leur spécificité. On voit que le plurilinguisme fonctionne d'une manière multiforme dans un très grand nombre de pays, qu'il recouvre des situations très diverses et pose un ensemble considérable de problèmes tant linguistiques que psychologiques et sociaux : ainsi, outre le bilinguisme langue régionale/langue officielle (on emploie parfois le terme *diglossie* pour noter qu'une langue se trouve dans un état de subordination ou de dévalorisation par rapport à l'autre), il faudrait étudier les questions du bilinguisme ou plurilinguisme *officiel* (Belgique, Suisse), du bilinguisme des immigrants (travailleurs africains en France par exemple), de la définition de la langue « maternelle », de la différence entre apprentissage de la langue première et acquisition de la langue seconde, etc. Parmi les conséquences du *contact de langues* (il peut être géographique ou provoqué par le séjour d'un individu à l'étranger) figure la fabrication de langues mixtes, utilisées comme outils d'appoint, les *sabirs* qu'on rapproche des *créoles* (sabirs devenus langues maternelles à part entière comme à Haïti ou à la Jamaïque).

Autre conséquence d'importance : les phénomènes d'*interférences*. Il y a interférence quand un sujet bilingue utilise dans une langue-cible A un trait phonétique, morphologique, lexical ou syntaxique caractéristique de la langue B. Problème psycholinguistique, l'interférence joue aussi indirectement un grand rôle dans l'évolution des langues car, sous forme d'*emprunts* ou de *calques* (par exemple le verbe *réaliser* a pris en français, outre ses sens connus, celui de « comprendre » par calque de l'anglais *to realize*), les faits d'interférence se fixent dans la langue. Naturellement, alors que l'interférence se limite à l'analyse de réalisations plus ou moins généralisées, on ne peut exclure les considérations culturelles et politiques pour expliquer la *direction* des emprunts. Ce n'est pas un hasard si, dès le XVIIIᵉ siècle, le français est une langue emprunteuse par rapport à l'anglais et si cette tendance s'est aujourd'hui développée au point que l'inquiétude de l'État français s'est traduite par une loi de 1975 bannissant les anglicismes de la presse, des textes administratifs et juridiques, etc. (Pour un panorama de ces problèmes, simplement signalés ici, cf. *Languages in contact*, U. Weinreich, New York 1953).

LA CONSTITUTION DU FRANÇAIS LANGUE NATIONALE

Jusqu'à une date récente, on pouvait observer une relative carence des études linguistiques en matière d'histoire des *pratiques* du français (la monumentale *Histoire de la Langue Française* de F. Brunot en fournirait les premiers éléments) au point qu'il faut encore lutter contre certaines « évidences » du sens commun. Non, nos ancêtres les Gaulois ne parlaient pas le français. Naturellement, il ne saurait entrer dans notre propos de définir ne serait-ce que les grandes lignes d'une histoire de la langue française mais il convient sûrement de donner quelques repères historiques indispensables pour comprendre la fonction, le rôle de la langue nationale *aujourd'hui*. Ce concept de langue nationale ne peut d'ailleurs pleinement apparaître qu'après l'étude des clivages sociolinguistiques et du fonctionnement différencié de la « langue commune » dans les circuits scolaires reposant le problème du rapport entre pratique orale et pratique écrite (cf. 3e partie).

L'histoire de la langue ne peut être séparée de l'histoire de la nation, des appareils d'État (école, administration, armée, information) qui ont imposé et propagé l'usage de la langue nationale. Elle ne saurait se comprendre sans une étude des *politiques de la langue*, des réglementations imposées par les différents pouvoirs politiques, depuis l'édit de Villers-Cotterets (1539) prescrivant que tous les actes notariés et de justice se fassent désormais en français jusqu'à la loi de 1975, déjà évoquée, sur la protection de la langue française contre les emprunts étrangers.

Avant que le français ne devienne l'objet d'une législation, un long processus s'est déroulé au terme duquel le dialecte d'Ile-de-France a fini par imposer son dynamisme unificateur au sein d'une très grande diversité linguistique comprenant des langues non-romanes et un domaine roman lui-même très partagé entre une série de dialectes d'oïl très différenciés et de dialectes d'oc qui ne l'étaient pas moins. Si l'on doit attribuer la victoire d'un dialecte, sa transformation en langue commune à des facteurs socio-politiques (il est parlé par les classes dirigeantes ou socialement dominantes du pays), il n'en reste pas moins que cette victoire n'est pas assimilable à une simple extension par voie autoritaire. Devenant la langue du pouvoir politique, économique et culturel, étant employé pour la littérature, l'administration, etc., ce dialecte ne cesse de se développer, d'enrichir son stock lexical, d'adapter ses structures syntaxiques eu égard aux nouveaux besoins de la communication. Ce phénomène d'enrichissement, corrélatif de son extension, accélère le processus de transformation de ce dialecte en langue commune.

Dans la formation de la langue nationale, on retiendra deux étapes particulièrement décisives que symbolisent deux dates : 1634 et 1794. L'année 1634 voit la fondation de l'Académie, institution qui marque la volonté affirmée de faire prévaloir le français, le français du roi, sur le territoire politique de la France. Cette même année, le célèbre Tabarin meurt; mort symbolique aussi du langage des bateleurs avec son « naturel », ses mots crus, etc., que condamne cette notion de *bon usage* édictée par Vaugelas. On assiste là à la première tentative clairement manifestée d'identifier un modèle linguistique à la classe sociologiquement dominante : le bon usage est défini comme le langage parlé par « la plus saine partie de la cour », confirmé par « la plus saine partie des auteurs du temps ». La littérature joue ici le rôle de caution : son identification comme *norme* linguistique ne cessera de se préciser. C'est donc sous Richelieu et Louis XIII que s'accrédite l'idée que le français est une langue qui s'enseigne, que le « bon usage », loin d'être une donnée naturelle, nécessite les efforts de l'apprentissage. L'extension de ce « français » est telle qu'il empiète de plus en plus dans le domaine scientifique sur le latin, pourtant toujours considéré comme la langue du pouvoir et du savoir.

On comprend ainsi que la politique de la langue sous la Révolution, pour imposer le français comme langue de la *Nation*, s'appuie dans une certaine mesure sur un héritage de l'Ancien Régime, bien que la visée idéologique et politique soit différente. Le 28 mai 1794, l'abbé Grégoire propose à la Convention son *Rapport sur la nécessité et les moyens d'anéantir les patois, et d'universaliser l'usage de la langue française.* La nécessité politique de l'unité nationale, contrariée, croit-on, par les tendances féodales entretenues par les patois, devait se marquer par l'élaboration d'une politique scolaire qui, dans la réalité, ne sera pas suivie d'effets. C'est l'armée qui se fait, en attendant l'école obligatoire, le plus sûr agent de diffusion de la langue nationale. Il faudra attendre la IIIe République pour que des enseignants, les instituteurs, en soient les propagateurs les plus efficaces.

A l'époque actuelle, les effets de la diffusion de la radio et de la télévision sont ressentis comme une uniformisation de la langue, comme une « parisianisation ». D'où les réticences régionalistes, qui aboutissent par exemple à la Loi Deixonne (1961) qui permet l'enseignement facultatif de certaines langues régionales (le breton, le basque, le catalan, l'occitan).

S'il apparaît ainsi que les politiques de la langue subissent des modifications et inflexions, la langue elle-même au cours des siècles varie beaucoup moins qu'on pourrait le croire. Le « français classique », sur les plans phonologique et morphologique, préfigure ce que sera le français contemporain. Outre des modifications dans l'ordre des mots, ce sont surtout les différences lexicales qui frappent : néologismes, emprunts, glissements de sens, etc. D'ailleurs, sous la Révolution, les « foutre » du « Père Duchesne » n'empêchent pas les révolutionnaires bourgeois d'être tout aussi normatifs que leurs prédécesseurs nobles, de se conformer aux règles du « bon usage » en refusant l'invasion de toute « langue populaire », même s'ils accordent à la néologie une indulgence que l'âge classique lui avait expressément refusée. En réalité, on peut référer cette « continuité linguistique » à celle de la nation bourgeoise qui, d'une certaine manière, s'était appropriée la langue avant de saisir le pouvoir (dès le xviie siècle, il devient difficile d'opposer le langage de la Cour à celui de la bourgeoisie des villes). En tout cas, si des changements révolutionnaires dans la structure d'une société peuvent influer sur les *pratiques* linguistiques de tel ou tel groupe, ils ne déterminent pas de changements immédiats et directs dans la *structure* de la langue.

LA VARIATION LINGUISTIQUE ET LA LANGUE FAIT SOCIAL

Donner à voir la diversité géolinguistique de la France, signaler quelques repères de la constitution du français comme langue nationale, c'est se placer sur un plan descriptif nécessaire mais insuffisant. En effet, la nécessité s'impose à la linguistique de proposer des explications, des *théories* de ces variations spatiales et temporelles. On se contentera ici de rappeler des hypothèses classiques du structuralisme et de proposer quelques directions de recherche élaborées plus récemment.

Dans la quatrième partie du *Cours de linguistique Générale*, Saussure s'essaye à démontrer que « l'espace seul ne peut exercer aucune action sur la langue » : le colon anglais parti en Amérique parle, le lendemain de son débarquement, la même langue que la veille. Le processus de différenciation, de *dialectisation* de la langue initiale s'inscrit dans le temps. A. Martinet (cf. bibl.), analysant ce mécanisme de *divergence* ajoute un autre paramètre en soulignant que « ce n'est pas la distance par elle-même qui produit la différenciation linguistique, mais le relâchement des contacts » (p. 156). Aujourd'hui, la rapidité des communications provoquerait entre l'anglais d'Amérique et celui d'Angleterre plutôt un phénomène de *convergence* que de divergence.

- Synchronie et changement linguistique

Même si l'évolution de la langue dans le temps n'apparaît guère à l'observateur qui considère son environnement linguistique, il n'en reste pas moins que cette langue est constamment soumise à des forces de changement. Ce sont les différences linguistiques entre les *classes d'âge* qui manifestent ouvertement l'existence de ces forces de changement. En France, par exemple, l'usage des générations les plus âgées conserve forcément plus que celui des adolescents des traits dialectaux. De fait, l'appréhension synchronique se trouve confrontée à la non-homogénéité des *états* de langue où coexistent des usages vieillis (ou archaïques), courants et des néologismes. Au sein d'un état défini interfèrent des micro-systèmes grâce auxquels les différentes générations de locuteurs s'influencent réciproquement. Comme le dit J. Lyons (*op. cit.*, p. 40), « une bonne part de ce qui différencie deux états diachroniques d'une langue peut se refléter dans deux variétés contemporaines de cette langue ». Le fait qu'en une même communauté linguistique jamais *une* seule génération n'existe à la fois mais toujours plusieurs implique que, si la langue change, ce ne peut être brutalement. C'est ce qui explique les difficultés redoutables que pose la définition des états de langue qui apparaissent plus au plan méthodologique comme des modèles, des hypothèses de travail (cf. la notion de *corpus*) que comme des réalités.

Les explications proposées pour rendre compte de l'évolution linguistique ont changé de nature avec l'avènement de la linguistique structurale. Saussure, loin de réduire ce problème à celui de l'évolution *phonétique* qui donne matière à débat durant le XIXe siècle, distingue les changements phonétiques qualifiés d'*externes* des changements grammaticaux déterminés par des mécanismes internes au système lui-même. D'où sa conception très affirmée que le changement grammatical ou spécifiquement linguistique relève en fait de la synchronie et qu'il n'y a pas d'autonomie réelle de la linguistique diachronique. Ce sont des versions originales mais enracinées sur cette même problématique que proposent André Martinet ou Roman Jakobson. Pour ce dernier, il s'agit de dépasser le « complet clivage entre linguistique synchronique et linguistique diachronique » et de définir l'histoire d'une langue comme celle d'un « système linguistique qui subit différentes mutations ». Quant à André Martinet, il insiste sur la nécessité, avant de faire intervenir d'autres causes, d'épuiser « toutes les ressources explicatives qu'offrent l'examen de l'évolution propre de la structure (causalité interne) et l'étude des effets de l'interférence ». (*Éléments de linguistique générale*, p. 207). Naturellement la nécessité pour la langue d'intégrer les acquis de l'évolution intellectuelle, sociale et économique du groupe (particulièrement en ce qui concerne le *lexique*) rend impossible tout projet de séparer le développement linguistique du développement social.

- Le changement linguistique sous son aspect social

Si, comme le dit Saussure, le lien important c'est le lien social et qu'une langue ne vit qu'en rapport avec une société déterminée, plongée dans le devenir historique, *aborder le changement linguistique sous son aspect social*, ce sera déterminer le rapport entre un fonctionnement linguistique et l'ensemble des pratiques sociales : la transformation des institutions, le développement des moyens de communication de masse, l'évolution des rapports sociaux, l'apparition de techniques nouvelles sont en interaction constante avec l'évolution linguistique.

En soulignant par exemple la profonde imbrication entre les phénomènes qui relèvent de la variation sociale et ceux qui relèvent de la variation géographique, la sociolinguistique s'oriente de plus en plus dans cette voie. Le terme américain *dialect* désigne aussi bien les variétés sociales que les variétés géographiques et d'aucuns définissent la linguistique sociale comme une *dialectologie*. Plus généralement, l'étude en « synchronie » des changements en cours dans la langue révèle que la variation « historique » est d'abord variation sociale, que ce sont les variations internes de la langue dans ses pratiques socialisées qui produisent le changement.

Tout cela devrait conduire à penser l'articulation des déterminations spatiales, historiques et sociales. Si toute situation « unilingue », tout *idiolecte* (= ensemble des usages d'une langue propre à un individu donné, à un moment déterminé) sont le lieu d'interférence de ces différents facteurs, peut-on encore parler d'*une* langue, d'*un* français par exemple ? Malgré l'atténuation évidente des contrastes géolinguistiques, il n'y a pas uniformisation du français et, en place des « frontières dialectales », existent des *clivages* tant au plan des classes sociales que des types de discours ou des situations de communication. C'est à fournir quelques éléments d'information sur cette « sociolinguistique du français » que nous consacrerons la troisième partie.

LECTURES

Pour une réflexion sur ces problèmes dans l'optique d'une linguistique générale, consulter :

F. DE SAUSSURE : *Cours de linguistique générale* (Payot, rééd. 1974).

Particulièrement la 3ᵉ partie « Linguistique diachronique » et la 4ᵉ partie « Linguistique géographique ».

A. MARTINET : *Éléments de linguistique générale* (Colin, 1967).

Particulièrement le chapitre 5 : « La variété des idiomes et des usages linguistiques » et le chapitre 6 « L'évolution des langues ».

Pour une première approche concernant spécifiquement le français, lire deux petits ouvrages :

J. CHAURAND : *Histoire de la langue française* (Que sais-je, n° 167, PUF, 1969).

P. GUIRAUD : *Patois et dialectes français* (Que sais-je, PUF, n° 1285, 1968).

Pour un approfondissement de ces mêmes questions, consulter :

J. P. CAPUT : *La langue française, histoire d'une institution, I et II* (Larousse, 1975).

J. CHAURAND : *Introduction à la dialectologie française* (Bordas, 1972).

Deux ouvrages particulièrement intéressants et d'orientations différentes traitent du même problème : le français et la Révolution française.

R. BALIBAR, D. LAPORTE : *Le français national* (Hachette, 1974).

M. DE CERTEAU, D. JULIA, J. REVEL : *Une Politique de la langue. La Révolution française et les patois* (Gallimard, 1975).

Enfin, différents numéros de la revue *Langue Française* apportent de très précieux éléments d'information et de réflexion tant sur les problèmes généraux (n° 10 « Histoire de la langue »; n° 15 « Langage et histoire »; n° 18 « Les Parlers régionaux ») que sur des aspects particuliers (n° 25 « L'Enseignement des langues régionales »; n° 29 « L'Apprentissage du français par les travailleurs immigrés »; n° 31 « Le Français au Québec »).

3. DES NIVEAUX DE LANGUE AUX PRATIQUES LINGUISTIQUES

Certaines présentations simplistes de l'histoire des théories linguistiques tendent à accréditer l'idée que la « linguistique structurale » aurait ignoré le problème général de la **variation** dans la langue. Nous avons fait partiellement justice de ce grief pour ce qui concerne la variation géographique et le changement temporel. Il faut ici souligner que, sans toujours proposer des théories globales du rapport entre la langue et la société, de nombreux courants de recherches structuralistes ont aussi pris en considération l'existence de stratifications « techniques » et sociales à l'intérieur d'un état de langue. On voit d'ailleurs mal comment, sans une prise en compte de ces problèmes, Saussure, et toute une tradition à sa suite, auraient pu affirmer le *large* caractère *descriptif* de la linguistique par opposition à l'étroite visée *normative, prescriptive* de la grammaire traditionnelle (cf. tome I, pp. 7 et 21). Qu'il s'agisse de Ch. Bally et de son école avec les débuts de la stylistique linguistique ou de L. Hjelmslev, plus récemment de E. Coseriu ou P. Guiraud pour ne citer qu'eux, différentes analyses, centrées soit sur les rapports entre grammaire et expressivité, soit sur l'opposition du système et de la norme, préexistent à l'actuelle sociolinguistique. Au-delà des divergences d'orientations, la « description structurale » ne signifie donc aucunement « réduction » de la langue à un système unique, expulsion de la diversité sociale et idiolectale.

Il reste qu'en ne rapportant pas la variété linguistique à la division de la société en classes sociales et au fonctionnement de toutes ses institutions où se tiennent des discours, les tentatives précédemment évoquées se condamnent dans le meilleur des cas à l'abstraction et le plus souvent à la circularité ou à l'incohérence. D'autant que la mise en évidence de phénomènes de *co-variance* (rapport entre une *classe* et/ou un *contexte social* et une variation linguistique) a parfois déterminé une révolution dans la méthodologie par l'abandon de la conception structuraliste du modèle telle qu'elle s'investit dans la notion de corpus et ses procédés de constitution (cf. tome 1, pp. 52 et 53).

Voilà pourquoi, abordant dans un premier temps sous un angle délibérement descriptif les variations sociales et techniques, nous évoquerons ensuite quelques théories qui s'essaient à penser l'articulation du linguistique et du social.

LE FRANÇAIS : DIVISION TECHNIQUE ET/OU DIVISION SOCIALE

Dans notre précédent chapitre, nous avons vu que le xviie siècle marquait l'instauration d'une **norme** du français qui devait tenter progressivement de s'imposer. Il convient d'abord de préciser que la définition donnée par Vaugelas du « bon usage » s'est sensiblement modifiée par la suite, toute une procédure aboutissant à masquer le caractère ouvertement *social* de cette norme pour en faire une valeur *culturelle* définie seulement en termes littéraires (la langue des « bons auteurs ») et esthétiques (la langue du « goût », de « l'élégance », etc.). Le terme *norme* lui-même ne va d'ailleurs pas sans ambiguïté puisqu'on le trouve aujourd'hui employé aussi bien pour définir la conformité à un usage donné comme supérieur aux autres que pour désigner « tout ce qui est d'usage commun dans une communauté linguistique ». Cette polysémie est l'indice du rapport d'identité et de contradiction entre le *français-standard* et le français du bon usage (cf. *infra.*, p. 103).

- La norme et les niveaux de langue

L'existence d'une norme prescriptive et son fonctionnement dans les institutions d'État (école, administration, etc.) déterminent un rejet des autres usages de la langue pourtant attestés dans la communauté linguistique. Cette exclusion se fait à l'aide d'une grille d'appréciations qui oppose le « correct » à l'« incorrect » et regroupe sous le terme de *faute* un ensemble hétérogène de déviations, d'écarts à la norme. Toute une série de termes disqualifiants à connotations xénophobes peuvent désigner ces usages prohibés : « charabia », « chinois », « petit nègre » etc. Les grammairiens traditionnels ont toujours cherché à justifier par des raisons d'ordre étymologique, logique ou esthétique la prééminence de l'usage particulier retenu comme norme voire à le confondre volontairement avec *la* langue dans son ensemble. Le discours de la norme possède une remarquable prégnance en France, pays dans lequel l'attitude normative s'est souvent exacerbée en une démarche puriste. A. Rey (cf. bibl.) définit le **purisme** comme « une attitude normative permanente reposant sur un modèle unitaire et fortement sélectif de la langue, et ne tolérant aucun écart par rapport à ce modèle prédéfini, quelles que soient les conditions objectives de la vie linguistique de la communauté ». En refusant par exemple le changement historique, l'évolution sociale telle qu'elle se traduit par l'apparition de « langues » scientifiques, techniques ou professionnelles qualifiées de « jargons », ou tout emprunt à un idiome étranger, les puristes s'inscrivent dans toute une tradition de privilège de la langue écrite littéraire, d'ethnocentrisme et de nationalisme linguistiques.

A ceux qui, ne signalant pas même l'existence des autres usages, donnaient à penser que le « bon usage » constituait le tout de la langue, les tenants contemporains de la problématique des **niveaux de langue** ont opposé une vision *hiérarchisée* de l'outil linguistique. Les grammaires actuelles de plus en plus souvent et les dictionnaires de langue d'une manière désormais systématique (cf. tome I, Lexicographie) présentent un éventail de *niveaux de langue* (on dit parfois *registres de langue*) qui comprend un certain nombre de mentions depuis « littéraire » ou « écrit » jusqu'à « vulgaire » ou « argotique » en passant par « familier » ou « populaire ». Dans le dictionnaire, seuls les termes ou emplois qui échappent au modèle de langue défini par le lexicographe sont affectés de ces indices ; il peut, comme le grammairien, *expliciter* ce modèle dans une préface et l'intégrer au sein d'un tableau qui comprend les autres usages.

Outre que la terminologie varie d'un ouvrage à l'autre (la « langue courante » par exemple fonctionne parfois comme synonyme de « langue-standard » parfois comme équivalent de « langue familière »), ce concept de niveau de langue a surtout ce redoutable désavantage d'amalgamer des ordres de pertinence différents : ainsi la mention « langue écrite » renvoie à une situation de communication déterminée, « langue littéraire » à un type de discours particulier, « langue populaire » à une classification sociale. L'emploi d'un terme dit « familier » (*imbécile, casse-pied*) dans le discours ne peut être considéré comme un indice d'appartenance sociale mais comme une adaptation à une situation de communication (conversation au sein de la famille, avec des amis, etc.). Il ne relève donc pas de la même problématique que celle impliquée par l'usage d'un mot ou d'une expression dits « populaires » (*boulot, avoir les jetons, s'embêter à faire quelque chose*) qui réfèrent nettement à la situation sociale du locuteur. C'est dire que si tout locuteur possède indéniablement un « sentiment du niveau de langue » et de sa cohérence (cf. *infra*, p. 110), il apparaît impossible de proposer une définition valide de cette notion qui semble viciée dans ses fondements mêmes. En effet, en traduisant indifféremment le problème de l'inégalité linguistique et celui de la diversité des usages en termes de niveaux de langue, on court le risque de confondre les variations *fonctionnelles* de la langue eu égard à la multiplicité des situations de communication et les éléments de *stratification sociale* dans les pratiques linguistiques des classes ou groupes sociaux.

Il reste que cette problématique des niveaux de langue, en contestant le mythe de l'homogénéité de la langue, en s'interrogeant sur la notion de « faute », a permis d'opérer des descriptions utiles du français dit « populaire ».

- Français standard/Français populaire : le système et la norme

Loin de balayer d'un revers de main les « solécismes » ou « barbarismes », des analyses comme celles de H. Frei (*La Grammaire des Fautes*, Paris, 1929) ou plus récemment celles de P. Guiraud (cf. bibl.) ne se contentent pas de mettre en évidence l'écart par rapport à la norme que représente le *français populaire*, mais proposent des explications de son fonctionnement en montrant que, si l'on ne peut, à proprement parler, énoncer des *règles*, on peut, à coup sûr, déterminer des *tendances*. Ainsi, le français populaire semble régi par le dynamisme de l'**analogie** qui réduit les formes irrégulières. Cette conception de l'analogie, non comme faute, mais au contraire comme régularité systémique, présente dans le *Cours de linguistique générale*, permet d'expliquer le changement linguistique. Il n'y a pas de différence de nature entre la « faute » de langage et le fonctionnement du langage dit « correct ». Ce dynamisme analogique produit des énoncés du type *je va* ou *vous disez* et des *hypercorrections* ou formes abusivement régulières construites sur le modèle d'irrégularités normalisées (*un portail/des portaux* sur le modèle *un vitrail/des vitraux*). Un certain nombre d'exemples comme l'exploitation de processus normaux de formation des verbes à partir de substantifs jusqu'à des formes controversées (*chuter, solutionner*), l'emploi d'adverbes à la place de prépositions (*dessous la table, dessus le lit*) ou l'inverse, emploi de prépositions comme adverbes (*c'est fait pour*), etc., font dire à certains dont Guiraud que le français populaire constitue un *français avancé* dans la mesure où ces formes et d'autres vraiment exclues pour l'instant (*je va, vous disez,* ...) peuvent un jour être acceptées par la norme. La faute d'une époque, l'écart d'un individu ou d'un sous-groupe peuvent devenir la norme d'une époque postérieure. D'ailleurs, ce même Guiraud précise que des « fautes » consignées dans l'ouvrage de Frei (*op. cit.*) apparaissent, trente-cinq ans après, parfaitement normales.

La *tendance à l'économie* qui caractérise le fonctionnement linguistique semble particulièrement jouer dans le français populaire qui opère des « normalisations » (par exemple, remplacement de l'auxiliaire *être* par l'auxiliaire *avoir*) et des « réductions » (le système complexe des pronoms relatifs tend à se réduire à une forme unique *que;* la conjonction *que* remplace de nombreuses autres conjonctions, etc.). Sans entrer dans le détail, on signalera ici la tendance à l'*abrègement*, pourtant non caractéristique des langues agglutinantes comme le français (*cinématographe → cinéma → ciné*).

Outre ces manifestations lexicales et syntaxiques, on retiendra les problèmes de la prononciation avec ces indices importants que sont le *relâchement de la tension articulatoire* (il produit par exemple la disparition du /n/ à valeur négative dans une phrase comme *je ne veux pas* qui, de ce fait, devient *j'veux pas*), l'excès de nasalisation, toutes les liaisons tronquées qui produisent les *cuirs* (insertion abusive d'un *t* = *il va-t-à*), les *velours* (insertion abusive d'un *z*), etc.

Dans sa description, P. Guiraud semble faire de la surcharge d'affectivité ou d'expressivité un des traits caractéristiques du français populaire. Nous sommes là dans le droit fil de la stylistique de Bally qui traite à l'aide de cette notion d'*expressivité* l'étude des variations idiomatiques dont dispose la langue. Ces « grammaires » de l'expressivité reposent sur la possibilité du choix entre plusieurs réalisations possibles; on arrive ainsi à la définition de « styles » (littéraire, soutenu, vulgaire, etc.) et à la constitution de domaines de recherches comme la phonostylistique, la stylistique lexicale ou la stylistique syntaxique. Mais cette notion d'expressivité semble peu opératoire : dire que tel ou tel français, tel ou tel niveau est plus expressif qu'un autre, c'est oublier que la fonction expressive (voulue) et la fonction émotive (non voulue) du langage existent pour chacun d'eux. Outre cette ambiguïté constitutive, la problématique de l'expressivité suppose, comme celle des niveaux de langue, une norme dont les critères de définition ne sont pas explicités : certains en viennent alors à faire de l'« incorrection » grammaticale le principe du « style », à postuler une « créativité » par opposition à une norme-fantôme, une « langue normale » qui n'existe pas.

Chercher une justification linguistique aux « fautes », analyser leur rendement amène inévitablement à formuler le problème du dysfonctionnement entre le **système** et la **norme,** c'est-à-dire à classer les divers types de « fautes » suivant qu'elles entraînent ou non des difficultés dans la communication. En effet, face à une construction syntaxique par exemple, on peut se poser la question de savoir s'il s'agit là d'une simple contrainte ou si elle est nécessaire à la bonne transmission du message, autrement dit si elle a une *fonction*.

La grammaire générative s'interroge sur la *grammaticalité* ou *l'agrammaticalité* en faisant appel au jugement du locuteur natif, jugement qui lui-même repose sur un système de règles générales qui ont été intériorisées au cours de l'apprentissage de la langue. Le concept de grammaticalité chomskyen n'est donc pas en son mécanisme une résurgence de la normativité mais il postule bien une *homogénéité de la compétence* que la sociolinguistique a remis en cause.

On pourrait définir avec Coseriu la *norme* comme « ce qui... n'est pas nécessairement fonctionnel (distinctif), mais qui est tout de même traditionnellement (socialement) fixé, qui est usage commun et courant de la communauté linguistique ». Quant au *système*, il comprendrait « tout ce qui est objectivement fonctionnel (distinctif) ». Le français populaire exploite donc les possibilités du système sans se laisser contraindre par la norme, alors que le **français standard** (ou *français commun*) exige d'autant plus une norme explicite, une *codification* qu'il remplit les fonctions sociales et culturelles essentielles. Celui-ci se différencie de ce fait en un certain nombre de *types de discours :* scientifique et technique, administratif, juridique, etc., possédant chacun leurs caractéristiques linguistiques. Il ne doit pas être confondu avec le *français* dit « *soutenu* », catégorie aussi fort ambiguë puisqu'elle est une autre manière de désigner la norme entendue comme le « niveau de langue » élevé à la dignité de modèle essentiellement littéraire.

Ayant éliminé ce sens de norme avec la définition de Coseriu, on pourra utiliser le concept de **surnorme** (cf. F. François, bibl.) pour caractériser certains usages (de prononciation, de lexique, de syntaxe) qui jouent un rôle de signes de reconnaissance de classe et/ou de connivence culturelle. La surnorme comprend la surévaluation de traits non-pertinents (oppositions phonologiques disparues, subtilités morphologiques, orthographiques) et de traits archaïques (imparfait du subjonctif par exemple), tous éléments qu'on peut définir comme « marques de prestige ».

Naturellement, si cette tripartition système/norme/surnorme permet de dépasser la problématique confuse et hybride des niveaux de langue, elle contient elle-même tout un ensemble de difficultés et par exemple : où s'arrêtent les contraintes fonctionnelles et où commencent les contraintes normatives ? Comment alors répartir les faits linguistiques entre système et norme ? N'y a-t-il pas imbrication, dans la société française particulièrement, entre norme et surnorme ? Surtout, l'idée de norme, de langue-standard, de langue commune (quel que soit le terme) peut jouer un rôle de masquage des variations sociales au sens très large du terme, de la pluralité des « sous-codes » régis par les « sous-normes » de la région, de l'âge (cf. *supra*, p. 94), du sexe, de la classe sociale, du métier, du groupe, de la situation de communication, etc. Pour s'en tenir ici à un seul exemple, on notera la disparition progressive dans les dictionnaires de termes propres à certains métiers, termes qui sont pourtant toujours utilisés dans le milieu concerné : *paissonner*, terme de ganterie, est « réapparu » dans le *Supplément au Robert*. De même, les argots propres à des groupes ou à des institutions, qui ne cessent de se multiplier, tendent à s'effacer derrière un concept unificateur qui met en cause l'existence même d'un dictionnaire *des argots*.

Nous évoquerons maintenant la question des types de discours, en particulier celle des vocabulaires scientifiques et techniques, réservant le rapport langue/classe à notre conclusion.

- Français commun et français spécialisés

Une enquête statistique menée en France entre 1951 et 1954 et dirigée par M. Gougenheim (cf. tome 1, p. 150) a permis l'établissement d'un lexique de la langue parlée qui comprend un premier noyau d'environ 1 000 mots « fréquents » se répartissant ainsi : mots grammaticaux : 300; substantifs : 300; verbes : 200; adjectifs : 100. Si l'on précise l'analyse, on dira que la plupart de ces mots peuvent être vraiment qualifiés de *fréquents*, les autres étant simplement *disponibles* c'est-à-dire d'une « fréquence faible et peu stable » mais cependant « usuels et utiles » (cf. P. Rivenc, bibl.). Au-delà de ces mille mots, « il existe une *deuxième zone de mots communs* à tous les locuteurs, et constituée par un lexique disponible fondamental » (c'est nous qui soulignons). L'ensemble du lexique des mots fréquents et du lexique des mots disponibles communs à toutes les catégories de locuteurs constitue le *lexique commun fondamental*. Au-delà, « il faut encore distinguer un *lexique spécialisé* qui se différencie essentiellement selon l'expérience professionnelle et culturelle des locuteurs ». Ce vocabulaire spécialisé comprend plusieurs zones dont une vaste aire regroupant des termes communs à plusieurs domaines spécialisés : c'est la zone des *lexiques généraux d'orientation scientifique;* quant aux *vocabulaires techniques*, ils sont propres à une science, une technique donnée ou même à un seul groupe de spécialistes et utilisés dans les terminologies (vocabulaire de la couture, de la voile, du bâtiment, de l'automobile, de la chimie, etc.).

On voit comment se structure la spécialisation progressive de la langue au niveau lexical; ceci devrait être étudié aussi au niveau syntaxique, car on ne peut simplement situer l'originalité de toutes les « langues » scientifiques et techniques dans ce qui apparaît le plus évident : la différence du vocabulaire. Plusieurs voies d'accès existent au problème des vocabulaires scientifiques et techniques : une *voie historique* qui montrerait comment s'est opérée la constitution de ces lexiques spécialisés, la partition entre eux et le lexique général, une *voie étymologique* (qu'est-ce qu'un mot d'origine « savante »?), *une voie statistique*, etc. Pour notre part, nous examinerons seulement quelques traits spécifiques au terme scientifique et technique pour nous demander quelles fonctions remplissent ces « langues spécialisées ».

Le terme scientifique et technique a essentiellement une fonction de dénotation (cf. tome I, p. 119), de dénomination; il tend à être monosémique (cf. tome I, p. 121) même si certains de ses composants (racines ou opérateurs) sont polysémiques. On appelle *opérateurs* « des mots pleins qui, en raison de leur sens générique, entrent dans la désignation de longues séries » (cf. P. Guiraud, bibl.). Par exemple les opérateurs *logie, logue* (de *logos*) permettent la formation de *biologie, archéologue*, etc. Le terme scientifique et technique, n'admettant pas de synonymie autre que *référentielle*, reste univoque. Il y a bien là une différence fondamentale de fonctionnement avec les mots « usuels » qui sont structurés d'un point de vue sémantique, alors qu'il y a pas de sens à vouloir établir la « structure sémantique » des 300 000 termes de la chimie qui sont « structurés » du point de vue de la chimie. Cela amène E. Coseriu par exemple à affirmer qu'il y a deux lexiques dans une langue : un lexique structuré, linguistique et un lexique « nomenclateur » et terminologique.

Cette observation tranchée ne signifie cependant pas que l'analyse linguistique n'ait rien à dire sur ces lexiques, sur leurs types de formation (emprunts, calques, dérivation et composition), sur l'ensemble de leurs structures phonétiques et morpho-sémantiques (les suffixes *-ite/-ose*, par exemple, qui opposent médicalement *arthrite/* + inflammatoire/à *arthrose/*-inflammatoire/entrent dans des séries paradigmatiques en *-ite* et *-ose* non homogènes sur le plan sémantique : *arthrose, névrose, glucose, aponévrose...*). Il est d'autre part fort important d'étudier les terminologies puisqu'un terme technique peut devenir mot usuel et entrer dans les oppositions sémantiques de la langue commune (ou inversement). Par exemple, un élément préfixal comme *mini* issu d'un vocabulaire technique, celui de la mode vestimentaire, peut acquérir une très grande productivité dans le vocabulaire d'autres techniques puis de la langue commune.

D'autre part, la langue des sciences et techniques possède certains *traits syntaxiques* spécifiques : ainsi on a pu mettre en évidence (cf. bibl., *Langue Française* n° 17, p. 113) « une plus grande simplicité du système verbal » à cause de « la suppression de toute référence personnelle » et de « la fréquence des constructions passives ainsi que la « prépondérance accordée au point de vue aspectuel sur le point de vue « temporel » ». On peut ajouter que les langues spécialisées, dans l'ensemble, sont le domaine privilégié des constructions nominales.

Enfin on ne saurait ignorer le point de vue *sociolinguistique* dans cette étude : d'abord parce que des niveaux de langue peuvent traverser les vocabulaires proprement techniques (production « d'argots professionnels » par exemple), ensuite parce qu'un lourd contentieux existe entre « le discours de la norme » et le « jargon des sciences », surtout parce que les divisions dites « techniques » ou « professionnelles » de la langue sont toujours en même temps des divisions sociales. Toutes les « langues spécialisées » jouent un rôle éminemment social : productrices de savoir et de pouvoir, elles fonctionnent au sein d'institutions ou de groupes. Les limites de l'ouvrage ne permettent pas la prise en compte détaillée de leurs réelles spécificités linguistiques à tous les niveaux : il faudrait en particulier caractériser le lexique et la syntaxe des discours administratif, juridique, économique, politique, voire littéraire, etc., les analyser sous le rapport de l'opposition face écrite/face orale, situer la place de leurs émetteurs et récepteurs dans l'ensemble social. De nouvelles méthodologies comme *l'analyse du discours* s'essayent à décrire ces mécanismes; la *poétique* (cf.

3ᵉ partie) projette ses lumières sur la « langue littéraire », etc. Mais seule une nouvelle science du langage, bien plus vaste que l'actuelle sociolinguistique, pourrait prendre en compte avec l'analyse des types de discours, celle des situations de communication et de l'inégalité linguistique.

THÉORIES DE LA CO-VARIANCE ET NOUVELLES SOCIOLINGUISTIQUES

Nous avons souligné les difficultés théoriques et méthodologiques que soulève la problématique des niveaux de langue. Si la définition d'un bon usage suppose nécessairement l'existence d'autres usages, les variations linguistiques ainsi repérées ne sont pas rapportées à des variations dans la structure sociale. C'est ce à quoi invitaient pourtant des démarches comme celle de A. Meillet qui, dès le début de ce siècle, assignait comme tâche à la linguistique générale « de déterminer à quelle structure sociale répond une structure linguistique donnée ». Cela le conduisait à analyser les liens existant entre les classes ou couches sociales et les sous-ensembles linguistiques (ou *dialectes sociaux*) utilisés par ces groupes, ainsi que le problème de l'intervention des facteurs techniques ou économiques dans la structure de la langue. Tout un domaine des actuelles recherches sociolinguistiques peut être défini comme un développement de cette problématique : des descriptions plus précises du rapport entre structure linguistique et structure sociale ont été entreprises jusqu'à parvenir à la mise en évidence de variations normées à l'intérieur du système.

Mais la reconnaissance de la thèse définissant la langue comme fait social, malgré son caractère décisif, ne prémunit pas contre des interprétations restrictives et unidirectionnelles : ainsi, on pourrait appliquer à des recherches plus contemporaines ce que G. Mounin dit des orientations linguistiques de Meillet : « Elles n'élucident pas non plus le rapport fondamental entre langage et société, dans la mesure où elles se bornent à constater, presque uniquement dans le domaine limité du lexique, l'action de la société sur le langage » (in *La Linguistique du* xxᵉ*siècle*, P.U.F., 1972).

- La langue et les classes sociales

J. B. Marcellesi et B. Gardin (cf. bibl., p. 15) ont proposé d'appeler *linguistique socio-différentielle* ou *linguistique sociale* cette discipline qui s'occupera des conduites linguistiques collectives caractérisant des groupes sociaux (le terme restant à définir), dans la mesure où elles se différencient et entrent en contraste dans la même communauté linguistique globale ». A partir de cette définition, on se tiendra à la prise en considération de trois problèmes :

1. Quels critères président à l'identification, au repérage des « groupes sociaux »?
2. De quelle nature est le rapport entre « les conduites linguistiques » et les « groupes sociaux » : co-occurrence ou causalité?
3. Des différenciations « stylistiques » en fonction des contextes, des situations de communication, n'interfèrent-elles pas avec les stratifications sociales?

Ces questions doivent être examinées à travers les méthodologies, rapidement évoquées, de plusieurs sociolinguistes ou sociologues tels W. Labov ou B. Bernstein.

● W. Labov dans son travail *The social stratification of English in New York City* (1966) met en évidence une structure des variables phonologiques dans ce « dialecte géographique » qu'est l'anglais de New York. Encore faut-il préciser que l'échantillonnage retenu (les *informateurs*, cf. *supra*, p. 88) repose sur des critères de sélection qui éliminent nécessairement de larges fractions de la réalité sociale et linguistique new-yorkaise (enquête dans un quartier déterminé, exclusion d'informateurs tels que les Portoricains ou les Chinois, etc.). Le problème posé ici est bien celui de la définition des groupes sociaux. Les indicateurs retenus pour cerner le groupe sont le revenu, le niveau d'étude et la profession : il s'agit donc de groupes socio-économiques et non de classes sociales au sens marxiste du terme, c'est-à-dire de groupes définis par leur place dans le système de production sociale, leurs rapports aux moyens de production, leur rôle dans l'organisation sociale du travail.

Ces groupes socio-économiques sont distribués sur une échelle hiérarchique comme un continuum. Les positions de ces groupes dans la lutte des classes ne sont pas abordées.

Avec les recherches de B. Bernstein, nous sommes en présence d'ambiguïtés du même type concernant la définition de l'opposition *code restreint/code élaboré* (cf. *infra*, p. 109). On ne sait plus si les paramètres se réfèrent à la division de la société en classes (une langue des classes défavorisées ; une langue des classes moyennes et élevées) ou transcendent les différences de classe : le code restreint serait ainsi celui où la notion de groupe, le « nous », est privilégiée, par rapport au « moi » : il fonctionnerait dans les prisons, les bandes d'adolescents, l'armée, les groupes d'amis de longue date, les couples mariés...

Dans les deux cas, la même question se pose : quel est l'objet d'étude de cette sociolinguistique? A quelle(s) théorie(s) de l'organisation sociale se réfère-t-elle? les classes, les groupes, les institutions, tout apparaît mêlé, non différencié.

Au sein des théories marxistes, le rapport entre langue et classe sociale a donné lieu à de vastes débats qui se poursuivent aujourd'hui. Le linguiste soviétique N. Y. Marr a défini la langue comme *superstructure* (c'est-à-dire élément de l'ensemble des conceptions idéologiques et des institutions sociales) et *phénomène de classe*, conception écartée par Staline et la grande majorité des linguistes, mais qui a amené à poser cette question : peut-on parler de « langue bourgeoise » et de « langue prolétarienne »? En ce sens, y aurait-il un parler de la classe ouvrière soviétique, française ou américaine? Il est clair qu'on ne peut assimiler la langue à la superstructure (elle ne change pas mécaniquement en fonction des transformations de la base économique), qu'elle constitue un instrument de communication pour tous et pas seulement un outil au service de la classe dominante. Une telle position ne doit cependant pas conduire à éliminer tout ce qui est variation (géographique, sociale, etc.) et à sous-estimer l'importance de l'Histoire et des politiques de la langue (cf. chap. précéd.) : par exemple, « l'apparition et la diffusion de la langue nationale sont [donc] bien liées aux superstructures et aux phénomènes de classe » (*op. cit.*, p. 84). Le « marrisme » semble avoir joué ainsi un rôle ambivalent, car s'il a montré que la linguistique ne peut se désintéresser de l'influence des luttes de classes et de la politique sur la langue, il a induit des oppositions tranchées voire caricaturales entre langue de la bourgeoisie et langue de la classe ouvrière, entre langue nationale et langue populaire.

• Ce problème de la « sociologie » qui fonde le découpage des groupes est en étroit rapport avec la question de la nature du lien entre structure sociale et structure linguistique. Selon les théories sociolinguistiques retenues et les éclairages que leurs commentateurs projettent (cf. bibl.), on peut définir deux voies pour l'étude de la variation. Dans un cas, on part du repérage sociologique des groupes sociaux et on cherche à déterminer les valeurs des variables qu'ils utilisent; on arrive ainsi à mettre en rapport deux séries de faits indépendants (sociaux et linguistiques) qui varient en même temps : c'est la **co-variance.** Mais une étude plus approfondie peut montrer une circularité dans la méthodologie : en effet, comme le disent Marcellesi et Gardin (*op. cit.*) à propos de Labov, si le langage en vient à être considéré comme une mesure du comportement social, ce seront les valeurs particulières des variables linguistiques qui détermineront les caractéristiques sociales des groupes qui les utilisent. La deuxième perspective méthodologique semble davantage aller dans le sens d'une *causalité* puisque la variable linguistique (le trait phonétique par exemple) fonctionnera comme signe d'appartenance d'un locuteur à une structure sociale. P. Encrevé (*Préface* à Labov, cf. bibl.) indique même, à propos du « style articulatoire », (ensemble des habitudes articulatoires d'un groupe social), qu'on peut voir là « l'incorporation d'une structure sociale par les locuteurs ». En français, où l'antériorité fait partie de la base articulatoire (cf. tome I, p. 84), reculer le lieu d'articulation de la majorité des phonèmes, ce serait « appartenir » aux classes populaires, à la classe ouvrière.

Cela dit, Marcellesi et Gardin mettent en évidence que les facteurs extralinguistiques, « même s'ils deviennent explicatifs ne constituent pas une explication de la *spécificité des variations : il n'y a pas là un rapport de dépendance logique mais de simple co-occurrence* » (*op. cit.*, p. 144). S'il est vrai qu'à New York, par exemple, une même variable linguistique, signe autrefois d'une stratification ethnique, est désormais entendue comme indice de stratification sociale, on peut inversement rappeler qu'en France l'articulation du /r/, après avoir opposé langue de la Cour et langue du peuple, fonctionne aujourd'hui comme interférence diatopique (prononciation méridionale).

La suite des travaux de Labov s'oriente non plus simplement vers la recherche de variations régulières dans les sous-systèmes mais vers l'étude de la « variation inhérente » à tout vernaculaire, c'est-à-dire vers l'idée qu'au cœur de tout système linguistique « individuel » ou « social » se trouve une hétérogénéité fondamentale : cela doit amener conjointement à la redéfinition même des concepts de langue et de grammaire. Cette vision d'une communauté traversée, à tous les niveaux, de conflits indissociablement linguistiques et sociaux indique qu'on ne peut limiter le rôle de la langue à sa fonction de communication et de savoir mais qu'il faut aussi la considérer comme *instrument de pouvoir*. En travaillant à l'élaboration d'une analyse des discours bien plus vaste que l'actuelle sociolinguistique, l'école française de P. Bourdieu et P. Encrevé conteste *l'autonomisation* du contexte social et de la variation linguistique (la covariance) pour montrer comment, à l'intérieur même de la grammaire, agissent les processus de différenciation sociale.

Bernstein introduit entre le social et le linguistique une relation de **causalité** : l'idée, c'est que la situation de classe du sujet détermine chez lui une structure profonde de la communication. Un ensemble de paramètres sociaux (en réalité, dans la position de classe se conjuguent différents éléments : fonctionnement familial, grandeur des logements, etc.) engendre une forme particulière de communication. Bernstein met ainsi en évidence deux codes : le *code restreint*, caractéristique en gros (cf. *supra*) de la classe ouvrière, le *code élaboré* des classes moyennes et élevées. Le code restreint se caractérise par la pauvreté et le caractère répétitif et stéréotypé de sa syntaxe et de son lexique qui traduisent une dépendance très grande des significations par rapport au contexte, une impossibilité de s'élever à la généralité et à l'abstraction. En affectant d'un signe positif les déficits du code restreint, on parvient à une définition du code élaboré, plus logique, plus explicite, plus riche. Il faudrait démontrer le caractère négatif de cette définition du code restreint et souligner l'hétérogénéité des éléments retenus dans ces caractérisations.

Il apparaît qu'on ne peut s'en tenir à un parallélisme strict code/classe, que les différences entre les situations de communication engendrent des variations souvent plus déterminantes que les variations globales entre classes sociales; il faut considérer aussi la corrélation dans les discours entre le thème traité et les structures utilisées. D'autre part, comment mesurer l'influence respective des facteurs sociaux au sens large, les hiérarchiser? Est-ce les différences culturelles qui sont déterminantes? Les dimensions de la famille? L'important est sans doute qu'on ne peut se satisfaire de théories qui attribueraient des usages linguistiques fixés à des classes sociales particulières et que se démontre la nécessité d'une *articulation* de la pratique discursive à l'ensemble de la formation sociale.

• On s'arrêtera sur le rôle du style chez certains sociolinguistes, dont Labov, qui systématise cette notion; car, si la dimension sociale joue (quelle est la position sociale de l'émetteur?), jouent aussi les conditions de production du discours. Or la notion de « style », longtemps impressionniste (cf. *supra*, p. 102) ou pensée en termes d'interférences (interférences « diaphasiques » cf. *supra*, p. 69), a été envisagée par Labov comme une variation *systématique*, qui différencie les groupes sociaux.

La dimension stylistique est celle du contrôle qu'exerce le locuteur sur le code qu'il utilise; la présence ou l'absence de ce contrôle est liée au type de situation dans laquelle se produit l'échange linguistique. Une situation contraignante (celle de l'interview ou la présence d'un observateur en général) donne au locuteur un *sentiment d'infériorité hiérarchique* qui lui fait employer un style *surveillé;* quand l'observateur se fait oublier (situation libre), c'est le style *spontané* qui prévaut (peu ou pas de sentiment de hiérarchie). Étendant cet aspect méthodologique, Labov a démontré que la langue des employés des grands magasins new-yorkais variait selon le statut social de l'interlocuteur et dans le sens d'une adaptation fonctionnelle, mais limitée, à la langue associée à ce statut. Ceci confirmerait une interprétation de la variation stylistique comme traduction d'un rapport social et non d'un rapport psychologique. En ce sens, parler de *choix* par le locuteur de tel ou tel registre de langue suivant la situation se révèle donc une position idéaliste, ignorant à quel point l'histoire de tout individu vivant en société est source d'un certain nombre de « manques linguistiques ».

On voit ainsi les perspectives qui s'ouvrent à une étude des **comportements langagiers,** des **pratiques linguistiques,** eu égard aux contraintes sociales et culturelles qui régissent la production des discours. De ce point de vue, les variantes de prestige, les « locutions de remplissage », les euphémismes, les hypercorrections, l'accent, le débit, le style articulatoire semblent des indicateurs, souvent peu étudiées, de la position sociale dans le jeu d'énonciation.

D'autres tests permettent à Labov de mettre en évidence un point d'importance : la différence entre *norme(s) prescriptive(s)* et *norme évaluative*. Des locuteurs aux pratiques linguistiques très différentes évaluent d'une manière très sensiblement égale les pratiques linguistiques des autres locuteurs. Se fait jour ici la nécessité de prendre en compte ce que A. Rey (cf. bibl.) nomme « les rétroactions dues à la conscience linguistique, les jugements des locuteurs envers les usages de leur langue ». Ce qui compte, ce n'est pas tant d'utiliser les mêmes formes que de partager un ensemble d'attitudes sociales envers la langue. Labov propose ainsi une nouvelle définition de la *communauté linguistique* comme un groupe de locuteurs à qui s'*imposent* les mêmes normes quant à la langue, étant bien entendu que ces normes perçues ne sont pas obligatoirement réalisées. Naturellement, cela n'empêche pas qu'on puisse observer des contradictions entre critères d'évaluation : ainsi le relâchement de la tension articulatoire peut aussi bien définir le style « voyou » qu'être l'indice du parler « chic » d'un snob.

Au terme de ces développements et des exemples donnés, il nous reste à rappeler trois points importants :

1. L'étude de la variation sociolinguistique ne peut se limiter au niveau lexical et/ou phonétique-phonologique; l'organisation syntaxique n'est pas « neutre ».

2. Les variations opèrent au sein d'un système linguistique donné; toute linguistique différentielle présuppose une linguistique unifiante.

3. Une sociolinguistique se définit eu égard à la spécificité de la langue considérée et des conditions historiques rencontrées; en aucun cas, on ne saurait se contenter d'« appliquer » les modèles américains par exemple à la réalité sociale et linguistique française.

- Le français langue nationale et l'école

Après avoir envisagé le rapport entre la langue et les classes sociales, il convient de conclure par un détour sur la relation entre langue et école, nécessaire à un double titre : d'abord parce que, au plan institutionnel, la définition de la norme linguistique ne peut se séparer de l'appareil scolaire, ensuite parce qu'il faut lier le fonctionnement du système et de ses variations chez les adultes aux problèmes d'acquisition du langage en général et de pédagogie de la langue à l'école en particulier.

En effet dans sa famille, son milieu social d'origine, l'enfant n'apprend pas « le » langage mais les usages que l'on y fait du langage. De la même façon, les leçons de l'école n'introduisent pas à « la » communication mais à une *certaine forme socialisée* de la communication. C'est ce rapport entre langue de la famille et langue de l'école, avec le *passage à l'écrit* et son apprentissage, qui pose un redoutable problème où se retrouvent nécessairement toutes les données du débat sur l'inégalité linguistique comme facteur de sélection sociale. Tantôt certaines recherches affirment que la différence entre enfants de la classe ouvrière et enfants des classes dominantes est plus grande à l'oral qu'à l'écrit, tantôt le contraire. Pour certains, l'école jouerait un rôle de compensation des inégalités de base; pour les autres, en institutionnalisant le passage à l'écrit, elle serait un facteur d'accentuation des inégalités sociales. D'autre part, existent pour les enfants les mêmes oppositions que pour les adultes : dès que la rédaction vise à l'abstraction, les enfants de la classe ouvrière sont plus en difficulté que les autres, ce qui s'explique dans la mesure où le contenu détermine en grande partie les modalités de l'énoncé; les complétives, par exemple, seront plus nombreuses dans une discussion sur la peine de mort. Inversement, tout récit faisant appel à un vécu entraîne des réalisations plus homogènes.

Des recherches comme celles du *Groupe Français d'Éducation Nouvelle* (GFEN) en récusant l'idéologie des dons ont aussi refusé la thèse d'un déficit global et irréversible des enfants de la classe ouvrière. Elles induisent seulement qu'il y a des contenus et des moyens de les exprimer qui, par la continuité entre la langue de la famille et celle de l'école, favorisent certains enfants, Or c'est précisément sur ce rapport entre la langue de l'école et celle du milieu social d'origine que les options divergent : pour les uns, les langues parlées dans les différentes classes sociales sont plus ou moins éloignées de la norme linguistique imposée par l'école alors que pour d'autres existe une véritable opposition entre le discours parlé dans la classe ouvrière et le français imposé par l'école. Pour ces derniers, ce français scolaire n'est pas un usage particulier de la langue, celui effectivement parlé dans la bourgeoisie par exemple, mais un français machiné de toutes pièces, dans l'intention d'exclure les porteurs du langage populaire.

Il est exact de souligner la persistance d'une division dans l'univers scolaire entre le circuit primaire-professionnel et le circuit secondaire-supérieur. Longtemps, en effet, aux deux enseignements primaire et secondaire ont correspondu deux types de discours, deux modèles de langue engageant des représentations idéologiques opposées. Un français élémentaire fournit encore le bagage linguistique indispensable à la communication utilitaire alors qu'un français secondaire, littéraire, reste formateur des élites sociales et culturelles. Mais toute position qui, au sein de l'appareil éducationnel, transposerait *mécaniquement* la lutte des classes en une opposition terme à terme de deux langages, ne rendrait pas compte de l'unité de la langue à l'école, même si cette « langue nationale » est nécessairement traversée de contradictions.

LECTURES

- La norme

Langue française, n° 16 (déc. 1972) : « La norme ».

Ensemble riche. On lira la présentation d'A. Rey qui ouvre ce numéro.

- français fondamental, français spécialisé, français populaire.

A. Martinet : *Le français sans fard* (P.U.F., 1969), cf. tome I, p. 108.

P. Guiraud : *Les Mots savants* (Que sais-je? P.U.F., 1968)
     —   *Le Français populaire* (Que sais-je? P.U.F., 1965).

Petit livre très suggestif mais dont la problématique doit être discutée.

P. Rivenc : « Lexique et Langue parlée », in : *La Grammaire du français parlé* (cf. *supra*, p. 104).
    Langue Française, n° 17 (février 1973) « Les vocabulaires techniques et scientifiques ».

On consultera avec intérêt ce numéro, surtout l'article de L. Guilbert.

- La sociolinguistique

J. B. Marcellesi et B. Gardin : *Introduction à la sociolinguistique, la linguistique sociale* (Larousse, 1974).

Ouvrage de référence. A permis l'initiation à des problématiques longtemps ignorées en France (Marr et la linguistique soviétique, Labov, Bernstein) tout en affirmant des positions originales.

W. Labov : *Sociolinguistique* (Trad. fr., Ed. de Minuit, 1976).

B. Bernstein : *Langage et classes sociales. Codes sociolinguistiques et contrôle social* (Trad. fr. Ed. de Minuit; 1975).

Deux ouvrages fondamentaux. La présentation par P. Encrevé du livre de Labov fournit une approche claire et novatrice.

A consulter : *Langue française* n° 9 : « Linguistique et société » et n° 34 : « Linguistique et sociolinguistique » pour les perspectives qu'il ouvre ; *Langages*, n° 46 : « Langage et classes sociales, le marrisme » et *La Pensée*, n° 190 : « Classes sociales, Langage, Éducation » (surtout les articles de D. et F. François).

G. Snyders : *École, classe et lutte des classes* (PUF, 1976).

Pour une « relecture critique de Bourdieu-Passeron, Baudelot-Establet, Illich », théoriciens des rapports entre la langue et l'appareil éducationnel.

TROISIÈME PARTIE
Poétique

Cette partie a un statut bien spécifique dans un ouvrage qui se veut d'initiation. Si les chapitres précédents visaient, sous une forme condensée, à apporter une large information sur une multitude de problèmes, la poétique doit permettre d'affronter directement des *textes* dans leur complexité et donc de saisir à l'œuvre l'interaction des diverses branches de la linguistique considérées jusqu'ici : phonétique et phonologie, lexique et sémantique, syntaxe, problèmes de la communication.

Ce « banc d'essai » entend donc montrer comment sont exploitables en des lieux déterminés les ressources qu'offre le système de la langue; mais, dans la mesure où se développeront des analyses concrètes, la part attribuée à un certain nombre de choix *méthodologiques* sera nécessairement plus importante.

114

INTRODUCTION : LA FONCTION POÉTIQUE

L'approche du phénomène poétique peut se faire par plusieurs voies. A côté des voies traditionnelles « littéraires », il existe des courants récents se réclamant des sciences humaines (sociologie, psychanalyse, ...). L'*approche structurale*, elle, vise à décrire les textes poétiques comme des objets linguistiques obéissant à un réseau de lois rigoureux. La poétique est précisément la discipline connexe de la linguistique qui a pour priorité d'étudier la spécificité du langage poétique, en l'articulant sur le fonctionnement de la langue.

Dans la partie précédente, nous avons vu le modèle des « fonctions du langage » mis en place par R. Jakobson (cf. *supra*, p. 78). Il y définissait la **fonction poétique,** qui fera l'objet de cette dernière partie. Nous l'étudierons uniquement dans le cadre du poème, où elle est dominante, même si, comme le souligne Jakobson, elle est également à l'œuvre dans de nombreux types de discours (jeux de mots, slogans, contes...). Il ne faudrait cependant pas considérer qu'il existe un « poème en soi »; on ne rencontre jamais qu'une multiplicité de discours, parmi lesquels nous avons privilégié les poèmes contemporains, essentiellement parce qu'ils s'inscrivent mieux que les autres dans un travail sur les virtualités qu'offre le système de la langue.

A la différence des autres, la fonction poétique a pour finalité la *structuration du message en tant que tel*, remettant ainsi en cause la coupure entre signifiant et signifié qu'implique l'arbitraire du signe linguistique (cf. Tome 1, p. 29 et 30). Dans cette optique, P. Valéry expliquait déjà le langage poétique comme « une hésitation prolongée entre le son et le sens »; Jakobson, lui, va plus loin et donne une définition linguistique du mécanisme de la fonction poétique : elle « projette le principe d'équivalence de l'axe de la sélection sur l'axe de la combinaison ». Qu'est-ce à dire ? Qu'il y a en quelque sorte subversion par le langage poétique de la linéarité du message : l'axe syntagmatique est « travaillé » par l'axe paradigmatique (cf. Tome 1, p. 32) qui y institue des *relations d'équivalence*.

Ceci éclaire certains aspects essentiels du texte poétique : l'existence de *vers*, à l'intérieur desquels les syllabes, par définition, deviennent commensurables du fait de leur équivalence métrique; la présence de *rimes* qui permettent de poser des parallélismes entre vers; l'utilisation de *strophes* et de *formes fixes* fondées sur le même principe mais à un niveau de complexité supérieure.

Tout cela contribue à faire du poème une structure à **fonctionnement globalisant**, c'est-à-dire qui intègre et met en relation dans toutes ses dimensions et à tous les niveaux les divers segments constitutifs du texte (sons, morphèmes, groupes rythmiques, hémistiches, vers, ...). Partout on retrouve le principe d'équivalence à partir duquel se tisse un réseau complexe de répétitions, parallélismes, symétries..., capables aussi de faire jouer la différence dans la répétition. Même si la poésie moderne semble s'être libérée des règles traditionnelles de la versification, c'est en réalité qu'elle se donne son propre système de contraintes, lorsqu'elle ne recourt pas à des moules préétablis.

Toutes ces équivalences, et c'est là le propre du langage poétique, jouent simultanément et indissolublement sur le plan du signifié et sur le plan du signifiant : « toute similarité apparente dans le son est évaluée en termes de similarité et/ou de dissimilarité dans le sens » (Jakobson). Pour les besoins de l'exposé nous commencerons par l'étude du signifiant pour finir par celle du signifié. Cela ne doit cependant à aucun moment faire perdre de vue à quel point ils sont indissociables. Tout fait sens dans l'espace du poème, de par les tensions qui se créent entre ses constituants.

1. APPROCHES DU SIGNIFIANT

Saussure place sa réflexion sur le langage dans une visée sémiologique qui lui impose d'intégrer le linguistique dans une science générale des signes (cf. Tome 1, p. 23) : « La linguistique n'est qu'une partie de cette science générale, les lois que découvrira la sémiologie seront applicables à la linguistique, et celle-ci se trouvera ainsi rattachée à un domaine bien défini dans l'ensemble des faits humains » (*Cours*, p. 33). De plus, si le signe est arbitraire, ne peut être dérivé de la chose qu'il désigne, il n'en reste pas moins vrai que le locuteur possède en quelque sorte une « nostalgie » de la saisie directe du monde par la langue. Si l'on revient au triangle sémiotique (cf. Tome 1, p. 118), on voit qu'il traduit bien cette distance entre le signe et le réel.

Le signe peut donc être senti comme une cassure, comme un clivage entre le sens et le sensible, d'autant plus que la double articulation du langage (cf. Tome 1, p. 56) est elle-même sourdement minée par la conscience intime qu'ont les locuteurs du caractère frustrant de cette dichotomie. D'où la recherche possible d'une « archi-écriture » refusant l'inscription de signes arbitraires sur un espace neutre, redonnant toute son épaisseur à l'oralité et à la scripturalité du signifiant : le langage poétique.

Habituellement, lorsque nous percevons un segment de chaîne parlée, nous avons l'impression d'entendre du sens; de même lorsque nous parlons : nous émettons du sens. Le signifiant se fait alors complètement oublier; il intervient comme un moyen et ne récupère en aucune façon son autonomie : « ... la norme du langage quotidien qui est de communication et d'économie, c'est l'effacement de la substance phonique au bénéfice de la signification, la transparence du signifiant. Dans les messages que nous échangeons, même quand ils ne sont pas de simple routine, les sons ne sont pas produits en « remplacement » des idées, ils ne « tiennent lieu » de rien, mais ils sont ce qu'ils signifient » (J. F. Lyotard, *Discours, Figure*, Klincksieck, 1971, p. 79).

Ce nouvel équilibre entre le signifiant et le signifié est fondamental; il nécessite une approche méthodologique différente, dont nous voudrions donner deux exemples, avant même de traiter de la structuration sonore proprement dite.

HOMONYMIE, HOMOGRAPHIE ET SPATIALISATION

Puisque le langage poétique, par nature, tend à rééquilibrer le signe, à redonner valeur au signifiant non seulement sonore mais aussi graphique, il est intéressant d'examiner si le signifiant ne peut pas permettre de déterminer dans le texte une première série de pôles organisateurs (rôle de « matrice de fonctionnement »).

Un court poème de M. Leiris nous servira de première illustration :

MARQUES

A Marc-Aurèle

Lire l'avenir dans le marc de café
Livrer ses amis pour un marc d'argent
Lisser son œsophage avec du marc ancien
Liquéfier un cadavre avec du marc de soude

	signifiant oral	signifiant graphique
MARQUES	[maʀk] ↑	M/A/R/Q/U/E/S
Marc	[maʀk] ⌐	↓ M/A/R/C ⌉
marc	[maʀ]	↓ M/A/R/C ⌋

Ce que manifeste ce texte, avant même toute saisie du sens, c'est le caractère complémentaire de l'homonymie et de l'homographie (cf. Tome 1, p. 120). *Marques* et *marc* sont certes des *paronymes* (mots de sens différent mais de signifiants voisins), mais le rapport sémantique qui les unit dans le texte est probablement trop étroit pour que le poème n'offre que cette proximité sonore et graphique. *Marc-Aurèle* (segment que sa situation spatiale de dédicace, purement fonctionnelle, met en valeur) constitue le relais indispensable, stabilise une matrice de fonctionnement qui, au moment où elle affirme son existence sensible, participe à la structuration du sens.

Mais cette structuration ne se fait pas dans un espace imaginaire; elle établit une relation verticale entre des éléments (*Marques / Marc / marc*) qui, dans le même temps, sont sentis disposés parallèlement à une autre organisation verticale : les attaques en [li], dont la présence est surdéterminée par l'emploi systématique de la majuscule en début de vers (que M. Leiris n'emploie à cette place que très rarement, c'est-à-dire sélectivement).

Cette configuration de signes réinsérés dans le monde sensible ouvre dans le poème une voie d'accès à deux objets indissolublement liés : un *objet de signification* où les signifiés sont essentiellement structurés les uns par rapport aux autres grâce aux hiérarchies imposées par la syntaxe, et un *objet de signifiance* où les sons, les graphèmes, les blancs, les caractères romains et italiques, les majuscules, la disposition des unités linguistiques sur la page, sollicitent directement la perception. En d'autres termes se manifesterait ici ouvertement l'obligation de lire le message poétique à trois niveaux :

— celui de la spatialisation où des exigences et traditions techniques, celles du livre et de l'imprimerie, sont détournées aux fins propres du poème;

— celui du signifiant, oral *et* graphique;

— celui du signifié.

Et sur ce point, la méthode structurale, appliquée à la poétique, est particulièrement apte à connecter l'un à l'autre l'organisation des signifiés et l'ordre spatio-temporel sensible.

Voici un autre exemple montrant comment l'homonymie et/ou l'homographie inscrites sur la page peuvent parfois constituer une première approche de l'objet poétique.

> Là où la terre s'achève
> levée au plus près de l'air
> (dans la lumière où le rêve
> invisible de Dieu erre)
>
> entre pierre et songerie
>
> cette neige : hermine enfuie

(Ph. Jaccottet. *Fin d'hiver*)

Ce poème propose au premier abord une forme (4 vers / 1 vers / 1 vers) où les inscriptions graphiques, et en particulier la ponctuation, puisqu'elle est sélective, semblent devoir jouer un rôle. Une lecture cursive du signifié se révélant peu productive, l'attention du décodeur se porte inévitablement sur une homonymie : *air* vs *erre*, focalisée par la mise à la rime. Ce qui conduit à une mise en relation des lexèmes se terminant par [εʀ] : *terre, air, lumière, erre, pierre*, d'autant plus que quatre d'entre eux appartiennent directement ou indirectement au champ lexical des « éléments naturels ». L'homonymie *air/erre* ne met pas seulement en valeur le groupe [εʀ] en position accentuée, elle contribue aussi à le sélectionner dans le reste du texte et en particulier après les deux-points, qui deviennent alors le signe indiquant le lieu où « éclate » le mot *hermine*, qui associe en lui les éléments sonores jouant un rôle majeur dans la structuration (signifiant *et* signifié) du texte et peut-être du recueil, par le biais du titre (Fin d'hiver → [i]/[vεʀ]).

cette neige ⟵ : her/mine ⟶ enfuie
  [ε] [ε]   [ε] [i]   [i]

119

Comme le dit D. Delas dans une étude particulièrement pertinente de ce poème : « Il est alors inévitable que les deux mots, les deux formes libres s'identifiant totalement à cette unité dominante ([ɛʀ]) soient désignés, parce que linguistiquement dotés d'une autonomie immédiate, comme embrayeurs de signifiance : *air* et *erre* » (*Poétique/pratique*. CEDIC, 1977).

Le poème ne s'identifie plus seulement à une méditation suscitée par les frontières diffuses de la terre et du ciel à une époque de l'année ou s'interpénètrent les saisons. Il manifeste la possibilité de construire un *objet linguistique* qui dit à son niveau ce que proposait le monde extérieur ; il offre, à partir de ses propres matériaux (*air* et *erre* sont à la fois différents et proches), un homologue du référent, un type particulier de **figure**.

La relation homonymique permet de faire s'interpénétrer signifiant et signifié ; elle rend perceptible, dans l'univers du langage poétique, les liens insoupçonnés de certains lexèmes inscrits autrement dans les réseaux de la langue.

LA STRUCTURATION SONORE

Une méthode s'appuyant essentiellement sur l'opposition voyelle/consonne et sur la classification en traits distinctifs (cf. tome 1, p. 97), bien que relativement facile à construire, conduit naturellement à des mises en rapport hasardeuses puisque l'analyse de la substance sonore y est profondément soumise à celle de la *forme* (cf. tome 1, p. 61), dans une perspective où la phonologie l'emporte sur la phonétique.

En fait, chaque poème se présente avant tout comme un *continuum sonore* où une part importante du message poétique est supporté, non pas par la valeur différentielle des *phonèmes* (perspective phonologique), mais par une organisation originale de la qualité acoustique des *sons* (perspective phonétique).

C'est pourquoi les ultimes travaux de P. Delattre (cf. Tome 1, p. 108) sur le vocalisme, le consonantisme et le substrat acoustique des traits distinctifs garantissent une plus grande sécurité dans l'approche de la structuration du matériau sonore. Le poéticien doit en effet constamment se demander dans quelle mesure les résultats obtenus en laboratoire par l'analyse et la synthèse permettent de mieux déterminer le rôle que jouera tel ou tel son dans le fonctionnement globalisant d'un poème. Rappelons, par exemple, (cf. Tome 1, p. 91) le cas des voyelles nasales. Puisque l'un des éléments du doublet acoustique propre à toute voyelle est affaibli dans celles-ci, on est autorisé à y voir un fait essentiel : l'*effacement des sonorités orales correspondantes*, qu'il ne s'agit pas d'associer immédiatement à la brume ou à la tristesse, comme le fait un certain stéréotype socio-culturel, mais d'interpréter au sein d'un type particulier de mise en rapport.

Les recherches en phonétique instrumentale permettent de mieux préciser le concept de **structuration sonore**. La lecture de radiographies prises durant l'acte articulatoire prouve que des différences considérables provenant soit de l'environnement consonantique, soit de la configuration individuelle du palais, soit du sexe et de l'âge, affectent la prononciation d'une même voyelle par des locuteurs différents. Néanmoins un auditeur n'éprouve aucune difficulté, dans des conditions normales de communication, à identifier le son que l'émetteur a voulu prononcer. On en déduit que la *relation entre les formants* (cf. Tome 1, p. 88), plus que les valeurs absolues des fréquences, est déterminante pour la reconnaissance. En quelque sorte, le décodeur, après avoir entendu un locuteur prononcer quelques mots, ajuste automatiquement son interprétation des fréquences des formants aux caractéristiques acoustiques des énoncés émis par ce locuteur. Seul un changement très important de la fréquence du fondamental (cf. Tome 1, p. 74) risquerait d'entraîner de réelles confusions.

Ce principe de l'adaptation fonctionnelle, expérimentalement avéré, a un rapport étroit avec la situation à laquelle se trouve confronté le poéticien : d'un côté, tout texte est source de réalisations acoustiques infinies (les lectures possibles), d'un autre côté, il est une structure irréductible, qui suppose une lecture idéale. Nous en déduisons que le décodeur doit appréhender le poème comme un objet sonore où les « valeurs » propres à chaque son importent moins que la prise en compte des relations permettant de l'inscrire dans une structure originale. Le texte poétique est le résultat d'une interaction entre les contraintes absolues qu'impose la langue en tant que code et celles, particulières, qu'impose chaque œuvre.

Le message poétique, puisqu'il est rééquilibration des rapports du signifiant et du signifié, met à contribution les facteurs acoustiques dans leur intégrité. Sans jamais oublier qu'il s'agit avant tout d'une *combinatoire* de sons (ce qui exclut d'analyser chaque son individuellement), le poéticien doit donc essayer de repérer les *relations sonores pertinentes* et de reconstituer grâce à elles ce que nous appellerons la texture sonore du poème. La langue est bien une musique dont les variations peuvent être infinies du fait du grand nombre de paramètres entrant dans la composition des voyelles et des consonnes; intervient aussi l'influence capitale du rythme et de l'intonation (cf. *infra*, p. 127).

STRUCTURATION SONORE ET MÉTHODOLOGIE DU DÉCODAGE

Nous allons considérer une strophe de Verlaine soumise à de nombreux « commentaires stylistiques », pour tenter de montrer qu'une analyse fondée sur l'acoustique apporte au décodage une rigueur toute particulière. Celui-ci comprendra quatre phrases, dont l'ordre de succession est pertinent. Nous estimons nécessaire cette méthode, quelle que soit l'évidence de l'impression subjective première.

Il pleúre dans mon cœur,	1
Comme il pleút sur la ville	2
Quelle eśt cette langueúr	3
Qui pénétre mon cœúr ?	4

1ʳᵉ Phase : *Décodage des voyelles sous l'accent.*

Commencer par le matériau vocalique n'a rien de surprenant; en effet, en français, le sommet d'une syllabe est constitué par la voyelle, qui se traduit en termes d'acoustique par une phase de stabilité. Ce sommet est beaucoup plus nettement perçu que les creux qui l'entourent. L'accent augmente la durée de cette phase de stabilité (durée qui, à son tour, peut être prolongée par le contexte sonore), il est pertinent de supposer que dans la réception du message poétique, l'oreille sera essentiellement sensibilisée à la structuration vocalique sous l'accent, si elle existe. En tout état de cause, s'apercevoir qu'une telle structuration n'existe pas dans un poème n'est pas une perte de temps, d'autant plus que cette constatation porte sur un élément que l'on estimait intuitivement fondamental.

1	[œ]	[œ]
2	[ø]	[i]
3	[ɛ]	[œ]
4	[ɛ]	[œ]

Les vers 1, 3 et 4 connaissent des rapports très étroits puisqu'à la répétition du son [œ] s'ajoute, aux vers 3 et 4, une organisation dans une même série acoustique (cf. tome 1, p. 91) marquant à chaque fois le passage de l'aigu au grave. Le vers 2, pour l'instant, semble échapper au modèle.

2ᵉ Phase : *Décodage de la totalité des voyelles.*

A ce point, il s'agit surtout d'examiner si les voyelles, dans leur succession *et* leurs agencements, entretiennent des rapports qui confirment ou infirment ce qui semblait se dessiner dans l'examen précédent des voyelles sous l'accent.

$$\begin{array}{l}
\text{[i] [œ́] [ə] [ã̃] [ɔ̃] [œ́]}_1 \\
\text{[ɔ] [i] [ǿ] [y] [a] [í]}_2 \\
\text{[ɛ] [ɛ́] [ɛ] [ə] [ã̃] [œ́]}_3 \\
\text{[i] [e] [ɛ́] [ə] [ɔ̃] [œ́]}_4
\end{array}$$

Le *pattern* se précise. La technique de décodage, qui tente de *hiérarchiser* les connexions pertinentes, montre bien que le vers 1 ne se réduit pas à une annonce redoublée de la voyelle [œ], qui servira de thème acoustique à la strophe; ce vers préfigure d'une façon précise ce que sera la distribution des voyelles dans les vers 3 et 4, il leur sert en quelque sorte de *matrice sonore*. Quant au vers 2, qui échappe bien au modèle fondamental ([ɛ] ou [œ] n'y sont pas représentés), il paraît entrer en relation secondaire avec V1 et V4 puisque la voyelle à la rime [i] (annoncée par le [i] en deuxième position) se retrouve à l'attaque de ceux-ci.

3ᵉ Phase : *Décodage des syllabes sous l'accent.*

Le poète français, tout en revendiquant la nécessité d'une certaine liberté, crée en fonction d'un *nombre syllabique* (l'alexandrin est essentiellement un vers de 12 syllabes, par exemple) dont il espère la reconnaissance par les locuteurs de sa propre culture. Ceci admis, quels sont les faits physiques qui concrétisent cette unité fonctionnelle qu'est la syllabe, dont l'émetteur et le récepteur admettent spontanément la réalité? Ils sont certainement nombreux et concomitants mais les recherches en laboratoire les plus récentes montrent bien que la cohésion plus ou moins étroite entre voyelle et consonne (s) constitue l'un des paramètres décisifs de sa reconnaissance. Ce que B. Malmberg résume parfaitement ainsi : « Les consonnes sont formées à l'intérieur de la caisse de résonance formée par la voyelle-noyau de la syllabe. On pourrait donc dire que la syllabe cesse là où son timbre vocalique cesse d'agir et qu'elle commence avec celui-ci » (*Manuel de phonétique générale*, Picard, 1974). Il nous paraît donc pertinent de consacrer un temps de la méthode à l'examen des syllabes organisées autour des voyelles dont la structuration accentuelle du poème contribue à renforcer l'influence acoustique.

$$
\begin{array}{ll}
\text{[plœ]} & \text{[kœːʀ]}_1 \\
\text{[plø]} & \text{[vil]}_2 \\
\text{[lɛ]} & \text{[gœːʀ]}_3 \\
\text{[nɛ]} & \text{[kœːʀ]}_4
\end{array}
$$

Les faits indiqués précédemment se confirment :

— A la rime de V1, V3, V4, un [ʀ] final contribue à mieux faire entendre la voyelle-thème (allongement combinatoire, cf. Tome 1, p. 83). D'autre part [k] et [g] n'ont qu'un seul trait distinctif d'écart (sourde vs sonore) et, en tant qu'occlusives palatales, entrent en accord acoustique avec la voyelle dont ils subissent l'influence (cf. Tome 1, p. 92). Objectivement, la forte cohésion de V1, V3 et V4 est désormais démontrée.

— Les connexions de V2 avec V1 et V4 se précisent essentiellement pour V2/V1, du fait de la reprise du groupe [pl].

4ᵉ Phase : *Décodage de la totalité des syllabes.*

La dernière phase de la méthode, qui tente de reconstituer la *texture sonore* en préservant attentivement les hiérarchies précédemment dégagées, permet d'équilibrer définitivement le décodage.

$$[\text{il}]\ [\text{plœ}][\text{Rə}][\text{dɑ̃}][\text{mɔ̃}][\text{kœ:R}]_1$$
$$[\text{kɔ}]\ [\text{mil}]\ [\text{plɸ}][\text{syR}][\text{la}]\ [\text{vil}]\ _2$$
$$[\text{kɛ}][\text{lé}][\text{sɛ}][\text{tə}][\text{lɑ̃}][\text{gœ:R}]_3$$
$$[\text{ki}][\text{pe}][\text{né}][\text{tRə}][\text{mɔ̃}][\text{kœ:R}]_4$$

Par sa consonne d'attaque [k] et la consonne finale de sa rime [l], V2, qui n'en constitue pas moins un relatif « îlot » phonique au sein d'une strophe autrement très homogène, confirme en partie ses relations avec les autres vers.

Cette analyse en 4 phases permet de proposer le schéma récapitulatif suivant :

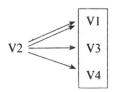

Ce schéma, évidemment, devrait être confirmé par les autres décodages; il faut en effet bien garder présent à l'esprit que l'examen de l'aspect sonore du poème ne peut en aucun cas être dissocié de l'analyse de son fonctionnement sémantique et syntaxique. Le poème intègre parfaitement tous ces plans. C'est ainsi que dans cette strophe, l'isolement de V2 correspond sur le plan sémantique à l'opposition : *monde extérieur* vs *monde intérieur*, et sur le plan syntaxique à une comparative dépendant de V1.

La méthode que nous venons de proposer n'a pas la prétention d'épuiser la matière sonore offerte par un texte. Elle a surtout pour finalité de hiérarchiser les niveaux de l'observation en s'appuyant essentiellement sur les acquis de l'acoustique.

Toutefois, il est certain que l'avance des recherches ne permettra jamais de justifier des commentaires (par exemple : « [ɛ] introduit ici encore une sensation de blessure ») où des méthodes, dites structurales, conduisent à associer brutalement des sons et des signifiés qui sont supportés en réalité par les lexèmes (*pénètre*), ou par la structure syntaxique (tour interrogatif + présence implicite du *je* dans *mon*, vers 4).

Choisir Verlaine, diront certains, c'est se référer à des textes déjà reconnus comme « musicalement structurés ».

Nous prendrons donc comme second corpus le début d'un poème de Mallarmé qui a suscité des exégèses où apparaissent très peu des analyses de sa musicalité. Renonçant à nous demander si la « dentelle » est contre la fenêtre ou autour du lit, nous préférerons nous attacher à un examen, peut-être improductif, d'une structuration que le texte lui-même semble charger d'ambiguïté (*doute du Jeu*).

Une dentelle s'abolit

Dans le doute du Jeu suprême

A n'entr'ouvrir comme un blasphème

Qu'absence éternelle de lit.

Le décodage des voyelles sous l'accent

1	2	3	4	5	6	7	8
			[ɛ]			→	[i]
	[u]				[ɸ]		[ɛ]
		[i]				→	[ɛ]
[ɑ̃]			[ɛ]			→	[i]

ne montre pas de véritable intégration sonore (qui, pour nous, passe par la présence de séries acoustiques) mais semble proposer deux thèmes vocaliques organisateurs [i] et [ɛ], ébauche d'une structuration qui n'apparaît pas dans le vers 2.

L'ensemble des voyelles

1	2	3	4	5	6	7	8
y	ə	ɑ̃	ɛ́	ə	a	ɔ	i
ɑ̃	ə	ú	ə	y	ɸ	y	ɛ́
a	ɑ̃	u	i	ɔ	œ	a	ɛ́
a	ɑ̃́	e	ɛ	ɛ́	ə	ə	i

centre l'attention non seulement sur ce qui constitue « l'attaque » de chaque vers (matérialisation de l'« effet de voile », cf. Tome 1, p. 91), mais aussi sur l'un d'entre eux, le quatrième, qui, surtout si l'on considère que les [ə] constituent par nature des zones transitionnelles, est essentiellement composé des voyelles organisatrices : [a], [ɑ̃] et [i], [ɛ].

Les syllabes sous l'accent

1	2	3	4	5	6	7	8
		[du]	[tɛ]		[ʒø]		[li]
							[pʀɛm]
			[vʀiʀ]				[fɛm]
	[sɑ̃]			[nɛ]			[li]

ne permettent guère de préciser notre réflexion; il est pourtant à remarquer que la rime du V4 *s'identifie à un lexème*, fait dont on ne saurait méconnaître l'importance lorsque l'on étudie l'interpénétration essentielle du signifiant et du signifié dans le langage poétique.

La dernière phase de l'analyse

1	2	3	4	5	6	7	8
y	nə	d̲ɑ̃	tɛ	lə	sa	bɔ	l̲i
d̲ɑ̃	lə	d̲u	tə	d̲y	ʒø	sy	pʀɛm
a	nɑ̃	tʀu	vʀiʀ	kɔ	mœ̃	blas	fɛm
kap	sɑ̃	se	t̲ɛʀ	nɛ	l̲e	d̲e	l̲i

montre que lorsque l'organisation vocalique participe à la structuration sonore du poème, le consonantisme tend à jouer un rôle structural de renforcement : V4 est entendu comme une reprise (vocalique et consonantique) de ce qui a précédé.

Mais plus fondamental est le traitement que la distribution phonétique fait subir au mot *dentelle* :

$$\boxed{[\text{dɑ̃}]}\ [\text{tɛ}]\ \vdots[\text{lə}]\vdots$$

<table>
<tr><td>1</td><td></td><td>2</td><td></td><td>3</td><td></td></tr>
<tr><td>[dɑ̃]</td><td>[lə]</td><td>[du]</td><td>[tə]</td><td>[dy]</td><td></td></tr>
<tr><td>aigu</td><td>grave</td><td>aigu</td><td>grave</td><td>aigu</td><td>aigu</td></tr>
<tr><td></td><td>et</td><td></td><td></td><td></td><td></td></tr>
<tr><td></td><td>voilé</td><td></td><td></td><td></td><td></td></tr>
<tr><td colspan="2">fortement contrasté</td><td colspan="2">contrasté</td><td colspan="2">non contrasté</td></tr>
<tr><td colspan="2">1</td><td colspan="2">2</td><td colspan="2">3</td></tr>
</table>

126

Ce lexème non seulement *éclate* sur la page en s'effaçant en partie (disparition du [ɛ] et annulation des contrastes) mais voit sa substance sonore dispersée dans le dernier vers :

kap s $\overline{ɑ}$ se $\boxed{tɛ}$ ʀ nɛ $\boxed{lə}$ $\boxed{d}$ə li

Seule une méthode progressive, même si elle paraît lourde à manier, permet de situer où se concentre la structuration sonore et en fonction de quel autre paramètre linguistique elle se construit. Ici, ce que nous voyons se manifester, c'est le travail sur le MOT qui « présente, dans ses voyelles et ses diphtongues, comme une chair; et dans ses consonnes, comme une ossature délicate à disséquer » (Mallarmé, *Les Mots Anglais*).

Tous les poèmes ne sont donc pas identiquement réceptifs à un décodage sonore. En effet, selon les textes et les auteurs, l'essentiel de l'organisation d'une œuvre poétique repose sur tel ou tel plan linguistique : vocalisme, consonantisme, syntaxe, mot, réseau lexématique... Autant dire que les différentes approches auront une productivité variable suivant les cas. Il ne s'agit cependant là que d'un phénomène de *dominance* d'une ou plusieurs de ces instances sur les autres; le poème les intègre toutes et ne peut en négliger totalement aucune, sauf dans certains « textes-limites ».

LA STRUCTURATION RYTHMIQUE

Un message, même s'il n'est pas versifié, peut être structuré de façon à ce qu'un mot placé à l'intérieur d'un groupe rythmique (cf. tome 1, p. 102), et de ce fait en principe partiellement désaccentué, soit néanmoins perçu comme porteur d'un accent. Ce phénomène est si pertinent que l'on a vérifié dans de nombreuses expériences que des auditeurs, mis en présence d'un certain message acoustique, étaient parfaitement capables, soit de rétablir mentalement un accent attendu mais non réalisé, soit de négliger certains facteurs accentuels perçus mais qui ne semblaient pas demandés par le contexte linguistique.

Si l'on prend, par exemple, cette phrase de Proust : « Dès la première bouchée, aux premières notes, sur un simple billet, elle avait la prétention de savoir si elle avait affaire à une bonne cuisinière, à un vrai musicien, à une femme bien élevée », il est certain que tout auditeur, quelle que soit la réalisation offerte à son oreille, aura tendance à prêter mentalement un accent au mot *affaire*. Pourquoi? Tout simplement parce que la structuration ternaire initiale, fortement prégnante, sera spontanément recréée dans la partie finale où elle se trouve d'ailleurs suggérée par la répétition de *à*, procédé soigneusement évité à l'attaque de la phrase où la démarcation des unités se suffit à elle-même.

C'est là l'un des traits les plus caractéristiques des énoncés sentis comme rythmés. Mais, pour ce faire, le poète connaît une situation privilégiée. Il lui est en effet possible de mettre en œuvre simultanément deux structurations rythmiques différentes : d'un côté, celle de la langue, où la désaccentuation est plus ou moins marquée, et d'un autre, celle proposée par l'organisation métrique (le **mètre** étant un type de vers défini par un nombre fixe de syllabes et des contraintes sur le nombre et la place des accents). Cette métrique elle-même, selon la distinction pertinente de P. Guiraud (1970, p. 64), « comporte une *grammaire*, c'est-à-dire un inventaire des formes métriquement pertinentes et de leurs règles d'emploi et qui définit les contraintes auxquelles le poète est assujetti, » ainsi qu'« une *rhétorique*... des effets métriques librement réalisés en contexte dans les limites de la règle », rhétorique qui rappelle que le poète dispose d'un certain nombre de choix à l'intérieur du cadre contraignant.

• Essayons de préciser les caractères fondamentaux de cette *grammaire métrique* du français. On peut dire que dans notre langue, « le grand vers traditionnel » est un segment métrique essentiellement défini par le **nombre syllabique** (ou le nombre de *voyelles métriques*, si l'on estime qu'il est dangereux d'introduire dans cette problématique la notion de syllabe), la **césure** et la **rime,** qui constituent des frontières de distribution, et un **prérythme** qui marque d'un accent chacune des syllabes (ou des voyelles) dans cette position de frontière. J. C. Milner a montré qu'en général la frontière entre deux segments métriques est *au moins* une frontière entre mots lexicaux. De ce fait, l'alexandrin ordinaire ne peut avoir de césure (voyelle en position 6) au milieu d'un mot, ce qui s'explique en grande partie par la volonté de ménager dans le vers un point (deux avec la rime) de concordance entre le rythme de la langue et le prérythme propre à un type donné de vers.

Alexandrin v v v v v v́ | v v v v v v́

frontière { de distribution
{ de mot

Mais, puisque le français ne saurait être réellement classé dans les langues à accent de mot, il est évident que cette concordance est très insuffisante (cf. le *au moins* de Milner) et qu'une frontière définie par les groupes syntaxiques, limite à respecter ou non, tend constamment à s'installer « idéalement » à la césure et à la rime, d'où les prescriptions des théoriciens du vers conseillant de ne pas séparer en ces lieux le substantif de son qualificatif, le verbe de son complément, etc.

Toute une série d'anomalies (dont il reste à établir la hiérarchie) sont donc offertes au poète pour lui permettre de souligner par le prérythme :

— soit un mot plus ou moins désaccentué en fonction de sa situation dans le syntagme,

— soit un mot habituellement inaccentué dans le code,

— soit une syllabe qui, théoriquement, ne puisse porter l'accent, c'est-à-dire ne soit pas la dernière du mot.

Signalons à ce propos que de nombreux vers semblent pouvoir conduire à l'idée que, dans les deux premiers cas, on soit le plus souvent amené, grâce à cette structuration, à associer dans l'analyse conjonction et disjonction sémantique; ce qui est beaucoup plus difficile dans la prose.

> Quand l'ombre menaça de la fatale loi
> Tel vieux Rêve, désir | et mal de mes vertèbres,
>
> ...∕...

Au début de ce sonnet de Mallarmé, *désir* est associé à *mal* par la syntaxe mais retrouve son indépendance sémantique par l'utilisation contrastive du prérythme propre à l'alexandrin.

● Quant à la *rhétorique* du rythme poétique, elle explique comment jouer avec les accents de la langue à l'intérieur de chaque hémistiche défini par la césure. L'alexandrin classique, en ce qui le concerne, a été longtemps considéré comme un tétramètre (un mètre divisé en quatre segments) essentiellement parce que les six syllabes contenues dans chacun des hémistiches favorisent l'apparition d'*un* accent libre dans l'une et l'autre partie du vers.

> Le temple enseveli // divulgue par la bouche
>
> ...∕... (Mallarmé)

● A partir de ces données un certain nombre de poéticiens, dont en particulier Grammont, ont bâti une théorie visant à expliquer comment cette structuration aboutissait à la mise en valeur du mot par une série d'allongements et de ralentissements compensatoires. Les deux « mesures » contenues dans chaque hémistiche de l'alexandrin ayant tendance à occuper des temps égaux, Baudelaire encoderait par exemple le rythme suivant :

> ... Ai ment é ga le ment /, dans leur mû re sai son, ...

(— = longue; ‿ = brève)

pour assurer la perception du sémantisme et de la sonorité du verbe *aimer* ainsi que celle du rejet du complément *les chats* au début du vers suivant.

Ce raisonnement n'est pas à rejeter entièrement dans la mesure où il essaie de donner la clef d'un fonctionnement globalisant. Il nous paraît pourtant critiquable à plusieurs titres. Il met tout d'abord en cause l'un des principes fondamentaux de la chaîne parlée du français que l'on nomme habituellement *surarticulation* (tendance à prononcer avec une constante netteté toutes les syllabes). Comment admettre qu'une langue où l'intégrité de la syllabe est indiscutable puisse subir de telles distorsions dans un type particulier de message? « Il faut... expliquer par la tension musculaire le rythme si particulier de la chaîne parlée française, rythme produit par la presque égalité des syllabes qui se succèdent » (Delattre, 1966, p. 10).

Mais encore plus discutable est la conception rythmique qui sous-tend cette argumentation. Elle suppose en effet que le rythme est compris comme le retour d'accents à des intervalles de temps relativement égaux, ce qui est ignorer que le rythme est un mouvement ordonné et que mesures et syllabes n'existent pas en elles-mêmes, mais comme le résultat d'un certain *pattern rythmique*. Ce qui importe, ce n'est donc pas tant la perception des éléments constitutifs du rythme que celle de *la forme qui les organise*. Le retour (ou le non-retour) *d'ensembles* comportant divers accents plus ou moins marqués disposés dans un certain ordre constitue la véritable structuration rythmique des poèmes. Autrement dit, c'est sur la toile de fond formée par la récurrence des syllabes accentuées que se combinent et se superposent des ensembles rythmiques plus complexes et plus larges.

1 Au-dessus des étangs, au-dessus des vallées,

2 Des montagnes, des bois, des nuages, des mers,

3 Par delà le soleil, par delà les éthers,

4 Par delà les confins des sphères étoilées, ...

(Baudelaire. *Élévation*)

La structuration rythmique des trois premiers vers de cette strophe fait attendre au quatrième une combinaison accentuelle

$$ -\ -\ \underset{}{''}\ -\ -\ \underset{}{''}\ -\ -\ \underset{}{''}\ -\ -\ \underset{}{''} $$

identique à celle du deuxième puisque V3 a repris V1. La répétition de *Par delà* déçoit cette attente mais projette sur le reste du vers une organisation virtuelle née de la distribution des accents dans V1 et V3 :

$$ -\ -\ \underset{}{'}\ -\ -\ \underset{}{''}\ -\ -\ \underset{}{'}\ -\ -\ \underset{}{''} $$

Cette organisation, à son tour, ne se réalise pas puisque *confins*, bien que situé également à la césure, est soumis à une désaccentuation partielle, et ne saurait occuper exactement le même rang que *étangs* et *soleil* dans la hiérarchie accentuelle, ce que confirme la présence des virgules.

Naturellement, la mise en valeur de ce jeu contrastif entre rythme de la langue et prérythme du vers privilégie les rapports de la syntaxe avec l'accentuation et risque de faire oublier les autres paramètres d'un fonctionnement essentiellement globalisant. On ne saurait négliger encore une fois que les récurrences sonores, vocaliques et consonantiques, peuvent participer à la structuration rythmique. C'est ainsi que le décodage proposé par J. Roubaud du vers suivant (in *Langue française* 23) :

la fleur qui plaisait tant à mon cœur désolé

fausse en partie la perception rythmique d'un segment métrique où le mot *cœur* tend à retrouver un accent plein du fait de la reprise sonore *fleur* → *cœur* → [œːʀ].

Reste à préciser la double finalité de cette structuration rythmique dont nous avons essayé de définir le fonctionnement. Globalement, elle apporte certainement au texte un signifié qui lui est propre, mais réduit. Son deuxième rôle est beaucoup plus évident. Il consiste à rendre visible le fonctionnement des autres niveaux du texte : sonorités (comme nous l'avons indiqué, les voyelles sous l'accent sont à l'origine de la structuration sonore), sémantique, syntaxe.

Cette conception a pour mérite de faire accéder très rapidement au fonctionnement globalisant du texte, clef de toute réflexion structurale.

Un pauvre oiseau qui meurt et le goût de la cendre,
Le souvenir d'un œil endormi sur le mur,
Et ce poing douloureux qui menace l'azur
Font au creux de ma main ton visage descendre.

(Jean Genet. *Le Condamné à mort*)

Le quatrième vers de cette strophe, si l'on négligeait la prise en considération des contraintes de la rime, ne s'expliquerait pas uniquement par la volonté de mettre en harmonie le découpage syntaxique et le cadre métrique de l'alexandrin classique (6/6) : * Font descendre ton visage (7) / au creux de ma main (5). Tels qu'ils sont distribués, les mots *font*, *main*, *visage*, *descendre* sont non seulement fortement accentués, puisque les inversions créent des frontières de syntagme, mais aussi proposés dans une *hiérarchie* qui peut permettre de supposer que *descendre* (en principe l'accent à la césure est moins marqué que celui tombant sur la rime puisque la hiérarchie du vers est de rang supérieur à celui de l'hémistiche) constitue l'un des pôles organisateurs de la structuration sémantique, d'autant plus qu'une organisation binaire (/verticalité ↑ /vs/verticalité ↓ /) se dégage immédiatement de la conjonction V3/V4.

En effet, après quatre strophes décrivant ce visage aimé, surgira le « thème » de la sexualité qui, précisément, se développera en fonction du couple sémantique lié à la verticalité que soulignait le rythme du vers que nous avons analysé.

> Ne chante pas ce soir les « Costauds de la Lune ».
> Gamin d'or sois plutôt princesse d'une *tour*
> Rêvant mélancolique à notre pauvre amour;
> Ou sois le mousse blond qui veille à la *grand'hune*.

> Il *descend* vers le soir pour chanter sur le pont
> Parmi les matelots à genoux et nu-tête
> « L'Ave Marie Stella »...

Pour rester fidèle à ce qui est bien pour nous la clef du langage poétique, son fonctionnement globalisant, nous voudrions terminer ce chapitre en soulignant que le modèle rythmique d'un poème, comme tout autre modèle, est pris en considération dans le mouvement de pensée qui cherche à appréhender une forme dans la masse des informations offertes. Dans cette saisie première du texte, il s'agit moins de comprendre le message que de percevoir une série de rapports hiérarchisés. Toutefois, plus la fonction poétique est prégnante, plus l'*interdépendance des niveaux de fonctionnement* est sentie comme première, interdépendance annulant en quelque sorte la notion même de hiérarchie.

LE VERS LIBRE

Dans le vers libre, les blancs sont les signes visibles des moments où seront opérées les réévaluations en chaîne qui donnent au texte son existence temporelle. Certes, dans le vers régulier, les blancs peuvent aussi jouer ce rôle mais, puisque des impératifs extérieurs (choix de l'alexandrin, du décasyllabe, etc.) imposent un compte syllabique toujours identique à lui-même, il leur est interdit de ne pas s'identifier aux temps marqués d'une cadence.

Cette « spatialisation rythmée » des vers libres, à notre connaissance, n'a jamais suscité grand intérêt chez les poéticiens. Pourtant, les psychologues ont mis en évidence le rôle capital de la structuration espace-temps dans l'apprentissage des moyens d'expression; apprendre à lire et à écrire, par exemple, c'est essentiellement maîtriser l'appréhension de l'ordre des éléments dans une structuration dont les deux paramètres, spatial et temporel, sont inséparables.

Le poème en vers libres, surtout contemporain, est donc *vu dans un rythme* avant que d'être *lu dans un rythme*, opération qui n'implique pas dans notre esprit une substitution l'une à l'autre des opérations de perception mais une inversion de leur ordre d'apparition qui n'est pas sans provoquer des modifications importantes de l'équilibre final.

Cela étant admis, il n'en reste pas moins vrai que le problème des hiérarchies accentuelles, difficilement résolu par le contrepoint des vers réguliers, se pose à nouveau, mais dans des termes nouveaux.

Par l'*hétérométrie* et la valeur donnée au blanc final, signe que « le chiffre intérieur du vers est accompli et que sa vertu est consommée » (Claudel), le vers libre offre en effet à celui qui écrit la possibilité de matérialiser plus librement les structures rythmiques de son énoncé, structures qui, en quelque sorte, participent alors à l'énonciation. Par exemple, une phrase comme celle-ci : *le poème commue la peine en roseau, la pudeur en laurier, le meurtre en perdrix* (M. Deguy), peut être réalisée en trois groupes rythmiques : *le poème commue la peine en roseau/, la pudeur en laurier/, le meurtre en perdrix/*, en quatre : *le poème/ commue la peine en roseau/, la pudeur en laurier/, le meurtre en perdrix/*, et ainsi de suite. Ce qui est certain, c'est que cet énoncé n'aura jamais, dans des conditions normales de réalisation, plus de huit séquences syllabiques terminées par une voyelle accentuée; quant au choix accentuel, il obéit à des focalisations individuelles qui, chez M. Deguy, portent sur la mise en valeur du verbe *commuer* et le parallélisme structurel des syntagmes nominaux ayant la fonction objet. D'où une série de retours à la ligne qui focalisent l'attention sur les choix opérés (*Oui-dire*):

Le poème *commue*
La peine en roseau
La pudeur en laurier
Le meurtre en perdrix

D'un côté, le mot n'est plus condamné à une existence transitoire, « portion mal apaisée de la phrase, [...] tronçon du chemin vers le sens, [...] vestige de l'idée qui passe » (Claudel); il pourra désormais se laisser contempler, devenir signe, signifiant et signifié, clef de l'idée encore mystérieuse, « diamant qui constellera le blanc du papier » (R. Char).

TIERS DE LA MORT

Anneaux concentriques du ciel et de la foule
Zone ombreuse où la chirurgie se prépare
Ceinture des passes qui circonviennent le taureau

à mesure que le cercle se rétrécit
on marche vers le cristal
d'où monte tant d'arôme

Au fond du creuset de l'arène
comme une pierre ridant l'eau
le matador se tient
debout
la sueur à son front découvert
coiffure jetée pour accueillir
la couronne aux nervures d'angoisse

(M. Leiris. *Haut-Mal*)

Il n'est pas nécessaire de commenter en détail le rythme de ce poème pour sentir à quel point le placement de *debout* à la fin du vers précédent (ce qui, en soi, n'a rien d'impossible) détruirait la force sémantique de ce mot qui, dans la spatialité propre au texte, oppose sa [verticalité] à la [circularité] de l'ensemble (*anneaux concentriques, ceinture, circonviennent, cercle, arène, couronne*).

Mais, en même temps, le verbe *se tenir* retrouve l'accent qu'il aurait perdu s'il avait été associé à *debout*, et, par là, sa propre valeur de *localisation*, d'où la double lecture désormais actualisée en texte : *le matador se tient au fond du creuset de l'arène/le matador se tient debout*.

D'un autre côté, le vers-libriste risque constamment de retrouver le compte syllabique auquel il voulait échapper. Dans cet autre poème de M. Leiris

LA CAMBRE

Pampre
branche cabrée
que comblent d'ambre et d'aube
les beaux doigts d'ombre où boit le bois de la Cambre
en croissant grand
gros
haut
en s'ancrant dur
dru
droit

il est certain que le lecteur perçoit non seulement la similitude visuelle des ensembles : *en croissant grand/gros/haut//en s'ancrant dur/dru/droit//*, mais aussi l'identité syllabique qui les associe encore plus étroitement : 4/1/1//4/1/1//. Certes, cette structuration rythmique prégnante, ici, s'oppose par sa rigueur à la structuration diffuse du premier ensemble et prend donc une valeur particulière; il n'en reste pas moins vrai qu'un danger existe, permanent.

Un dernier problème reste à poser. Nous avons vu que, dans un certain type de versification libre, le blanc exerce une fonction démarcative, organise le rythme et justifie en quelque sorte à lui seul le passage à une autre ligne.

Dans cet éclairage, la **rime,** comprise comme élément répétitif où convergent structuration rythmique et structuration sonore, semble perdre toute raison d'exister.

Or un simple regard sur quelques recueils de poésie contemporaine montre bien que cette nouvelle forme de libération, si souvent annoncée comme définitive par les théoriciens, ne se manifeste pas systématiquement, loin de là. Quant à nous, nous pensons qu'il convient, non d'accepter du bout des lèvres des exceptions à la règle, mais de remettre en cause la définition traditionnelle de la rime : « homophonie (identité des sons) de la dernière voyelle accentuée du vers, ainsi que des phonèmes qui, éventuellement, la suivent » (Morier), c'est-à-dire de l'élargir. Comme R. Jakobson le souligna dès 1949, la rime ne saurait être uniquement une structure ornementale surajoutée à une structure syntaxique préalable; elle en est tout au contraire très souvent le *produit*. De même, il est certain que le paramètre sémantique joue un rôle et que, comme l'a montré I. Lotman, la perception de la sonorité n'est pas seulement liée à des facteurs acoustiques mais aussi à la « nature de l'information qui est contenue dans la rime, au sens de la rime » (*La Structure du texte artistique*, Gallimard, 1973, p. 185).

Une problématique tout à fait différente semble donc pouvoir se dégager de ces travaux. Si l'on admet que la rime, c'est-à-dire la dernière syllabe du vers, est le lieu où se nouent des relations syntaxiques, sémantiques, métriques et phonétiques, il est possible de mieux comprendre que le vers libre, en effaçant les impératifs sonores et paradigmatiques qui en limitaient le fonctionnement, a contribué à un renouvellement dont il est impossible d'épuiser la richesse. Un exemple illustrera notre propos :

> De mon logis, pierre après pierre,
> J'endure la démolition.
> Seul sut l'exacte dimension
> Le dévot, d'un soir, de la mort.

> (R. Char. *Sept parcelles du Luberon* in *Retour Amont*)

La rime (V2/V3) en [sjɔ̃], dont le fonctionnement spatial est bloqué par la construction hétérogène de la strophe, ne constitue pas un paramètre secondaire du texte, elle assure la perception d'un couple : *démolition/dimension*, sorte de matrice sonore où seront sélectionnés les éléments phonétiques communs : [d], [m], [s].
Ce qui, par contrecoup, dégage les structurations suivantes :

V2 [d]/[d], m], [s] (j'endure la démolition)
V3 [s], [s]/[d], [m], [s] (seul sut l'exacte dimension)
V4 [d], [d], [s], [d], [m] (le dévot, d'un soir, de la mort).

Le rythme, ici, repose donc sur l'*allitération*, dont la fonction est « effacée » dans la versification régulière. Ce qui, inversement, permet à R. Char d'actualiser autrement le syllabisme propre à notre versification.

Pour conclure, nous voudrions insister sur le fait que le vers libre, pas plus que le vers régulier, ne saurait échapper à une intime cohérence dont la garantie est le fonctionnement globalisant du langage poétique. Sa nouveauté tient ailleurs : dans ce pari, toujours renouvelé, de ne jamais se « figer »; d'où, par contrecoup, le danger de créer des « figures » trop diffuses pour être perçues.

2. APPROCHES DU SIGNIFIÉ

Dans l'acte de communication, les mots sont puisés dans un répertoire de signes qui connaît ses propres lois d'organisation. Ce répertoire (en faisant abstraction des différences individuelles d'apprentissage) constitue une sorte de fond commun à l'émetteur et au récepteur. En même temps, une certaine quantité de signification échappe à cette compréhension immédiate, demande de la part de celui qui reçoit le message un effort d'adaptation, de réceptivité à ce qui se crée en l'instant.

Cette situation profondément ambiguë pourrait être résumée de la façon suivante :

1) le contenu stable du signifié d'un signe (Sé) est formé d'un ensemble de traits distinctifs de signification (cf. tome 1, p. 132)

sémème = /sème 1, sème 2, sème 3, ... sème n/

qui le mettent en relation avec les autres signes de la langue soit par spécification (sèmes servant à la distinction), soit par catégorisation (sèmes indiquant l'appartenance à une même classe : classème) ;

2) quant au contenu « fluctuant » du signifié (que certains, comme B. Pottier, appellent connotatif), il est également actualisé en sèmes mais à l'intérieur d'une situation de communication qui, dans le discours poétique, coïncide avec les frontières du poème.

Les variations du contenu du signifié propres à l'insertion du mot dans un contexte original n'interdisent toutefois pas son inscription dans les réseaux lexicaux de la langue. Par exemple, *cœur à musique* est une expression linguistiquement « nouvelle » mais elle se réfère incontestablement à une série *(N) à musique (kiosque à musique, boîte à musique, ...)*, surgissant plus ou moins spontanément à l'esprit des lecteurs.

De même façon, le vers si commenté de P. Eluard :

La terre est bleue comme une orange

est accepté, en dépit de son degré élevé d'originalité, parce qu'il met en rapport deux lexèmes (*terre-orange*) qui possèdent en langue le sème commun de /sphéricité/, ce qui soutient, avant toute prise en charge par un énoncé, leur association dans une figure qui, selon la rhétorique traditionnelle, est une « comparaison ».

Le poéticien est néanmoins amené à s'interroger sur les possibilités que lui offre une *sémantique de la langue ;* en effet, à l'examen des *textes* sur lesquels se porte son attention, il s'aperçoit que le réseau des relations propres au signifié, dans tel poème, tend toujours à échapper aux grilles d'interprétation que lui proposent les dictionnaires.

Du reste, après avoir établi un tableau du champ conceptuel *aboyer, crier, glousser, miauler* en traits distinctifs (cf. tome 1, p. 127 et 133), tableau qui semble suivre le modèle proposé par les phonologues, B. Pottier, par simple souci d'objectivité, est obligé d'ajouter que la décomposition en sèmes suppose « une situation *banale* de communication (dénotation) ». Par transfert, jeu *sur* les mots, etc., on peut certes obtenir des réponses contraires à celles proposées par la grille sémique mais il s'agira alors de l'actualisation de sèmes connotatifs (cf. tome 1, p. 137). Ceci montre clairement que l'analyse sémantique est profondément dépendante des circonstances de la communication, lesquelles actualisent tel ou tel aspect latent (et donc variable) du signifié d'un lexème.

De plus, se résoudre à opérer sur des textes « clos » sous-entend que l'on tient comme non-linguistiques un certain nombre de facteurs influençant pourtant la réalisation des énoncés, en particulier :

1) ceux qui ont trait aux conditions matérielles, sociales, idéologiques, dans lesquelles le message a été émis;

2) ceux qui sont dus à l'« histoire individuelle » de l'émetteur (influence du milieu familial, acceptation ou refus d'un certain circuit éducationnel, motivations profondes, etc.);

3) ceux qui prennent en compte des données communicationnelles telles que la non-proximité de l'auteur et du lecteur, le caractère unidirectionnel de l'émission (le message ne circule que dans un seul sens), la plus ou moins grande diffusion du support (la revue à faible tirage permet souvent un certain « ton de complicité »).

En réalité, l'énoncé produit est le résultat d'une interaction complexe où jouent l'un sur l'autre un très grand nombre de paramètres.

Dans une approche de la poésie strictement linguistique, seules sont prises en compte les données du texte. Cela permet de supposer que, plus les conditions réelles de production seront neutres, c'est-à-dire indépendantes des facteurs 1, 2 et 3, plus la description fondée sur les structurations de la langue décodera fidèlement les structurations du discours.

Évidemment, il s'agit là d'une idéalisation jamais atteinte; l'intégration des autres paramètres à la réflexion permettrait de mieux approcher la totalité du fonctionnement réel d'un message né d'un faisceau d'interactions. Toutefois, un certain nombre de connaissances solidement établies peuvent être utilisées pour l'approche sémantique du langage poétique, même si ce dernier relève aussi d'une théorie prenant en charge les problèmes de l'énonciation (cf. *supra*, p. 70).

La recherche des structurations sémantiques réalisées en discours impose donc de poser les postulats suivants :

1) tout énoncé propose un sens qui dépend à la fois de l'organisation des signifiés dont les dictionnaires de langue fournissent une image plus ou moins approximative et d'un système de relations original ;

2) pour la poésie, ce réseau connotatif, virtuel, tend à se manifester dans un espace-temps (cf. *supra*, p. 119) où tout est porteur de sens.

LE DISCOURS RÉPÉTÉ

La langue, telle qu'elle se manifeste dans les textes, englobe le « déjà dit », dont les segments, dès qu'ils sont répétés, tendent à se fixer dans la mémoire comme des blocs lexicaux ; d'où l'opposition entre *discours répété* et *technique du discours* (cf. tome 1, p. 114).

Pour plus de clarté, nous préciserons que, dans notre esprit, les segments de discours répété comprennent :

— les unités lexicales proprement dites (ex. : *eau-de-vie*) ;

— les unités phraséologiques à valeur grammaticale, et en particulier celles qui servent à exprimer le superlatif de certains adjectifs (ex. : *il est malin comme un singe*) ou l'intensif de certains verbes (ex. : *dormir à poings fermés*) ;

— les proverbes ;

— les clichés (ex. : *l'aurore aux doigts de rose*) ;

— les phrases figées de la communication servant uniquement à établir ou à garder le contact (ex. : *comment allez-vous?*) ;

— les énoncés connus d'un certain nombre par l'exercice de la lecture (pour exemple, nous pourrions citer ces quelques lignes de P. Mac Orlan dans *Les Poissons morts* pastichant « La Beauté » de Baudelaire, alors qu'il parle de la boue : « *Elle hait le mouvement qui déplace les lignes* et lutte pour *la beauté* en vous immobilisant dans la pesanteur nauséabonde de ses nappes profondes ») ;

— les reprises par un auteur de phrases ou de vers déjà écrits par lui (autre forme d'**intertextualité**).

En principe, les éléments constitutifs de chaque unité de « discours répété » échappent à la structuration du sens dans la mesure où ils ne sont pas commutables. Pour reprendre un exemple fort connu, il est évident que le lexème *poudre* de la locution : *jeter de la poudre aux yeux* ne peut être remplacé par aucun autre terme dans le bloc considéré (cf. tome 1, p. 114).

Or, c'est précisément ce figement des éléments qui va constamment être remis en question dans le message poétique. Quelle que soit l'étendue du bloc, la structuration du texte tendra à redonner une indépendance lexématique, une autonomie sémantique à ses parties constitutives. Nous abordons là un phénomène très caractéristique et très productif, que les poéticiens ont le plus souvent négligé. Peut-être parce qu'ils ont l'impression que ce jeu sur les mots est trop proche des énoncés burlesques et ne s'intègre pas en profondeur au fonctionnement du poème. En fait, cet effort de réactivation aboutit à deux types d'énoncés *de surface* dont le décodage ne saurait être le même.

• Le premier laisse totalement apparent(s) le(s) segment(s) de discours répété. Ce qui implique que, dans un premier temps, l'analyse s'efforcera de prouver qu'il y a bien réactivation des constituants du segment. Ceci étant fait, il sera alors possible de montrer de quelle manière le signifié du segment pris comme un bloc lexical s'articule sur le signifié de chacune de ses parties constitutives.

AU VIF

A cors et à cris.
A toutes brides.
A ras bord.
A tire d'ailes.

A bouche que veux-tu.
A poings fermés.
A pierre fendre.
A chaudes larmes.
A pleines voiles.

Ce poème de M. Leiris propose une première structuration sémantique qui s'appuie sur le sens global de chacun des segments puisqu'ils sont tous des intensifs et possèdent en tant que tels un *sème commun* : celui de /superlativité/, (ce que manifeste visuellement la reprise du A initial). Mais tout l'effort d'écriture vise à réactiver par de multiples procédés les éléments qui les composent. D'où les appels

1) aux verbes spontanément associés à chaque vers
A pierre fendre. → (geler) → /froid/
Ce dernier sème permet de décomposer le vers suivant :
A *chaudes*/larmes

2) à la structuration sonore

A poings/fermés.
A pierre/fendre.

3) à la structuration syllabique grâce à laquelle la deuxième strophe se subdivise en deux sous-ensembles

1-2/3-4-5
1-2/3-4
1-2/3
1-2/3
1-2/3

Toute interprétation sémantique de ce poème passerait obligatoirement par la reconnaissance de l'indépendance accordée à chacun des lexèmes du texte. Y voir un poème érotique, par exemple, conduirait à admettre que *cors* (réécrit *corps*) est autonome sur la page et peut de ce fait être mis en relation avec *bouche*, nom lui aussi isolé au début de la seconde strophe, et à la même place.

• Dans le second type d'énoncé, la réactivation du segment de discours répété passe par une *altération* de ses constituants. Toutefois, le décodage sémantique ne devra jamais oublier que le signifié des segments sousjacents intervient lui aussi dans le sens du texte.

Refrain 1 J'ai l'âme à la vague, j'ai l'âme qui vogue,
      Avide elle drague, c'est comme une drogue.

Refrain 2 J'ai l'âme à la mer, j'ai l'âme à la mort,
(final)   Et je désespère de trouver un port.
         (F. Mallet-Jorris et M. Grisolia)

Le segment de discours répété sous-jacent à l'attaque du refrain 1 (*avoir du vague à l'âme*) exprime évidemment en clair le sentiment de « mélancolie » présent dans la strophe mais sa transformation par l'auteur débouche sur la mise en place de deux pôles organisateurs :

Je-âme//vague.

Le second pôle (*vague*) engendre des **paronomases** (ressemblance des signifiants) successives (*vague → vogue, vague → drague → drogue*, puis par un renfort du signifié *drogue → mort, mort → mer*) pour dire le « désespoir »; ce à quoi contribue aussi le sens d'un autre segment de discours répété sous-jacent : *avoir la mort dans l'âme*, lui-même relayé par *un homme à la mer* (réactivé en *j'ai l'âme à la mer*) qui associe ce désespoir à la noyade.

La réactivation des segments de discours répété (qui se manifeste plus ou moins ouvertement au niveau de la surface du texte) montre déjà à quel

141

point l'approche de la structuration sémantique passe obligatoirement par une méthode dialectique établissant des synthèses entre ce qui appartient au domaine de la *langue* et ce qui relève du *texte*.

LES INTERFÉRENCES LEXICALES

La technique du discours (cf. tome 1, p. 114) qui, théoriquement, fonctionne en synchronie, ne produit pourtant presque jamais un message homogène. Le problème est encore plus vaste si l'on songe qu'à la dimension temporelle de la langue s'ajoute ce que l'on pourrait appeler ses dimensions spatiales, ses aires de distribution. Le langage poétique, qui est tout autre chose qu'un code instrumental, cherche spontanément à exploiter ces *ouvertures* qui, si elles opèrent tout aussi bien au niveau syntaxique qu'au niveau phonologique, sont certainement plus fréquentes dans le domaine lexical.

En utilisant en partie une terminologie créée par L. Flydal, nous distinguerons quatre types de variations pouvant venir rompre l'homogénéité d'un texte :

1) *les interférences diachroniques* dues à la coexistence de termes issus de systèmes lexicaux d'époque différente (ex. : *chef/tête*);

2) *les interférences diatopiques* issues de la combinaison de termes dont les aires d'utilisation ne sont pas les mêmes (ex. : *recteur* en Bretagne/*curé*);

3) *les interférences diastratiques* où intervient la perception contrastée de données lexicologiques à valeur socioculturelle (la langue populaire, par exemple);

4) *les interférences diaphasiques* qui, à l'intérieur d'une même « strate », caractérisent des sous-codes institutionnalisés tels que le « style juridique » (ex. : *legs/héritage*).

• *Les interférences diachroniques*

Elles ont longtemps occupé l'attention des stylisticiens qui cherchaient à analyser la nature des différents *effets de surprise* dus aux archaïsmes. On peut les classifier en fonction de divers critères :

— leur *valeur autonome*, résultant de l'environnement littéraire dans lequel le mot a été prélevé (un mot habituellement rencontré chez Pascal (ex. : *divertissement*) n'évoque pas le même système de référence qu'un mot propre au vocabulaire de Molière);

— leur *fréquence* d'utilisation plus ou moins grande;

— leur *indice de reconnaissance* par le récepteur; ceci concerne aussi bien le degré d'acculturation de celui-ci que l'effet de renforcement dû au recours à un code orthographique dépassé;

— leur *valeur en texte*, c'est-à-dire le contraste plus ou moins grand entre leur valeur archaïque et la teneur du reste du contexte.

Ces interférences consistent à mettre en rapport un *couple synonymique* où l'élément X présent en texte appartient à un état synchronique de langue antérieur à celui de Y, qui est le terme attendu en fonction de l'environnement.

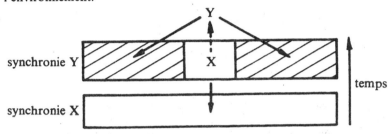

Ce schéma montre pourquoi il ne faut pas assimiler *archaïsme* et *néologisme*, sous prétexte que l'un comme l'autre créent un certain degré d'imprévisibilité dans le décodage de la phrase. Le néologisme, lui, relève de l'analyse d'une seule synchronie.

L'interférence diachronique, en dehors de sa valeur d'« évocation », peut donc trouver sa raison d'être non seulement dans le remplacement ponctuel de Y par X mais aussi dans le fait qu'elle est apte à faire participer au contenu connotatif du poème la synchronie dont elle est issue. D'où une recherche opérant dans deux directions différentes :

— dans quelle mesure le remplacement d'un signifiant par un autre signifiant participe-t-il à la structuration du texte ?

— quelle est la force d'attraction sur le texte de la synchronie propre à l'interférence ?

En dépit de sa complexité, l'approche structurale de l'archaïsme se doit de passer par ce double décodage.

> .../... Léonard de Vinci, miroir profond et sombre,
>   Où des anges charmants, avec un doux souris
>   Tout chargé de mystère, apparaissent à l'ombre
>   Des glaciers et des pins qui ferment leur pays .../...

> (Baudelaire. *Les Phares*)

Quelle fonction faut-il attribuer ici à l'emploi du lexème *souris*, archaïsme à fort indice de reconnaissance si l'on tient compte de l'effet graphique et de l'homonymie (*souris* = sourire/animal), qui, diachroniquement, a d'ailleurs entraîné la désuétude du terme utilisé par

Baudelaire? Se contenter de faire allusion aux nécessités de la rime (étonnamment *pauvre*) pèserait peu, comparé à l'intensité de l'effet de surprise. Plus intéressant déjà serait de remarquer que cette interférence diachronique traduit le sentiment de *distance* (dans le temps comme dans l'espace) que produit l'univers pictural de Vinci. Par l'interférence, le poème, à l'instar du tableau, « se creuse ». Mais la double réactivation du signifiant

1   *Vinci*   *miroir*   *souris*
    [si]   [s] [i]

2   *souris* → homonymie → souris (animal)
                                  ↓
                     sombre/gris/*ombre*

révèle l'homogénéité de la strophe et l'importance d'un sème /gris/ dans un poème où très peu de couleurs sont nommées, bien que l'on y parle de la peinture et des peintres. Quant à la synchronie à laquelle renvoie l'archaïsme *souris*, elle contribue par exemple à réactiver la polysémie du lexème *mystère* qui, à cette époque, faisait plus nettement allusion au « sacré », déjà présent dans le texte (*anges*).

• *Les interférences diatopiques*

E. Coseriu a eu soin de souligner qu'il fallait distinguer *zone linguistique* et *milieu objectif*. La « zone linguistique » désigne la zone géographique où le mot est connu (*mas*, mot méridional, est immédiatement compris de l'ensemble des locuteurs français), alors que l'utilisation du concept de « milieu objectif » sous-entend que l'on songe uniquement au territoire, plus ou moins nettement défini, où le référent fait partie de l'expérience quotidienne. Ceci nous permet de remarquer que l'*effet par évocation* connaît des résonances fort différentes selon que le lexème porteur de cette information fait partie ou non de la zone linguistique où le message est reçu mais rappelle aussi que l'analyse ne peut oublier de prendre en compte les facteurs socioculturels. On voit même des mots « régionaux » passer dans le code littéraire parce qu'un écrivain réputé les a diffusés.

Puisque le message poétique porte en lui une expérimentation des possibilités de la langue, le linguiste doit aussi tenter de replacer les interférences dans le fonctionnement globalisant du texte. Soit ces deux versions d'un même poème de Rimbaud :

1 Loin des oiseaux, des troupeaux, des villageoises,
2 Je buvais, accroupi dans quelque bruyère
3 Entourée de tendres bois de noisetiers,
4 Par un brouillard d'après-midi tiède et vert.

5 Que pouvais-je boire dans cette jeune Oise,
6 Ormeaux sans voix, gazon sans fleurs, ciel couvert.
7 Que tirais-je à la gourde de colocase?
8 Quelque liqueur d'or, fade et qui fait suer.

.../...

(Rimbaud. *Larme*)

1 Loin des oiseaux, des troupeaux, des villageoises,
2 Que buvais-je, à genoux dans cette bruyère
3 Entourée de tendres bois de noisetiers,
4 Dans un brouillard d'après-midi tiède et vert?

5 Que pouvais-je boire dans cette jeune Oise,
6 — Ormeaux sans voix, gazon sans fleurs, ciel couvert! —
7 Boire à ces gourdes jaunes, loin de ma case
8 Chérie? Quelque liqueur d'or qui fait suer.

.../...

(Rimbaud, in *Alchimie du verbe*)

L'interférence diatopique du V7 est nettement plus ressentie comme « exotique » dans le poème intitulé *Larme*, *colocase* possédant un signifié non connu de la majorité des locuteurs de la zone linguistique de réception.

Toutefois, ce qui est perdu dans la seconde version sur le plan de l'exotisme est largement regagné sur celui de la structuration sémantique puisque la reprise de l'adverbe initial *loin* et sa position au voisinage de *case* permettent de mieux faire sentir la « distance » apportée par une double interférence diatopique (*gourdes... case*) désormais mise en valeur dans le texte. De plus, la force du rejet qui suit (ignoré des autres versions du poème) met en valeur le signifiant de la syllabe initiale de V8 [ʃe] qui contribue alors à rappeler par homophonie le mot *chez* (l'étymologiste noterait à juste titre que *case* et *chez* ont la même origine, le mot latin *casa* = « chaumière »). La dissociation de l'interférence diatopique (*gourde de colocase* — *gourdes... case*) a pris valeur; *case*, du fait de son statut diatopique, étymologique, textuel, est bien le mot où l'espace et le temps s'associent étroitement l'un à l'autre.

● *Les interférences diastratiques et diaphasiques*

Le traitement de ces types d'interférences, plus que tout autre, paraît être condamné à déboucher sur des interprétations sociolinguistiques. La complexité des problèmes posés par le repérage de telles données ne doit pas conduire à une prise en compte plus ou moins traditionnelle des

« niveaux de langue » et de la « norme ». Le fonctionnement globalisant du message poétique reste premier; l'essentiel de l'analyse doit montrer comment toute virtualité sémantique joue dans un texte donné.

Dans la strophe

> .../... Le ciel est morose et les gens sont gris
> Certains endormis le pif dans les roses
> Fête bat son plein, printemps rabougris
> Mais qui font vibrer nos aponévroses .../...

(M. Fombeure. Festins)

l'interférence diastratique de V2 (*pif:* « populaire ») pourrait être comprise comme la recherche d'une « évocation » permettant de mieux situer sociologiquement le cadre dans lequel évoluent ceux dont on parle. Plus linguistique, mais encore insuffisante, serait une remarque sur la réduction par cette interférence de l'extension (cf. Tome 1, p. 122) proposée par le lexème à valeur très générique : les *gens;* ces *gens*, grâce à *pif*, sont compris comme « gens du peuple ».

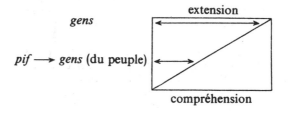

Mais ce qui nous paraît fondamental, c'est de montrer comment, en un lieu textuel précis, l'interférence en question retrouve entièrement son statut de signe (signifié *et* signifiant) et enrichit sémantiquement le vers 1.

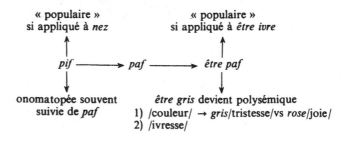

Et c'est maintenant que l'on comprend pourquoi une autre interférence (diaphasique) due à l'apparition d'un mot du vocabulaire médical (*aponévroses*) est ici parfaitement justifiée; elle permet en effet de « lire » dans un même lexème : *névrose* et *rose*, d'y retrouver l'opposition entre la /tristesse/et la/joie/.

Tout texte poétique doit être décodé en fonction de l'« architecture » qui lui est propre. Et c'est là que les interférences lexicales, moyen d'atteindre à une certaine forme de *plurivocité*, jouent un rôle trop souvent ignoré. Elles contribuent en effet à donner aux mots une certaine épaisseur totalement absente de la langue fonctionnelle qui, comme le rappelle justement Coseriu, « a le désavantage de ne correspondre jamais à la totalité du discours d'un sujet parlant quelconque. » Est-il possible, dans ces conditions, de structurer sémantiquement un texte? Certes, si l'on admet que des lectures multiples peuvent s'articuler l'une sur l'autre sans jamais s'éliminer. Ce qui conduit à une forme de description « plurielle », caractéristique du discours sur le poétique.

LA STRUCTURATION DU LEXIQUE

Après avoir indiqué comment le langage poétique a tendance à *revaloriser* dans son fonctionnement globalisant un certain nombre de contraintes lexicales inscrites dans la langue, il convient de préciser dans quelle mesure ce langage exploite les possibilités de structuration offertes par la formation même des mots.

En fonction de l'orientation structuraliste de ce manuel (cf. *supra*, p. 25), nous n'envisagerons pas les dérivés et composés comme le résultat d'une transformation mais comme la juxtaposition d'unités morphématiques dont la distribution répond à un certain nombre de lois structurelles.

Ce qui frappe dans l'emploi du dérivé, c'est qu'il propose immédiatement au décodeur une *ébauche de structuration*. Comme le dit P. Guiraud dans *Structures étymologiques du lexique français* (Larousse, 1967, p. 9) : « Le lexicologue (ou le sujet parlant) qui analyse *danseur*, le réfère à une série *chanteur*, *penseur*, *laveur*, etc., c'est-à-dire à un paradigme (cf. tome 1, p. 33) d'où il tire sa signification. Car, disons-le en passant, un tel mot est construit moins par l'adjonction du suffixe que par analogie avec une série de formes qui lui servent de modèle. » Rappelons brièvement ce que sont les affixes : un affixe « constitue un **macro-signe**. *Signe* puisqu'il s'agit de l'association d'un signifié et d'un signifiant; *macro-signe* par opposition au mot (qui serait un *micro-signe*), dans la mesure où le macrosignifiant et le macrosignifié sont communs à un ensemble de signes qu'ils intègrent » dans un paradigme morpho-lexical (Guiraud, *op. cit.*, p. 192).

De cette définition on peut tirer une série de caractéristiques permettant d'opposer le macro-signe au signe : en particulier le macro-signe est motivé, à la différence des monèmes radicaux (cf. *supra*, p. 25). L'une d'elles nous paraît particulièrement opérante dans le domaine de la poétique. Dire en effet que le *macro-signe* est un élément structuré qui comprend un *invariant commun* et une *variable différentielle* (dans l'exemple cité plus haut *eur* est l'invariant, *chant-*, *pens-*, *lav-*, les variables), c'est immédiatement indiquer qu'avant toute prise en considération des unités minimales de sens, des sèmes constitutifs du signifié de chaque mot, le texte connaît de multiples systèmes de relation.

Or, la poésie, du fait même de sa nature spatiale, possède les moyens d'attirer l'attention sur cette mise en rapport. En particulier la rime a pour effet, non seulement de contraindre le poète à penser par séries associatives sonores, mais aussi de lui offrir un lieu où les concordances paradigmatiques sont spontanément visibles.

Le discours poétique peut même aller plus loin en *subvertissant* les découpages qu'opère la langue; dans ce cas, grâce au jeu des équivalences qu'impose la structuration du poème, se produisent des décompositions morphématiques tout à fait imprévisibles. Par exemple, dans *Festins* de Fombeure (cf. *supra*, p. 146), les contraintes de la rime amènent à analyser *rabougris* en *rabou-gris* et *aponévroses* en *aponév-roses*.

De même, cette attaque d'un poème de M. Leiris :

AVARE

M'alléger
me dépouiller

.../...

propose un premier verbe formé d'un préfixe qui marque la /finalité/ (tendre à la légèreté). Cependant le lecteur ne peut oublier une autre série paradigmatique où *a* est un préfixe qui prend valeur de /privatif/ (ex : *agrammatical*). Ceci constitue donc une préparation à la perception de la préfixation du deuxième verbe, qui n'est plus sentie dans notre synchronie mais se trouve ici focalisée par les mises en équivalence des vers 1 et 2.

Pour terminer, nous voudrions insister sur le fait qu'une étude sémantique doit initialement reposer sur l'examen d'un faisceau de micro-systèmes lexicaux pris dans leur complexité, sans que rien n'en soit écarté et sans que soient formulés des jugements *a priori* sur l'importance de quelques termes retenus en vertu de considérations étrangères à l'organisation linguistique du texte.

LA STRUCTURATION SÉMANTIQUE

Lors de l'analyse du sens d'un poème, il faut distinguer d'une part les relations sémantiques que celui-ci institue entre les lexèmes qui le composent, et d'autre part, les prétendues « associations » entre les référents de ces lexèmes. En effet, on ne confondra pas ces rapports hasardeux avec ceux qui structurent « une séquence d'énoncés définis syntaxiquement, et liés sémantiquement » (B. Pottier, 1974, p. 79). Toute chose, certes, tend à être connectée avec n'importe quelle autre qui se trouve habituellement dans le même environnement concret, mais cela ne devrait jamais permettre d'en inférer *directement* une ou plusieurs relations sémantiques. Dire que les *croix* sont spontanément associées aux *cimetières* parce que ceux-ci nous en présentent des « forêts » n'a rien de linguistique en soi et reflète essentiellement une forme de civilisation à laquelle nous sommes accoutumés. Le caractère plus ou moins répandu de telle ou telle association entre deux référents amène souvent à se demander s'il faut en tenir compte dans la description sémantique de chacun d'eux; problème que connaissent bien les lexicographes. Cependant il convient aussi de se rappeler que le texte poétique se libère très facilement de cette forme de contrainte. Et même si les deux mots que nous avons pris comme exemple possèdent en langue un sème en commun (*croix* : gibet fait d'un poteau coupé par une traverse et sur lequel on attachait les criminels pour les faire /mourir/ — *cimetière* : lieu où l'on enterre les /morts/), ce n'est pas un appel à la réalité qui justifiera nécessairement de son actualisation en texte. Tout dépend de l'engendrement du poème, seul pertinent en dernier recours.

De plus, il n'est pas rare de constater que des associations de ce genre se trouvent facilement déplacées dès que l'on compare des états de langue éloignés dans le temps. Affirmer antérieurement à tout examen du contexte que le *sablier* évoque l'*horloge* par la /temporalité/, c'est jouer sur un fait de civilisation historiquement daté, c'est risquer de fonder la structuration sur un relatif anachronisme. N'est-il pas caractéristique que ce même mot, du fait que l'objet n'est plus seulement vu dans son usage mais dans sa forme, puisse désormais entrer aussi dans des processus de métaphorisation liés à l'espace?

Le linguiste qui s'intéresse à des textes clos ne peut donc accepter une prise en considération d'une structuration sémantique extérieure au texte étudié, d'autant plus que celle-ci est d'une nature totalement différente à celle que connait la langue.

On a longtemps soutenu que l'imprécision des structures de la réalité impliquait la relativité des structures linguistiques qui les transcrivent. En réalité, les structurations sémantiques (comme les structurations phonologiques, quoique avec beaucoup moins de rigueur) se définissent dans leurs oppositions et leurs combinaisons et non par les critères fluctuants, reflets des limites indécises que connaissent les phénomènes de la réalité. Pour reprendre un exemple très célèbre, le fait que le passage du *jour* à la *nuit* se fasse par une série de transitions insensibles n'a jamais impliqué que les signifiés des lexèmes *jour* et *nuit* soient imprécis. On serait presque tenté d'affirmer tout au contraire que les difficultés que rencontrent les locuteurs à décrire le réel avec des signifiés parfaitement définis expliquent une série de phrases voisines du type : *Il ne fait pas encore nuit* — *Il fait presque nuit* — *Il fait nuit* — *Il fait nuit noire*. De plus, si structuration du réel et structuration du sémantisme ne peuvent être associés du fait de leur différence de nature, cela ne signifie pas que le message poétique, de par sa fonction de rééquilibrage de la relation signifiant/signifié (cf. *supra*, p. 117) ne puisse chercher à faire dire autre chose que le signifié/obscurité/ au signifiant [nµi].

Dire que les rapports de contiguïté qui définissent certains aspects du réel font attendre un lexème après un autre lexème parce qu'en définitive les suites verbales reflètent la fréquence avec laquelle deux référents sont associés dans la réalité, c'est ignorer que, dans le message poétique, le premier *mot* posé sur la page blanche est une donnée avec laquelle se combinera le *mot* suivant, et ainsi de suite.

SÉMANTISME ET LINÉARITÉ

Dans ses modalités combinatoires, le langage poétique, surtout lorsqu'il est versifié, fait intervenir un paramètre : la *linéarité*, dont on a souvent mal compris le rôle. Les unités de repérage (stophes, vers, syllabes) sont situées les unes par rapport aux autres en fonction d'un AVANT et d'un APRÈS. Il n'est donc pas indifférent, lorsqu'on étudie un texte de poésie, de prendre en compte la succession des unités qui le constituent, c'est-à-dire l'ensemble des termes qui occupent dans le temps des moments voisins mais distincts, de manière à présenter un ordre.

Certes, dans une visée fonctionnelle, il est admis que l'on ne peut repérer ce qui a déterminé le choix d'une unité A en un moment du discours qu'en examinant les unités B, C, D, ... qui auraient pu être utilisées au même endroit. Pour comprendre la valeur de *zoulou* dans un exemple tel que celui-ci : *Dehors nuit Zoulou* (G. Schéhadé), il faudrait donc d'abord se référer à la liste des autres adjectifs ou modifieurs possibles à cette place (*noire, de charbon, nègre, d'ébène*, ...); puis, dans une opération d'analyse paradigmatique, trouver le sème spécifique (cf. tome I, p. 132) de *zoulou* qui a déterminé son choix, mais en tenant compte de sa nécessaire harmonisation avec l'environnement textuel. Une telle méthode qui associe étroitement deux mécanismes intellectuels (comparaison avec les unités semblables, mise en rapport avec les unités coexistantes) a été placée par Jakobson au centre de la réflexion structuraliste, mais elle n'épuise pas les problèmes que pose la linéarité du poème.

En effet, le langage poétique n'est pas à considérer comme une succession d'unités entrant dans des paradigmes, c'est-à-dire des ensembles de possibles sémantiques parmi lesquels un seul aurait été choisi et resterait par là-même associé à ceux qui ont été exclus. Le signifié du mot poétique tire sa valeur toujours unique de l'endroit précis où il figure dans la suite des éléments du poème. Que la place vienne à changer et tout le poème est à rééquilibrer puisqu'il est un investissement du blanc de la page par un *engendrement linéaire*.

Illustrons notre raisonnement par un exemple :

A LA SANTÉ

Avant d'entrer dans ma cellule
Il a fallu me mettre nu
Et quelle voix sinistre ulule
Guillaume qu'es-tu devenu .../...

(Apollinaire, *Alcools*)

Le segment *Avant d'entrer* est associé au segment *A la Santé* par son pattern sonore (mêmes voyelles et même nombre de syllabes); à partir de cette répétition d'unités successives identiques, le lecteur tend à les associer étroitement dans une même structure syntaxique (une phrase-SAdj), ce qui lui permet, étant donné le sens du verbe *entrer*, de sélectionner parmi les sèmes possibles du mot *Santé* ceux qui font entrer ce lexème dans le discours narratif en tant que « lieu ». Mais il serait très dangereux d'oublier que le titre, en tant qu'élément *initial*, proposait également une invitation bachique (un toast) qui, en dépit de la réduction sémique dont nous avons expliqué le mécanisme, continue à jouer un rôle dans la structuration sémantique du texte.

Ce qui conduit à poser que, dans le langage poétique, la structuration syntagmatique du sens peut aussi passer par la répétition de signifiants successifs et que, contrairement à ce qui se produit dans la communication habituelle, aucune ambiguïté sémantique n'est jamais totalement levée (celle du titre dans le poème d'Apollinaire).

Le langage poétique en focalisant l'attention sur le déroulement linéaire et temporel du discours (les successions ... vers + vers + ... ou strophe + strophe + ... opèrent *visiblement* et *auditivement*) introduit dans la structuration du sens un facteur dont il *faut* tenir compte.

RHÉTORIQUE ET SÉMANTIQUE

La tâche essentielle du poéticien n'est pas de re-produire le texte, mais de montrer comment l'écrivain s'est servi d'un code, la langue, pour élaborer un *fait de parole* particulier, au sens saussurien. Mais cette « parole » est capable de produire des associations de sèmes imprévisibles dans ce code : condition nécessaire de l'« équivoque » poétique.

La structuration du sens en sèmes obéit en langue à un ensemble de contraintes que le message poétique enfreint parfois. Ces infractions peuvent être plus ou moins intégrées au fonctionnement habituel de la langue, comme dans l'exemple suivant :

> Les loups enneigés
> Des lointaines battues,
> A la date effacée.

(R. Char. *Le Village vertical*, in *Retour Amont*)

Tout « l'effet » du premier vers vient de ce que le SN contient un élément (*enneigés*) qui, théoriquement, ne peut être précédé d'un nom ayant le trait / + animé/.

Le rôle de la rhétorique devient ici primordial, si l'on entend par là non plus une technique d'argumentation mais simplement une théorie des *tropes* (cf. tome 1, p. 123), c'est-à-dire des « figures de signification » où les lexèmes subissent une mutation sémantique.

La **métaphore**, on l'a vu (cf. tome 1, p. 123), est fondée sur la similarité : si l'on prend deux lexèmes différents, il est presque toujours possible de leur trouver des sèmes communs, d'où la reprise d'un terme de la théorie des ensembles, l'*intersection*, pour désigner la partie commune à la mosaïque de leurs sèmes.

Par la métaphorisation l'élément commun permet d'attribuer à A tout ce qui est à B, et inversement. La métaphore « étend à la réunion des deux termes une propriété qui n'appartient qu'à leur intersection » (groupe Mu) :

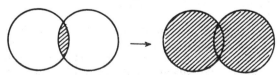

Dans les vers d'Éluard (*Les Tours d'Éliane*)

> Un espoir insensé
> Fenêtre au fond d'une mine.

le sème commun à *espoir* et *fenêtre* est /ouverture/ mais la métaphorisation permet d'attribuer à *espoir* un sème /luminosité/, que met d'ailleurs en valeur *au fond d'une mine*.

Dans le poétique, ce processus peut aller jusqu'à marquer A ou B de traits (/+ animé/, /+ humain/...) qu'ils ne connaissent pas dans la langue. Nous sommes là en présence d'une « ouverture » fondamentale puisque les termes mis en rapport par la métaphore possèderont désormais des traits doubles / ± .../ : dans notre exemple, *espoir* est marqué à la fois des traits syntaxiques /+ masculin/ et /− masculin/.

Si l'on admet que la « plasticité » du signifié des unités lexicales constitue l'un des problèmes fondamentaux de toute sémantique linguistique textuelle, on s'aperçoit que ces mêmes tropes sont souvent à la source de deux opérations que nous appellerons **focalisation** et **virtualisation**. Par la *focalisation*, tel sème d'un lexème sera mis en valeur et les autres rejetés au second plan, tandis que par la *virtualisation* un lexème se verra affecter de sèmes imprévisibles dus aux contraintes spécifiques du poème.

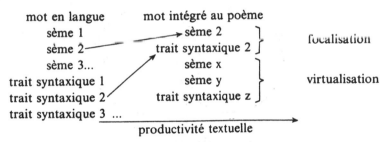

Certes, le fonctionnement du langage poétique ne s'écarte en rien du fonctionnement de tout code linguistique puisque l'un et l'autre ont en commun de pouvoir apporter aux mots des sèmes qui sont inconnus à la communauté qui les emploie, ce dont traite la *néologie* sémantique. Toutefois, en poétique, les tropes, et tout particulièrement la métaphore, sont aptes à créer une polysémie *structuralement active*.

Pour revenir à la *métaphore*, une description traditionnelle nous proposerait la définition suivante : la métaphore substitue le mot-image au mot objet de la comparaison sans aucun recours à un terme introducteur, et insisterait ensuite sur le caractère plus ou moins partiel de la similitude. Ce qui introduirait les distinctions classiques entre *comparaison* (ses yeux sont bleus comme de la faïence), métaphore *in absentia* (la faïence de ses yeux), et métaphore *in praesentia* (la faïence céleste de ses yeux). En fait, il est plus simple de parler dans tous les cas de *processus métaphorique*, de différents types ; dans le premier exemple : A, B, ainsi que leur intersection (*bleu*), sont exprimés; dans le deuxième : l'intersection ne l'est pas; quant au dernier, il n'actualise qu'indirectement l'intersection (*céleste*).

L'essentiel du codage sémantique portera donc moins sur la structuration du trope de comparaison que sur les connexions sémantiques qu'il établit dans le texte (focalisation, virtualisation, mise en valeur d'un champ sémantique, etc.).

Une strophe d'Apollinaire illustrera les temps successifs d'une telle recherche :

VILLE ET CŒUR

La ville sérieuse avec ses girouettes
Sur le chaos figé du toit de ses maisons
Ressemble au cœur figé, mais divers, du poète
Avec les tournoiements stridents des déraisons.

a) *structuration fondamentale du processus métaphorique :*

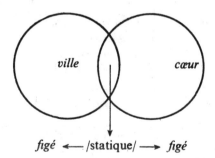

figé ⟵ /statique/ ⟶ *figé*

b) *prise en compte des informations latérales :*

Les informations latérales sont données ici par une « correction métaphorique » (*mais divers*), mise en valeur par l'emploi de virgules, correction qui établit dans le poème une opposition : /statique/ vs /dynamique/.

c) *sémantique globale :*

Cette mise en rapport de *ville* et *cœur* par le /statique/ et le /dynamique/ constitue bien l'un des pôles de l'organisation sémantique propre à la strophe.

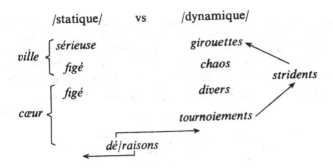

Dans cette perspective, le trope n'est pas un simple « enjolivement » contingent du poème mais un signe spécifique du langage poétique révélant à la surface du texte le lieu d'une *ouverture sémantique*, qu'il soit cristallisation d'un lent processus d'élaboration préalable ou irruption sur la page.

En poésie, toute unité linguistique est systématiquement « interrogée » par celui qui la produit et par celui qui la reçoit. Pour l'auteur, la pratique des principales « figures de signification » : *métaphore*, *métonymie* (emploi d'un mot pour un autre avec lequel il se trouve dans un rapport de liaison de contiguïté, bien qu'il y ait changement de catégorie logique : *les Renault ont accéléré dans le virage* pour *les coureurs de l'écurie Renault...*), *synecdoque* (substitution du terme inclus à celui qui l'inclut ou l'inverse : *lame* pour *poignard* → la partie pour le tout = *synecdoque particularisante; mortels* pour *hommes* → le genre pour l'espèce = *synecdoque généralisante*), devient le moyen de dire une *incertitude* fondamentale. Pour le lecteur, elle dévoile les contraintes qui ont pesé sur la genèse du message et ouvre des voies d'accès à l'écriture poétique.

SYNTAXE ET SÉMANTIQUE

Selon R. Jakobson, « l'ambiguïté est une propriété intrinsèque, inaliénable, de tout message centré sur lui-même, bref c'est un corollaire obligé de la poésie » (1963, p. 238). Cette perspective a le mérite de focaliser l'attention sur le fait que le fonctionnement du poème conduit nécessairement à une imbrication profonde des structures linguistiques, où l'on ne distingue plus nettement ce qui appartient à telle ou telle unité.

Le poéticien, quant à lui, constate que ces *ambiguïtés syntaxiques*, malgré leur complexité, ont une finalité aisément repérable : soit l'ambiguïté n'est pas soluble dans l'espace du poème et constitue de ce fait une « ouverture » irréductible du texte; soit elle l'est, et le lecteur suspend son interprétation jusqu'à ce que la suite du texte lève l'équivoque.

• Un poème de P. Éluard constituera un premier exemple :

COUVRE-FEU

Que voulez-vous la porte était gardée
Que voulez-vous nous étions enfermés
Que voulez-vous la rue était barrée
Que voulez-vous la ville était matée
Que voulez-vous elle était affamée
Que voulez-vous nous étions désarmés
Que voulez-vous la nuit était tombée
Que voulez-vous nous nous sommes aimés.

Intéressons-nous d'abord au statut de *elle* (vers 5). Nous savons qu'il s'agit d'un substitut pronominal qui a pris la place d'un SN soit antérieur soit implicite. Mais ici le terme auquel *elle* réfère peut être *la ville* ou *nous*, d'où une première ambiguïté. De plus, le tableau de la combinatoire des personnes en français :

	je	tu	il/elle
je		nous	nous
tu	nous		
il / elle	nous		

montre bien que V5, tout en manifestant la première ambiguïté, en supprime partiellement une autre : celle du *nous* de V2

$$\text{nous} = \text{je} \quad + \quad \left\{ \begin{array}{l} \text{il} \\ \text{elle} \end{array} \right. \rightarrow \text{sélection en texte}$$

Ce qui conduit à l'une des lectures possibles :

nous étions enfermés (je + elle)
elle était affamée (d'amour)
↑
nous nous sommes aimés

lecture introduisant un rapport de causalité très différent de celui qui serait établi par :

la ville était matée (parce qu') elle était affamée

Quant au statut de *que voulez-vous*, il est, c'est certain, lui-même syntaxiquement ambigu. Faut-il en effet considérer ce segment comme une phrase interrogative ou comme un segment de discours répété exclamatif (ce qui, par contre-coup, entraînerait des modifications profondes de la structuration mélodique)? C'est la nature même du message poétique qui permet la réitération de *que voulez-vous*, mais cette réitération constitue en quelque sorte le leitmotiv équivoque sur lequel viendra se superposer en contrepoint un second motif (l'ambiguïté des pronoms).

L'équivoque, surtout dans la poésie contemporaine, est souvent profondément associée à une *agrammaticalité* plus ou moins marquée; même si le poème conserve l'ordre habituel des éléments, il suffit pour cela qu'un certain nombre d'opérations syntaxiques (effacement, en particulier) fassent peser une incertitude sur le statut d'un constituant de la phrase.

L'AMOUR

Être
Le premier venu.

(R. Char)

On peut d'abord comprendre ce texte comme un court poème où l'infinitif exprime un souhait; dans ce cas, le titre, comme le plus souvent, reste syntaxiquement isolé du reste de l'énoncé. Mais, si l'on admet que ce titre a un lien organique avec le texte en raison de la brièveté de celui-ci, le poème peut correspondre à deux autres types de structure syntaxique, résultats d'un effacement de la copule :

1) SN (*l'amour*) + Cop (est) + SN (l'*être le premier venu*)
2) SN (*l'amour*) + Cop (est) + P-SN (d'*être le premier venu*)

Ici, le poème proprement dit a la fonction d'un SN attribut ou bien d'une phrase attribut (cf. *supra*, p. 57). De plus, dans la structure 1, l'amour a les traits /+ animé/, /+ humain/.

Quant au segment de discours répété *le premier venu*, il est soumis à une réactivation par l'attirance de la forme *être* (infinitif → participe passé), d'où d'autres combinaisons possibles et simultanément présentes en texte :

a) *l'amour/être venu le premier* (souhait)
b) *l'amour* (est) l'*être venu le premier*
c) *l'amour* (est) d'*être venu le premier*

157

• Dans les deux textes précédents, l'ambiguïté syntaxique n'est pas résolue. Cependant, tout aussi fréquents sont les cas où l'on trouve une suspension de l'interprétation jusqu'à la résolution de l'ambiguïté par le contexte.

Soit le début d'un poème de P. Éluard (*Bonnes et mauvaises langues*)

Ne dites pas sur un chemin de pierre
D'épaisses maisons fendues par la culture
Ne dites pas j'ai honte un aigle irrespirable
Vous prendrait à la gorge à la lampe des moissons de langues

Au vers 1, on ne sait pas s'il faut interpréter *sur un chemin de pierre* comme « ce qu'il ne faut pas dire » ou comme un S Adj indiquant le lieu et appartenant à la même phrase que *Ne dites pas*. L'ambiguïté est levée au vers 3; *j'ai honte* nous montre que *sur un chemin de pierre* constitue bien une partie de ce qui a été interdit.

Ce que nous avons essayé de montrer dans ces dernières pages, c'est que l'organisation syntaxique ne joue pas sur le seul plan de l'expression mais aussi sur celui du signifié. Il nous paraît donc fondamental de rappeler les faits suivants :

1) les schémas syntaxiques ont un double rôle. Ils renforcent la distribution spatiale du poème mais en même temps ne sont accessibles qu'à travers elle. Le jeu des équivalences syntaxiques offre un moyen particulièrement net d'appréhender ce phénomène.

2) cette structuration syntaxique textuelle se détache plus ou moins clairement sur les contraintes syntaxiques de la langue usuelle. L'*agrammaticalité* au même titre que *l'ambiguïté* sont des indices plus particulièrement visibles de la mise en suspens du fonctionnement de la langue, mise en suspens rendant possible la manifestation du poétique.

3) la syntaxe contribue à cette « auto-production » du texte qui caractérise le langage poétique.

Mais devant chaque poème, il faut être bien conscient que les composants sémantiques et phonétiques sont intimement associés au cadre syntaxique pour constituer avec lui un tout. Pour nous, **ce concept de totalité est premier.** Cela ne signifie pas qu'on puisse aborder l'étude d'un poème dans n'importe quel ordre : les différentes étapes de son approche sont fonction d'une appréhension globale de son individualité.

LECTURES

- Problèmes d'ensemble

R. JAKOBSON : *Essais de Linguistique Générale* (Coll. Points, Ed. de Minuit, 1963).

Le chapitre XI constitue le pivot de toute la réflexion structurale sur le langage poétique.

R. JAKOBSON : *Questions de poétique* (Seuil, 1973).

Une série d'études obéissant aux postulats établis dans le chapitre précédent.

D. DELAS et J. FILLIOLET : *Linguistique et poétique* (Larousse, 1973)

On trouvera en particulier dans cet ouvrage une mise en perspective des différentes écoles et l'illustration développée du concept d'actualisation.

M. RIFFATERRE : *Essais de stylistique structurale* (Flammarion, 1971).

De nombreux exemples essaient de montrer, en privilégiant l'axe syntagmatique, comment tout fait de style s'articule avec d'autres faits de style au sein d'unités minimales (les micro-contextes) et du texte vu dans son ensemble (le macro-contexte).

-Analyse du signifiant

P. GUIRAUD : *La Versification* (Que sais-je?, n° 1377, P.U.F., 1970).

Initie à tous les problèmes posés par les formes codifiées.

J. MAZALEYRAT : *Éléments de métrique française* (Coll. U2, n° 221, Colin, 1974).

Insiste sur ce qui fonde le vers français à toutes ses époques : le rythme.

P. DELATTRE : *Studies in French and Comparative Phonetics* (Mouton, 1966).

Offre les fondements théoriques de tout examen du signifiant ne négligeant pas l'acoustique.

Langue française 23 (sept. 74, Larousse) « Poétique du vers français ».

Numéro très riche où l'on trouvera de multiples incitations à des recherches plus poussées.

-Analyse du signifié

B. POTTIER : *Linguistique générale. Théorie et description* (Klincksieck, 1974).

Pour mieux comprendre les rapports entre l'analyse sémantique (la substance du signifié) et celle des structures syntaxiques (la forme du signifié).

C. KERBRAT-ORECCHIONI : *La Connotation* (P.U.L., 1977).

Ouvrage remarquable qui a pour mérite, en particulier, de souligner que toute étude de la connotation porte aussi bien sur le signifiant que sur le signifié.

EXERCICES

1. Exercices de syntaxe

L'A.C.I.

1 *Dans ces phrases, indiquez le SN, le SV et éventuellement le(s) SAdj constituants immédiats de P.*

Cet inconnu au regard inquiétant dort le jour et arpente à la nuit les boulevards.
La vie est vraiment difficile à Paris pour les réfugiés.
La méthode suivie dépend aujourd'hui des goûts personnels des chercheurs.
Cette proposition ne conduit sur le plan méthodologique à aucune conclusion valable.

2 *Dans les phrases suivantes, repérez les SN, définissez leur place dans l'arbre et analysez-les en leurs constituants.*

Le désespoir de cet enfant laisse les gens qui passent dans la rue indifférents à son malheur.
Les querelles historiques ne sont pas la source de la diversité des méthodes actuelles.
Tous les jours, après ma leçon, un monsieur très distingué, qui devait être un domestique, conduisait mon ami dans le salon aux rideaux roses.
Avant l'heure où les thés de l'après-midi finissaient, à la tombée du jour, dans le ciel encore clair, on voyait des taches brunes qui pâlissaient et que certains jours on pouvait prendre pour des oiseaux.
Au retour du spectacle d'hier Louis a posé son manteau gris sur la commode.

3 *Les phrases qui suivent sont ambiguës. Montrez cette ambiguïté en traçant pour chacune autant d'arbres qu'il y a d'interprétations possibles.*

La police a traqué l'assassin dans une voiture étrangère.
Ces parents croient leur fils malade.
Il préfère le salon aux potiches anciennes.
Hier Jeanne a reproduit le dessin au tableau.

LES CONSTITUANTS MAJEURS DE LA PHRASE

1 *Étudiez la répartition et la concurrence des marques de genre et de nombre dans les phrases suivantes.*

Mes chers camarades, nos luttes ont apporté des résultats inespérés.
Leur propriétaire a l'air sombre et taciturne mais semble honnête.
La belle console que mes amies m'ont offerte est vraiment un meuble étonnant.
Ces chevaux me semblent beaux mais leur écurie n'est pas bien disposée.

160

2 *Dans la liste qui suit, dites quels mots sont dérivés et lesquels sont radicaux; constituez la liste des morphèmes et de leurs combinaisons. Pour cet exercice recourez au test de commutation.*

Probablement, sentiment, calmement, déferlement, ciment, subtilement, achèvement, véhément, dénouement, gentiment, piment, alignement, serment, scellement, faiblement, sûrement, quasiment, dément, prélèvement.

3 *Faites le même travail pour le préfixe* **sur-***; au terme de cette analyse sa signification vous semble-t-elle homogène? Quelle conclusion pouvez-vous en tirer?*

Surdité, surmonter, surgir, surnombre, surclasser, surfait, surnaturel, surentraînement, surprise, surplis, surproduction, surnager, surtout, suroît, surcroît, surmener, surpiquer, suranné.

4 *Tous les mots qui suivent proviennent d'une suffixation Nom → Verbe. A partir de ce corpus dégagez les divers types de suffixation en tenant compte non seulement de la nature et du sens du suffixe mais encore des modifications qu'il fait subir au terme de base.*

Grouper, amidonner, alcooliser, emmagasiner, aguerrir, pacifier, chambarder, balayer, supplicier, museler, vitrifier, expertiser, remédier, agresser, déifier, étiqueter, vaporiser, témoigner, alunir, masquer, dépiter, copiner, planifier, pavoiser. .

5 *Même travail pour la suffixation Nom → Nom.*

Pincette, chapelier, cerisaie, starlette, aiglon, dentiste, géographe, colonnade, ophtalmologiste, généticien, pelletée, congressiste, encrier, jardinet, horloger, poutrelle, napperon, camionnette, physicien, essayiste, forgeron, roseraie, tartelette, figurine, ruisselet, garçonnet, tableautin, cafetière, oranger, cuillerée, plombier, bonbonnière, sociologue, bouchée, roitelet, moucheron.

6 *Sur le corpus suivant, en essayant de faire abstraction des facteurs rythmiques et expressifs, dégagez diverses sous-classes d' « adjectifs » à l'aide de tests distributionnels. (Possibilité de figurer devant ou derrière N sans modification sémantique, d'être attribut dans une phrase copulative, de se trouver dans le contexte [qui est très ---], de commuter avec un SP synonyme...)*

Un arrêté préfectoral.
Un chat noir.
Un beau marin.
Une sale histoire.
Un garçonnet brun.
Un tigre méchant.
Un fier service.
Un restaurant universitaire.
Un grand musée.

Une gentille villa.
Un adroit cambrioleur.
Un méchant coup de poing.
Une histoire vraie.
Un enfant pur. .
Un spectacle folklorique.
Un beau tableau.
Un vase sacré.

7 *Distinguez les SN et SP appartenant au SV de ceux qui sont les C.I. de P. Justifiez votre choix.*

Il se rend dans sa famille; là, il se dispute avec ses frères.
Il fume l'été des blondes et se remet aux brunes l'hiver.
Il a couru toute sa vie après la fortune.
Il en voulait tant à Louis qu'il s'est battu avec lui.
Tout cela ne mène pas le patron à grand-chose.
Il a eu beau discuter de l'affaire, il se retrouve au même point.

8 *Soit le corpus:*

Il descend acheter du pain.
Il veut gagner son pari.
Il désire récupérer sa valise.
Il peut voyager quand ça lui plaît.
Il court toucher son mandat.
Il rentre prendre son thé.

Il espère avoir son diplôme.
Il repart boire une bière.
Il doit craindre nos réactions.
Il passe prendre son lait.
Il pense accélérer les travaux.
Il sort tondre sa pelouse.

Tous ces verbes sont des verbes opérateurs entrant dans le cadre SN + V + Inf. mais ils ont des propriétés syntaxiques différentes. Essayez de dégager des classes en étudiant leurs différences de comportement à travers quelques opérations : possibilité d'insérer **pour** *devant l'infinitif sans modifier notablement le sens; remplacement de l'Inf. par un pronom personnel; substitution d'une complétive à l'infinitif; insertion de* **ne...pas** *avec l'Inf.*

9 *Soit le corpus suivant:*

Paul sait conduire.
Il sait que j'aime la nature.
Je sais ce garçon fâché contre son père.

Je ne sais pas son nom
Il sait son cours à fond.
Je sais être terrible si on m'ennuie.

Il ne sait pas si je reviendrai.
Il connaît Paul.

On connaît sa haine des grands ensembles.
Il connaît bien la région.
Il connaît son métier.
Il a connu la misère.

Savoir *et* **connaître** *semblent sémantiquement proches; en essayant de les faire commuter dans les contextes qu'offre le corpus il s'agira d'expliciter les différences que l'on peut relever dans leur comportement syntaxique. (Attention! La commutation peut être possible mais entraîner un changement du sens de l'énoncé.)*

LA PHRASE COMPLEXE

1 *En vous fondant sur des tests syntaxiques de votre choix, dites quelle est la nature et la fonction des phrases en QU- dans les énoncés suivants:*

Je prétends que vous avez tort.
L'impression qu'il m'a faite est considérable.
L'idée qu'il puisse recommencer me décourage d'avance.
Jeanne avoue qu'elle est contente que je vienne demain.
L'idée qu'il a donnée de ses capacités nous a laissés rêveurs.
Les gens qu'il prétend que je vois me sont inconnus.
Mon seul désir est qu'on me laisse tranquille.
Cela me comble de joie qu'elle ait réussi si facilement.
Il n'est pas digne qu'on s'intéresse à lui.
Qu'il ait dit ou non la vérité ne change rien à l'affaire.

2 *En vous appuyant sur divers tests syntaxiques, mettez en évidence la variété des comportements syntaxiques des formes en-**ant** dans le corpus qui suit:*

Joëlle **étant** furieuse, Catherine préféra s'en aller.
Voulant devenir officier, Jean s'engagea dans la cavalerie.
Il songeait en **dégustant** son thé aux sourires de Louise.
Un spectacle **étonnant** s'offrait aux visiteurs **entrant** par la porte latérale.
Repentant, le chien s'allongea à ses pieds.
Un **manifestant** a blessé un policier qui le chargeait en **tenant** une matraque.
J'aime les livres **prenants, laissant** les autres à mon frère.
J'imagine mal Bénédicte **défrichant** la jungle à coups de hache.

2. Exercices de poétique

1

L'ILE

Sur l'étang du château
reste une île
où se tiennent les vieux cygnes
elle n'est utile qu'à leur repos
nulle femme ne s'y cache plus
ni par amour ni par calcul
la pâquerette y sort de terre
et la lenteur s'y résume.

(J. Follain. *Exister*)

Questions:
   1) Décodage des voyelles sous l'accent. Peut-on en tirer une hypothèse sur la structuration du texte en ensembles relativement homogènes?
   2) Décodage de la totalité des voyelles. Essayer de montrer qu'un mot du texte est au centre de la structuration sonore.

3) Décodage des syllabes sous l'accent. L'hypothèse est-elle confirmée?

Direction de recherche: Le fonctionnement globalisant de ce poème efface le mot *île* ou, plus exactement, le réduit à son essence vocalique.

2   AUTOUR DE L'AMOUR

> Je t'enfouirai dans le sable
> Pour que la marée te délivre
> La liberté pour l'ombre
> Je te ferai sécher au soleil
> De tes cheveux où le phénix tombe dans une trappe
> La liberté pour la proie

(R. Char et A. Breton, in *Ralentir travaux.*)

Remarque: A en croire P. Eluard, R. Char écrivit les trois premiers vers et A. Breton les trois autres.

Questions:

1) Quels sont les faits qui permettent d'affirmer qu'un segment de discours répété est présent en texte?

2) Dans quelle mesure le signifié de ce segment participe-t-il au sens général du poème?

3) Montrer comment les parties constitutives de ce même segment, en tant que lexèmes indépendants, sont insérées dans la structure sémantique.

Direction de recherche: Le segment de discours répété, comme bloc lexical et comme unité dont les constituants sont réactivés, contribue dans une large mesure à *l'ambiguïté* de ces quelques vers.

3   L'ALOUETTE

> Extrême braise du ciel et première ardeur du jour,
> Elle reste sertie dans l'aurore et chante la terre agitée,
> Carillon maître de son haleine et libre de sa route.
> Fascinante, on la tue en l'émerveillant.

(R. Char. *La Paroi et la Prairie*)

Questions:

1) Dans quelle mesure la spatialisation du texte permet-elle d'en organiser le commentaire linguistique?

2) Le premier vers propose deux métaphores. Comment peut-on les analyser?

3) Etude sémantique du poème.

Direction de recherche: Le décodage du premier ensemble (V1-V2-V3), à tous les niveaux, conduit à une lecture très enrichie du dernier vers.

4

> Etre ange
> c'est étrange
> dit l'ange
> Etre âne
> c'est étrâne
> dit l'âne
> Cela ne veut rien dire
> dit l'ange en haussant les ailes
> Pourtant
> si étrange veut dire quelque chose
> étrâne est plus étrange qu'étrange
> dit l'âne
> Etrange est
> dit l'ange en tapant des pieds
> Etranger vous-même
> dit l'âne
> Et il s'envole.

(J. Prévert. *Paroles*)

Question : Quels sont les traits caractérisant les réalisations orales du français qui ont permis à Prévert de construire une série de syntagmes homonymiques? (cf. tome 1, 2ᵉ partie).

5 COULEURS

La neige canadienne salie de débris radio-actifs, les océans noirs de pétrole ou rouges de Titane, les fruits couleur de mercure.
Le poète aura tort qui dira : « la terre est bleue comme une orange ».

(François Diani, in *Le Monde*)

Question : Analyse des relations sémantiques entre ce texte et le vers d'Eluard cité.

6 AVARE

> M'alléger
> me dépouiller
> réduire mon bagage à l'essentiel
> Abandonnant ma longue traîne de plumes
> de plumages
> de plumetis et de plumets
> devenir oiseau avare
> ivre du seul vol de ses ailes

(M. Leiris. *Autres Lancers*)

165

Questions:
1) Etude en texte des préfixations et des suffixations.
2) Décodage sonore des deux derniers vers.
3) Analyse sémique du mot *avare* après consultation d'un bon dictionnaire. Est-ce en accord avec ce que semblent « dire » les différents niveaux du fonctionnement poétique (spatialisation/phonétique/lexique/sémantique/syntaxe)?

Direction de recherche: Le texte, dans son engendrement, réinvestit le titre de toutes ses valeurs sémantiques.

INDEX

A abrègement 30, 101
acte (de langage) 76 (illocutoire) 76 (perlocutoire) 76
actualisateur 36
actualisation 35
adjectif 11, 30, 39
adjoint (adverbe -) 58 (phrase SN -) 62 (syntagme -) 12, 52
adverbe 52
affixation 25
agrammaticalité (vs grammaticalité) 102
allitération 135
ambiguïté (syntaxique) 16, 156
analogie 101
analyse (en constituants immédiats) 9
arbre 14
attribut 50
auxiliaire 45

B base (terme de -) 25
bilinguisme 86
bon usage 93, 99
branche 14

C calque 91
césure 128
classe (distributionnelle) 7
code 70 (- graphique) 80 (- oral)80 (- restreint) 107 (- élaboré) 107, 109
communication (différée) 80 (- immédiate) 80 (situation de -) 79
comparaison 153
comparative (phrase -) 65
complétive 57
complexe (adjectif -) 140 (phrase -) 155
comptable (nom -) 22
conjonctive (phrase -) 63

consécutive (phrase -) 64
construction 47 (- opératrice) 58
contexte .. (- situationnel) 77
co-occurrent 7
co-variance 106, 108
créole 91

D déictique 37, 71
deixis 71
dérivation 25
description structurale 16
détachement 59
détensif 41
déterminant 35
diachronie 95
dialecte 88, 95
dialectisation 94
dialectologie 87
diglossie 91
digramme 83
discours (types de -) 103 (- répété) 139 (technique du -) 139 (vs récit) 73
discours cité 74 (direct) 74 (indirect) 74 (indirect libre) 74
distribution 7

E économie 101
effet (par évocation) 144
embrayeur 71
emprunt 91
enchâssement 56
endocentrique 32
énonciation 70
état (de langue) 94
exocentrique 32
expansion 10
expressivité 42, 102
extraposition 13, 44

F figure 120
focalisation 153
fonction (- syntaxique) 15 (- conative) 78 (- émotive) 78 (- expressive) 78 (- métalinguistique) 78 (- phatique) 78 (- poétique) 115 (-référentielle) 116
fonctionnement (globalisant) 116
français (standard) 103 (populaire) 101 (avancé) 101

G graphème 82
générative (grammaire -) 16
genre 19
gérondif 62

H homographie 81, 118
homonymie 81, 83, 118
hypercorrection 101
hypothétique (phrase -) 65

I idiolectal (trait -) 88
idiolecte 96
immédiats (constituants -) 9
indiciel (aspect -) 71
informateur 88
intensif 41, 42
interférence (diachronique) 142 (diatopique) 144 (diastratique) 145 (diaphasique) 145
intertextualité 139
isoglosse 87

L langue 88 (commune) 89 (officielle) 89 (nationale) 89 (de minorité) 89 (régionale) 89 (contact de - s) 91
linéarité 150
linguistique (communauté -) 89 (pratiques -s) 110 (changement -) 95
logogramme 83

M macro-signe 147
marque 19 (redondance des -s) 23
marqueur (d'enchâssement) 57
matrice (sonore) 123 (phrase -) 56
métaphore 152 (- in absentia) 154 (- in praesentia) 154
métaphorique (processus -) 154
métonymie 155
mètre 128
métrique 128
modalité (d'énoncé) 75 (d'énonciation) 75 (de message) 75
modifieur 11
monème radical 25
morphogramme 83
mot (fréquent) 104 (disponible) 104

N niveau (de langue) 100
nœud 14
nom 11, 34
nombre 22 (- syllabique) 128
norme 99

O objet (complément d'- direct) 48 (complément d'- indirect) 49
opérateur 104 (construction -) 58 (adjectif -) 59 (nom -) 59 (verbe -) 58
ordre (oral) 81 - (scriptural) 81

P parasynthétique 25
parler 90
paronomase 141
paronyme 118
participiale 61 (- adjointe) 63
patois 88
pattern (rythmique) 130 (sonore) 123
performatif 76
personne (vs non-personne) 71
personnel (nom -) 173 (pronom -) 172
phonogramme 83
phrase 9, 55
plurilinguisme 91
poétique 115
postactualisateur 38
préactualisateur 37
prédicat (vs thème) 43
préfixation 26
préposition 54
prérythme 128
présupposition 76
propos (vs thème) 43
pseudo-adjectif 40

Q quantifieur 37

R racine (verbale) 45
récit (vs discours) 73
recomposé 31, 33
relative (phrase -) 60
rime 116, 135

S sabir 91
sens 77, 137
signifiance (objet de -) 119
signification (objet de -) 118.
simple (phrase -) 55 (adjectif -) 40
spatialisation 118
structuration (sonore) 120
suffixation 27
sujet (apparent) 44 - (grammatical) 44 - (logique) 43 - (profond) 44 - (réel) 44 - (superficiel) 44

surarticulation 130
surnorme 103
synchronie 94
synecdoque 155
syntagmatique (modèle -) 16
syntagme 10 - (adjectival) 39 - (adjoint)
  - (nominal) - (prépositionnel) -
(verbal) 44
système (vs norme) 101

T   temps 45, 73
    thème (vs propos) 43 (vs prédicat) 43
    trope 152

V   variation 67, 86, 94, 98
    verbe 34
    virtualisation 153
    voyelle métrique 128

DANS LA MÊME COLLECTION

J. Courtés, *Introduction à la sémiotique narrative et discursive.*

R. Escarpit, *Théorie générale de l'information et de la communication.*

C. Fuchs et P. Le Goffic, *Initiation aux problèmes des linguistiques contemporaines.*

D. Maingueneau, *Initiation aux méthodes de l'analyse du discours-Problèmes et perspectives.*

R. Moreau, *Introduction à la théorie des langages.*

Ch. Muller, *Initiation aux méthodes de la statistique linguistique.*

Ch. Muller. *Principes et méthodes de statistique lexicale.*

J. L. Chiss, J. Filliolet, D. Maingueneau, *Linguistique française (1). Initiation à la problématique structurale.*

7784. — Imprimerie Nouvelle, Orléans. — 11/1978.
Dépôt légal 7638-12-1978 — Collection n° 04 — Édition n° 01.
14/4519/6 — ISBN 2.01.005415.6